HARDPRESS.NET
HOME OF HARD-TO-FIND BOOKS

Die Serbische Bewegung in Südungarn
by Siegfried Kapper

Austr. 587

587

Die
Serbische Bewegung
in Südungarn.

Ein Beitrag zur Geschichte der ungarischen Revolution.

Mit einer Karte.

Berlin.

Verlag von Franz Duncker.
(W. Besser's Verlagshandlung.)

1851.

28. J.

Einleitung.

„Die Zeit, eine Geschichte der jüngsten europäischen Revolution zu schreiben, ist noch nicht gekommen. Noch liegen gewisse Dinge zu nahe, gewisse zu sehr im Dunkel; noch stellen sich manche persönliche Rücksichten als schweigengebietend dar, und noch sind die schreibenden Persönlichkeiten von Erinnerungen, Zuständen und Verhältnissen zu sehr selbst berührt, als daß eine historische Auffassung und Darstellung möglich sein könnte.“

Mit diesen oder ähnlichen Worten haben die meisten Darsteller von Partien der jüngsten Geschichte Mitteleuropa's die der Oeffentlichkeit gemachten Mittheilungen eingeleitet, und wir gestehen, daß wir uns in der Lage befinden, dasselbe zu thun.

Wir sind über die Zeit des Memoirs noch nicht hinaus.

Die österreichische Revolution namentlich, und insbesondere jene Partie derselben, die im Landhause zu Preßburg ihren Anfang nahm und auf den Ebenen von Vilagos ihr Ende fand, ist für die Geschichte noch lange nicht reif.

Man ist sich noch nicht einmal ihrer Genesis klar bewußt worden.

Was wir über die österreichische Revolution im All=
gemeinen, was über die ungarische insbesondere an Mit=
theilungen besitzen, sind immer noch entweder blos flüchtige,
in möglichster Hast concipirte, über dunkle Partien rasch
hinwegeilende Uebersichten, oder, und zwar größtentheils,
nicht minder unvollkommene, einseitige, als so zu sagen in
der Hitze des Gefechtes geschriebene und von dieser Hitze
durchglühte Memoiren.

Eine der dunkelsten Partien aber ist die der serbi=
schen Bewegung in Südungarn.

Was über sie in den einzelnen Darstellungen mitgetheilt
worden, reicht nicht über die flüchtige Notiz hinaus und
ist fast nie, namentlich in Schriften, die ungarischen Federn
entflossen, von einer Ueberreiztheit frei, die auch nur eine
halbwegs richtige, Ursachen und Wirkungen gehörig er=
wägende Auffassung der Begebenheiten schlechterdings ver=
unmöglicht.

Die Flüchtigkeit und Unzulänglichkeit dieser fragmentari=
schen Notizen findet in der Unzulänglichkeit der maßgeben=
den Quellen für die bisherigen Darsteller der ungarischen
Revolution, insofern sie die Erhebung der in Südungarn
wohnenden Serben betreffen, zum Theil auch in der Ge=
trübtheit der ihnen zugänglich gewesenen, ihre Erklärung.
Sie schöpften ihre Daten meist aus ungarischen und deut=
schen Journalen. Die serbischen Journale und Aktenstücke
blieben ihnen unbekannt. Die Animosität der Darstellung
hingegen erklärt sich aus der politischen Erbitterung, die zur
Zeit der Aufzeichnungen einem ruhigen Nachdenken über den

tieferen Zusammenhang der Dinge noch nicht gewichen war; erklärt sich aus dem natürlichen Bestreben, dem Gegner auch auf dem Papiere und in den Denktafeln der Geschichte Wunden zu schlagen, wie dies bei den Freunden jeder Partei begreiflich ist, und von dem sich, die Feder in der Hand, loszumachen, zu jenen Aufgaben gehört, die selten spätere Geschichtsschreiber, am wenigsten aber Zeitgenossen zu lösen im Stande sind.

Wir haben es für nicht unnöthig gehalten, das Augenmerk derjenigen, die sich für das Verständniß der jüngsten mitteleuropäischen Ereignisse interessiren, auf die obenerwähnte dunkle Partie der ungarischen Revolution zu lenken.

Wir haben es versucht, den natürlichen Zusammenhang der serbischen Bewegung in Südungarn mit der Revolution, deren sie ein Theil war, nachzuweisen; wir haben sie auf ihren Ursprung zurückgeführt; haben die Wendungen, die sie in ihrem Verlaufe nahm, zu erklären angestrebt. Wir gestehen, daß wir dabei nicht ohne Parteinahme geblieben.

Ein Volksstamm, durch eigene Sprache, eigene Religion, eigene Sitten und eigene Geschichte zur Anerkennung seiner Existenz berechtigt, durch den Zusammenhang seiner Fortentwickelung mit der im Südost Europa's sich vorbereitenden Geschichte zur Wahrung seines Bestandes verpflichtet, griff zu den Waffen, um die Zumuthung, dem Todesstoße die offene Brust darzubieten, von sich abzuweisen. Er wies ein empörendes Ansinnen mit den Waffen der Empörung zurück.

Kein lebensfähiger Volksstamm in Europa, der die

Kraft dazu in sich fühlt, und die Hoffnung auf die Zukunft noch nicht aufgegeben hat, würde anders gethan haben.

Zur Rettung Oesterreichs beigetragen zu haben, kann dieser Erhebung ebensowenig als Verdienst angerechnet werden, als Oesterreich das Verdienst beigelegt werden kann, aus bloßer Erkenntniß der Billigkeit diesem Stamme seinen Beistand zugewandt zu haben. Was Eines an das Andere wies, war nichts als die Vertretung des eigensten Interesses.

Wir haben aber unsere Parteinahme nicht bis auf die Behauptung um jeden Preis ausgedehnt. Es wird dies aus dem Gesichtspunkte hervorgehen, von dem aus wir den Kampf Ungarns selbst beurtheilen.

Jener Waffen jedoch, deren sich die meisten bisherigen Memoiristen im Dienste der Sache, die sie vertraten, bedienten, wenn sie von den Serben sprachen, und die allenfalls im aufgeregtesten Wortwechsel gerechtfertigt, der Feder aber durchaus unwürdig erscheinen, haben wir uns zu enthalten bemüht. Wir glaubten, Zeitgenossen sowohl als künftigen Historikern würde es nicht unbillig erscheinen, wenn ihnen auch eine Stimme aus den Lagern zu Ohren kömmt, über die sie bisher nur, und zwar in der schreckenerregendsten Weise sprechen gehört; wir glaubten aber nicht eine Sammlung all des Schimpfes anstellen zu müssen, der beiderseits auf einander gehäuft worden.

Dies im Allgemeinen. Das Ausführlichere in den folgenden Blättern.

Im März 1851.

Inhalt.

———

Seite

Erstes Kapitel: Das nationale Element und die Revolution — in Deutschland — in Oesterreich — Kaiser Joseph II. — Seine deutsche Politik — sein Liberalismus — seine Nachfolger — Das Erwachen des nationalen Elementes — Konsequenzen   1

Zweites Kapitel: Die Ländergruppen in Oesterreich — Zweierlei Verwaltungssysteme — Die gefährdete nationale Existenz der Slaven, und die gefährdete politische Ungarns — Convergenz der Richtungen — Die Ländergebiete der ungarischen Krone — Die Bevölkerungsmasse dieser Gebiete — Die Magyaren — Die Slovaken — Die Serben — Die Rumänen — Verfehlte Politik der ungarischen Landtage — Konsequenzen   7

Drittes Kapitel: Der Sprachenkampf — Seine ersten Manifestationen — Literarische und soziale Bestrebungen — Stammverwandte Annäherungen — Nationale Propaganda — Die Beschlüsse des ungarischen Landtags von 1843 — Deren Begünstigung von Wien aus — Ernstere Auflehnungen gegen den Sprachzwang — Uebergriffe der Vollstrecker der Sprachgesetze — Der Julikonflikt zu Agram — Erweiterung der Kluft zwischen den Magyaren und Südslaven — Einigung der letzteren zur Partei — Die Wahlen für den Landtag 1847 —

Seite

Kroatien — Sprachpolitik des Landtags — Gesetzentwurf über die magyarische Nationalität und Sprache — Protestation der Ablegaten aus Slavonien und Kroatien — Der Personal — Lonovitsch — Kossuth — Pazmandy — Josipovitsch — Zunehmende Erbitterung unter den Südslaven — Die Sanktion — Die Kunde von den Märzereignissen — Rücktritt des Nationalitätenstreites — Ein günstiger Moment — Dessen Versäumung — Rückkehr der nationalen Erbitterungen — Lossagung Kroatiens von Ungarn — Konsequenzen   18

Viertes Kapitel: Vorgeschichte — Türkenkriege — Entvölkerung der unteren Donaugegenden — Einladungen des Wiener Hofs an die Serben zur Einwanderung in diese Gegenden — Zuzug unter Georg Brankovitsch 1688 — Einwanderung unter dem Patriarchen Tschernoevitsch Arsenius III. 1690 — Das Patent vom 21. Aug. 1690 — Georg Brankovitsch beseitigt — Johann Monasterli, Vizewojwod — Das Patent vom 20. August 1691 — Arsenius III. Tod — Kein neuer Patriarch — Georg Brankovitsch's Tod — Kein neuer Wojwode — Verkürzung der kirchlichen Rechte — Aufstand von 1735 — Die serbische Hofdeputation — Mißstimmung — Regulamentum von 1777 — Verwaltung mittelst Hofdekreten — Deklaratorium von 1779 — Vermittelungsansuchen bei dem Landtage 1790 — Illyrische Hofkanzlei 1791 — Kompromiß zwischen Oesterreich und dem Landtage — Die serbischen Gebiete Ungarn einverleibt — Die Komitats- und Adelsherrschaft — Deren Konsequenzen   33

Fünftes Kapitel: Die malkontenten Faktoren — Geistlichkeit — Mittelstand und Intelligenz — Gränzer — Erste Wirkung der Kunde von den Märzereignissen — Anschluß an die Gesammtrevolution — Einigkeit unter den verschiedenen Nationalitäten — Neusatz und Temesvar — Zustimmungsadressen an den Landtag — Die Militärgränze — Pantschevo, Semlin — Faktische Einführung der serbischen Sprache als Amtssprache — Ungünstige Aufnahme dieses Schrittes Seitens der ungarischen Regierung — Die Klerikalen und die Patente

zu Karlovitz — Die Nationalen zu Neusatz — Standpunkt —
Die Neusatzer Deputation — Deren Erscheinen im Landtage
— Eine Audienz bei Kossuth 47

Sechstes Kapitel: Versöhnliches — Verhalten der ungarischen Regierung gegen Kroatien, strenge Haltung gegen
die Serben — Die Kunde vom Erfolge der Neusatzer Deputation — Gährung — Die Konzession zur Abhaltung eines
kirchlichen Kongresses — Die ersten Thätlichkeiten — Der Aufstand zu Kikinda am 12. (24.) April — Absendung des Regierungskommissärs Peter Tschernoevitsch Seitens der ungarischen
Regierung — Vereinigung der Parteien von Karlovitz und
Neusatz — Grundzüge der Bewegung — Beschluß eine Volksversammlung abzuhalten — Bedenken des Metropoliten —
Tschernoevitsch und seine Haltung — Hrabowski — Die Neusatzer Deputation an den Metropoliten — Festsetzung der Volksversammlung auf den 1. (13.) Mai 60

Siebentes Kapitel: Die Volksversammlung vom 1. und
3. Mai und ihre Beschlüsse zu Karlovitz 70

Achtes Kapitel: Die ersten Arbeiten des glavni odbor
— Wahl einer Deputation an den König und einer zum
Slavenkongreß nach Prag — Das Palatinalreskript vom 3.
(15.) Mai und die Erwiderung des Obbors auf dasselbe —
Die Note Tschernoevitschs vom 4. (16.) Mai und deren Schicksal — Die Abreise des Patriarchen — Stratimirovitsch —
Energischeres Auftreten des Obbors — Annahme des Titels
einer provisorischen Regierung — Proklamation vom 10. (22.)
Mai an die deutsche Bevölkerung — Maßnahmen Seitens der
ungarischen Regierung — Sabas Bukovitsch — Verbot sla-
vischer Zeitungen — Blutgerichte — Magyarische Streifzüge
und Entwaffnung der serbischen Bevölkerung — Lager bei Segedin — Kordon gegen die Serben — Gegenrüstungen des
Obbors — Eine Deputation an Hrabowski — Die Proklamation in deren Folge 82

Neuntes Kapitel: Der syrmische Landsturm — Tschltscha
Joannovitsch im Tschaikistendistrikt und an den Römerschanzen

— Drakulitsch im deutschbanater, Stanimirovitsch und Koitsch im illyrischbanater Regimente — Hrabowski vor Karlovitz — Die Tschaikistenflottille — Beschlagnahme des Titeler Arsenals — Lager zu Kamenitz — Surdutschki in der Batschka — Bosnitsch in Sz. Tomas — Waffenempfang in Weißkirchen — Die Suspension des Banus — Die Katastrophe des Slavenkongresses — Waffenstillstand vom 12. (24.) Juni 96

Zehntes Kapitel: Der Waffenstillstand und die Gährung — Die Königsdeputation zu Agram — Die Deputation zu Innspruck — Konflikt zu Neusatz — An den Römerschanzen — Magyarische Garden und Serbianer — Sz. Mihaly — Uzdin — Tschernoevitsch — Der kleine Krieg — Die Politik des Dualismus — Die Antworten an die Deputationen — Beschlüsse zu Pest — Veränderter Standpunkt zu Karlovitz 106

Eilftes Kapitel: Die Antwort des Königs und ihre Wirkungen — Zusammenstoß bei Werschetz — Stanimirovitsch und Koitsch — Orientirung in der Batschka und im Banate — Erstes Treffen bei Szent Tomas — Treffen bei Etschka 118

Zwölftes Kapitel: Die serbische Bewegung und die Politik des Fürstenthums Serbien — Knitschanins Sendung — Die Gegenbewegung in Pantschevo und die Proklamation vom 12. (24.) Juni 128

Dreizehntes Kapitel: Rückwirkungen auf den Hof von Oesterreich und neue Anordnungen der Regierung von Ungarn — Der Patriarch und seine Richtung — Er wird Verweser der Nation — Der Banus — Konsul Mayerhofer — Die Zusammenkunft des Banus mit Hrabowski — Moritz Szentkiralyi — Suspension des Patriarchen — Revolutionsgerichtsstühle — Abreise Hrabowski's — Meßaros 136

Vierzehntes Kapitel: Standgerichte und Racenwuth — Der kleine Krieg — Neuzina — Weißkirchen — Werschetz — Uzdin — Nestin — Verbaß — Zarek — Die zweite Bestürmung von Sz. Tomas 146

Seite

Fünfzehntes Kapitel: Rückwirkungen in Pest — Moritz Perczel — Eugen Beöthy — Die Einnahme von Temerin 163

Sechszehntes Kapitel: Der Krieg im Banate — Deſſen Bedeutung — Die Kämpfe um Weißkirchen — Knitſchanin Die Treffen bei Perlaß und Tomaſchevaß — Das Treffen bei Betſchkerek 170

Siebzehntes Kapitel: Die Politik des Wiener Kabinets betreffs Ungarns — betreffs des Geſammtſtaates — Adoption der ſerbiſchen Bewegung — Konnivenz und Divergenzen — Stratimirovitſch in Anklagezuſtand — Oberſt Mayerhofer mit der Reorganiſation der Gränzregimenter beauftragt — Der Banus über die Drau — Erzherzog Stefan — Dritter Sturm auf Sz. Tomas — Mayerhofer bei Werſchetz — Stratimirovitſch's Flucht aus Karlovitz — Stratimirovitſch bei Knitſchanin — Seine Reſtitution — Die Ankunft des Wojwoden 189

Achtzehntes Kapitel: Das Manifeſt vom 3. Oktbr. — Magyariſche Pazifikationsvorſchläge — Eröffnung des öſterreichiſchen Winterfeldzuges — Die Septemberſkupſchtina — Die Bevollmächtigung des Patriarchen — Reorganiſation der Verwaltung — Deren Programm — Stratimirovitſch nach Olmütz geſandt — Rundreiſe des Wojwoden — Temesvar — Arad — Treffen bei Sireg — Bei Karlsdorf, Alibunar und Tomaſchevaß — Knitſchanin's Sieg bei Tomaſchevaß 206

Neunzehntes Kapitel: Die Unterhandlungen in Olmütz — Forderungen und Bedenken — Unzufriedenheit in Karlovitz — Eine Note des Patriarchen — Das Patent vom 15. (27.) Dezember — Der Tod des Wojwoden — Die Berufung Todorovitſch's 228

Zwanzigſtes Kapitel: Neuer Standpunkt — Neue Parteien — Der Patriarch und ſeine Vollmachten — Differenzen zwiſchen ihm und dem Odbor — Stratimirovitſch und der Patriarch — Gährung — Abreiſe des Patriarchen nach

Seite

Betschkerek — Belagerungszustand in Karlovitz — Berufung
des Odbors nach Betschkerek — Nach Hatzfeld — Nach Temesvar — Das Protokoll von Temesvar — Neue Verwaltung — Rückzug des Korps Veesey aus dem Süden —
Vorrücken Knitschanin's und Toborovitsch's — Banat und
Batschka von den Ungarn geräumt   241

Einundzwanzigstes Kapitel: Neue Wendung der Dinge
Antinationale Vorgänge — Eine Aufforderung des Fürsten
Marschalls — Stimmen und Stimmungen — Die Ver-
fassung vom 4. März — Die Paragraphe 72 und 75 —
Die Aufnahme dieser Paragraphe von den Klerikalnationalen
und Liberalnationalen — Die serbischen Gebiete als siebenter
Belagerungsrayon — General Mayerhofer Distriktskomman-
dant und der Patriarch kaiserlicher Kommissär — Die Gährung zu Semlin — Perczel's Vorrücken und Toborovitsch's
Niederlagen — Der Fall von Szent Tomas — Von den
Römerschanzen — Allgemeine Deroute — Knitschanin's Rückkehr — Stratimirovitsch's Restitution — Die letzten Momente
der Bewegung — Schluß   256

Die serbische Bewegung

in Südungarn.

Wie würde es Ihnen, meine Herren, gefallen
der Mehrheit wären, und man dennoch ihre Mutt
würde? Wäre man im Jahre 1836 in dieser Hins
gewesen, so wäre jetzt kein Aufruhr, was auch b
möchte.

Der Ablegat Sigismund Papp
Nationalversammlung am 7.

Es ist jetzt dringender, die Magyaren zu rette
schaffen!

Der Kriegsminister Mesaro
Versammlung am 16. ?

Die Anerkennung der Gleichberechtigung aber ?
spät, denn sie bot den slavischen Stämmen nur eben
den österreichischen Kaiser schon verbrieft hatten, ?
Angesichte verbrannter Städte, verwüsteter Dörfer,
Der magyarische Hochmuth und die Suprematiegel
Ubels wurde niemals tiefer als durch die Beschlüsse di
1849 zu Szegedin) gedemüthigt.

Max Schlesinger in „An

Erstes Kapitel.

Es geht ein Moment durch die Bewegung der letzten Jahre und wird wohl auch noch manche spätere bezeichnen, vor dem der ursprüngliche, rein sozial-politische Charakter, je weiter sie vom Westen, ihrem Ausgangspunkte, gegen den Osten um sich greift, immer mehr in den Hintergrund tritt — das Moment der Nationalität in der jüngsten Bedeutung des Wortes. Die Bewegung in Deutschland, obwohl in ihr das Politische überwog, war von diesem Momente nicht frei; schärfer prägte es sich in der italienischen aus; in der österreichischen war es das überwiegende.

Man hat den verschiedenen Völkerstämmen Oesterreichs bittere Vorwürfe gemacht, und schrieb es insbesondere ihren nationalen Bestrebungen zu, daß die Erfolge der Revolution so weit hinter dem zurückblieben, was man zu erwarten sich berechtigt glaubte. Namentlich waren es die slavischen Stämme dieses Reiches, welche der Vorwurf traf, ihre Nationalität höher als die Freiheit an-

1

geschlagen und um den Preis jener erstern auf diese gerne verzichtet zu haben.

Man vergaß, da man diesen Vorwurf aussprach, daß man in Deutschland kaum Anderes zu beobachten Gelegenheit hatte, als vor einem halben Jahrhunderte Frankreich seine Fahnen über den Rhein trug, um die gewiß nichts weniger als freien Völker des deutschen Reiches von dem Drucke ihrer absoluten Souveraine zu erlösen, und ihnen, wenn nicht gleich die Freiheit selbst, doch deren Anfang, die Konsolidirung, die Einigung zu bringen. Die Deutschen schlugen ihr Deutschthum damals höher an, als Einigung und Freiheit und wiesen die letzteren mit bewaffneter Hand zurück, um das erstere unter den Szeptern von mehr als dreißig absoluter Fürsten zu bewahren. Sie hörten auf Verheißungen, glaubten an Versprechungen; sie ließen sich fanatisiren und zogen das deutsche Joch der französischen Freiheit vor.

Man vergaß weiter, daß diese dem Streben nach Freiheit scheinbar widersprechende Erscheinung eben so wenig diesmal in Oesterreich, als damals in Deutschland eine zufällige, oder gar im Dienste der Reaktion künstlich herbeigeführte, sondern eine in der Geschichte begründete, somit wesentliche, nothwendige gewesen sei.

So wie der religiöse Charakter der Revolution, die vor zweihundert und dreißig Jahren mit blutiger Sohle durch Europa schritt, in den Zuständen vorbereitet war; so wie der politisch-soziale der französischen Revolution in dem l'état c'est moi und car tel est notre plaisir der

Könige Frankreichs wurzelte; so ist der Ursprung des nationalen Momentes in dem Bestreben der Fürsten des vorigen Jahrhunderts zu suchen, die Völker durch Hintansetzung und Mißachtung ihrer angebornen Sprachen und Sitten, und durch Bevorzugung und Aufdrängung fremder, zu jenem Grade der Selbstverachtung zu erniedrigen, der allerdings die beste Garantie für den unangefochtenen Bestand eines absoluten Regimentes sein mag, der jedoch die Umschwungskraft zum Entgegengesetzten mit allen Extremen theilt. Das Bewußtwerden der Gefahr, des nationalen Selbst entkleidet zu werden, vielleicht auch das Ahnen der rettungslosen politischen Versunkenheit, die diesem Verluste unausbleiblich folgen muß, und somit der Trieb, sich vor dem traurigsten alles Sterbens, dem Völkertode, zu bewahren, war nichts, als der natürliche Rückschlag jenes Attentates. Die Leidenschaftlichkeit, mit der die deutschen Fürsten den Gallizismus bevorzugten, ihn sogar herrschend zu machen suchten (man denke nur an den großen Fritz!), gab zunächst dem Wiedererwachen des spezifischen Deutschthums, der eifrigern Pflege deutscher Sprache, Sitte und Geschichte, dem Hasse gegen das Franzosenthum und das Fremdartige überhaupt, den Impuls. Dieser Haß, diese neue Liebe waren die Quellen, aus denen der deutsche Nachwuchs seine Begeisterung trank; jener Zeit entstammen die Geister, die am Himmel deutscher Wissenschaft und Literatur als Sterne erster Größe prangen; das junge Deutschland ist die Fortbildung dieser Begeisterung für deutsche Nationalität, und die jüngste Revolution in Deutschland mit ihrem Streben nach Einigung, ist nichts als deren naturgemäße Weiterentwickelung.

Man vergaß ferner, als man obiges Urtheil über die Völkerschaften in Oesterreich fällte, daß gleiche Ursachen gleiche Wirkungen nach sich ziehen, und daß die Wirkungen nur noch um so gewaltiger sind, je gewaltiger die Ursachen. Man unterließ es, zu erkennen, daß die Richtung einer Revolution in Oesterreich keine andere sein konnte, als sie eben war, weil auch sie in der Geschichte und in den Verhältnissen tief wurzelte.

An Kaiser Josefs des Zweiten weitausgreifenden Gedanken, dem weitläuftigen, so verschiedenartige Volksfragmente umfassenden Ländercomplexe durch ein System allgemeiner, germanisirender Centralisirung den Stempel eines kompakten einheitlichen Staates aufzudrücken, knüpft sich die Nothwendigkeit der ersten Regungen des nationalen Elementes in seinen mannigfachen Verschiedenheiten. Josef, der deutsche Kaiser, zeichnete mit großen Federstrichen die Grundzüge einer großen deutschen Politik. Die erste Bedingung derselben war, daß ganz Oesterreich deutsch werde. Josef, der absolute und resolute Monarch konnte dies gebieten, und er that es. In allen Aemtern der Monarchie mußte die deutsche Sprache geschrieben, in allen Schulen gelehrt werden. Aber Josef, der kluge Monarch, verkannte nicht, wie tief er dadurch in die unantastbarsten Rechte seiner Völker gegriffen. Er

mochte es wissen, daß er in Oesterreich den Keim zu
einer Revolution gesäet, und war auf Mittel bedacht,
ihn zu ersticken. Er schuf freisinnige Institutionen.

Vielleicht wäre es gelungen, die verschiedenen, nicht
deutschen Elemente in Oesterreich zum Verkümmern zu
bringen, wenn seine Nachfolger auf dem Wege solcher
Institutionen fortgeschritten wären. Sie verließen den
Weg, sie entschlugen sich des einzigen Mittels, das nach
Josefs richtiger Erkenntniß so tief geschlagene Wunden
vernarben machen konnte — und die einmal geweckten, noch nicht beschwichtigten Elemente einer
Revolution waren wieder gegeben. In den verschiedenen Provinzen, bei den verschiedenen Sprachstämmen erwachte die Erinnerung glorreicher Vergangenheit
und einstiger Selbstständigkeit, und diesmal zwiefach leb-
haft; alte Sprachdenkmäler wurden hervorgesucht, neue
Forschungen und neue Leistungen an sie geknüpft; in der
Sprache der Aemter sah man die der Unterdrückung, in
der Sprache der Schule jene der Entnervung. Man begann mit Vorliebe der eignen Muttersprache zu pflegen
und legte den Grundstein zu neuen Literaturen. Die Nachfolger Josefs ließen die verschiedenen Völkerstämme gewähren. Sie glaubten ihnen ein philologisches Spielzeug
gönnen zu dürfen, um die Gedanken desto sicherer von
dem Nachdenken über das politische Elend, über den staat-
lichen Jammer abzulenken, und halfen so mit die Elemente
jener eigenthümlichen Revolution schüren, die in Oesterreich wenn auch später, doch unausbleiblich hätte

ausbrechen müssen, wäre sie nicht durch die Fe=
bruarereignisse des Jahres 1848 vorzeitig an
die Oberfläche gedrängt worden, einer Revo=
lution der Sprachstämme, oder wie man sie nun
bezeichnet, der Nationalitäten.

Einmal an die Oberfläche gedrängt, mußte nicht die=
ser urspüngliche, in der Natur der österreichischen Zu=
stände begründete und vorbereitete Charakter der Revo=
lution bald auch der überwiegende werden?

Zweites Kapitel.

War eine Revolution in Oesterreich unvermeiblich, eine Revolution gegen das immer mehr um sich greifende germanifirende Centralifationsfyftem, eine Revolution, deren Programm sich in jenem der öfterreichifchen Föberaliften abfpiegelt; war in dem gemeinfamen Streben aller nichtbeutfchen Stämme nach Emancipation von jenem Prinzipe die Möglichkeit des Gelingens gegeben: fo war auch in dem Verhältniffe biefer nichtbeutfchen Stämme zu einander der ganze Gang und Ausgang der Revolution, den fie im Falle eines vorzeitigen Ausbruches nehmen mußte, unwandelbar vorgezeichnet.

Insbefondere gilt dies von dem eigenthümlichen Verhältniffe zweier von einander ganz verfchiedener Stämme: der Magyaren und der Slaven.

Zum Verftändniffe biefes Verhältniffes bürfte ein Blick auf die Karte von Oefterreich wefentlich beitragen.

Diefer Staat beftand bis zum 4. März 1849 aus zwei Gruppen von Ländergebieten, deren eine die fogenannten österreichischen Erbländer, die andere die Ländergebiete der ungarischen Krone umfaßte. Der größte Theil der erstern gehörte zugleich in den Complex des deutschen Bundes. Die Erbländer wurden bis zur Revolution völlig absolut regiert. Der letzte Rest ihrer repräsentativen Institutionen war bis zum leblosen Schatten verkümmert. Die Länder der ungarischen Krone hatten ihre feudale Repräsentativverfassung zu bewahren gewußt. In jener wie in dieser Gruppe hatten Slaven, dort neben Deutschen, hier neben Magyaren ihre Wohnsitze.

Die ersten Bemühungen zur Wahrung der, wenn auch nicht mehr peremtorisch bedrohten, so doch nicht minder gefährdeten nationalen, namentlich slavischen Existenz, kamen in den absolut regierten Ländern, und zwar bei den Czechen zum Vorschein. Der einzige Weg, den diese betreten konnten, war der der sprachlichen Agitation, durch eine regsame, wenn auch dem Einflusse der Censur unterstehende literarische Thätigkeit. Ungarn, das eine bedeutende Kraft in seinen Landtagen besaß, betrat den Weg der politischen Agitation, um den Anstrebungen des österreichischen Hofes entgegenzuarbeiten. Dort die sprachliche, hier die politische Agitation nahmen schon unter Josef ihren Anfang[1]). Sie waren beide die ersten Regungen der künftigen Revolution und

---

[1]) Josef II. ließ sich weder in Ungarn krönen, noch hielt er einen Landtag ab.

hatten ein und dasselbe Ziel, nur daß sie es auf zwei
verschiedenen Wegen verfolgten. Ein Zusammenfinden
war aus der Natur der Dinge unausbleiblich. Dort gewann die sprachliche Agitation erst in ihrem weiteren
Verlaufe, ja erst in den letzten Jahren eine politische
Bedeutung, indem sie den verschiedenen Zweigen des
Slavenstammes in Oesterreich ihre Verwandtschaft, und
mit dieser ihr gemeinsames Interesse jeder Entnationali-
sirungstendenz gegenüber in's Bewußtsein führte; — in
Ungarn führte die politische Agitation zur sprachlichen, da
die scharfsichtigen und gewandten Männer des Landtages
sehr wohl einsahen, daß all ihr Ankämpfen gegen die
Subaktionspläne des österreichischen Cabinettes am Ende
doch nur mit dem Erliegen Ungarns enden müsse, wenn
ihre Opposition nicht durch den moralischen Nachdruck
einer sprachlichen Agitation gekräftigt würde. Die lateinische Sprache, seit lange her die diplomatische Ungarns
auch im Verkehr mit Oesterreich, bot keinerlei Garantie.
Sie war eine todte, und konnte noch lange die Sprache
des Amtes bleiben, ohne zu hindern, daß das österreichisch-
deutsche Element das Land geistig erobere, die Verfassung
untersäge, und dann mit einem Windhauche hinwerfe zu
den todten Statuten der andern Provinzen. Die Erkenntniß war eine richtige, die Ausführung eine verfehlte.
Die ungarische Krone umfaßte außer dem eigentlichen
Königreiche Ungarn noch die Königreiche Kroatien und Slavonien, das ungarische Küstenland, hatte die Anrechte auf
die Militärgränze nicht vergessen und erhob Ansprüche auf

Dalmatien. Die Hauptmassen der Bevölkerung dieses Kronencomplexus bestehen aus Magyaren, Slaven, Rumänen und Deutschen, den letzteren jedoch nur zusammenhängend in den an Oesterreich und Steiermark gränzenden Gegenden, übrigens in Städten als Gewerbsleute und auf dem südlichen Flachlande als Kolonisten zerstreut. In kleineren Gruppen und vereinzelt finden sich auch noch die verwehten Körner anderer Nationalitäten. Wie an Sprache, so sind diese Stämme an Sitten, Gebräuchen, Gewohnheiten und Weltanschauung verschieden. Die Verschiedenheit der Religionen vollenbet nicht nur die Sonderung unter den einzelnen Sprachstämmen, sondern zerklüftet noch diese in sich selbst.

Die Magyaren haben ihre kompakten Wohnsitze in der Mitte des Landes. Sie bilden eine völlig isolirte Sprachinsel, die, außer mit dem Stamme der Szekler in Siebenbürgen, mit keinem andern in Europa wohnenden sprach- oder stammverwandt sind. Tapferkeit, Entschlossenheit, Großmuth, Uneigennützigkeit, warme Freundschaft aber auch glühender Haß, ein leichter Sinn, der für sich einnimmt, rasch beflügelte Phantasie, ein Gemüth, das sich von Leidenschaften, edlen sowohl als uneblen, leicht bewältigen und fortreißen läßt, Vaterlandsliebe, ein Stolz, der sich nicht befriedigt fühlt durch die Anerkennung der Tugenden der Nation, sondern auch noch die der Ueberlegenheit über andere fordert, endlich in höhern Kreisen ein gewisser Sinn für feinere Bildung, sind Charakterzüge, die den Magyaren bezeichnen, und die sich in tausend seiner Sprichwörter und Redensarten kundgeben, von denen zahlreiche neben der eigenen Erhebung nicht selten die Verachtung der andern im Lande wohnenden Stämme zum Ziele haben. Tót nem ember (der Slovake ist kein Mensch); Vad rácz (der Raize (Serbe) ein Wilder), sind neben der Selbstbezeichnung als „hochherzige ungarische Nation" stereotype Bezeichnungen, nicht viel besser oder schlechter als jene, die über den Ausdruck német (deutsch) in Uebung sind. Der Katholizismus und der Calvinismus sind die Glaubensbekenntnisse des magyarischen Stammes, letzterer namentlich in all seiner puritanischen Schroffheit. Der calvinische Magyare ist wortkarg, ernst, abgeschlossen, festhaltend an dem Glauben an eine unabänderliche Prädestination. Kahl und schmucklos sind die Wände seines Hauses wie seiner Kirche; kurz wie seine Sprechweise ist seine Predigt; lang wie sein Gebet, gedehnt wie sein Kirchengesang ist das Geläute seiner Glocken. Hand in Hand mit diesen Charakterzügen geht sein Streben nach Absonderung und Selbstständigkeit, seine Unduldsamkeit Andersdenkender, sein Haß gegen Alles, was nicht magyarisch ist, seine fast republikanische Weltanschauung. Er erkennt in seinem Glauben eine Wesenheit des ächten Magyarenthums. Sein Sprichwort ist: Cálvinista hit, magyar hit (der calvinische Glaube ist der magyarische Glaube). Sein Haß gegen den Katholizismus, gegen Alles was »pápista« ist, kennt keine Gränzen. Er erstreckt sich selbst auf seinen papistischen Stammgenossen. Zwiefach unversöhnlich ist aber sein Haß gegen den weder calvinischen noch magyarischen Slaven und Deutschen.

Im Norden und Süden des Landes wohnen Slaven. Im Norden die Slovaken, ein den Mährern und Czechen verwandter Stamm, dessen Wohngebiet ein Theil des ehemaligen großmährischen Reiches ist, bei dessen Zertrümmerung es an Ungarn kam. Im Süden an den Ufern der Donau, Drave und Save wohnt ein bedeutender Theil des weitausgebreiteten Stammes der Serben.

Der Slovake ist arbeitsam, fleißig, geduldig als Katholik, gemüthvoll und fromm als Protestant. In kummervoller Ergebenheit, oft mit Hunger und Noth um den täglichen Bedarf kämpfend, ist er das lebendige Bild der Duldsamkeit, eine passive, nicht leicht Widerstand erhebende Natur. Er ist es auch unter den österreichischen Slaven, bei dem die Idee des nationalen Erwachens am spätesten Eingang gefunden. Sein Widerstand gegen die Magyarisirung war von jeher ein geringer, untergeordneter. Eine Unzahl nunmehr als magyarisches Vollblut geltender Familien sind aus dem slovakischen Stamme hervorgegangen, unter anderen selbst jene Kossuths.

Die Serben wohnen in Kroatien, Slavonien, der Militärgränze, in Syrmien, in der Batschka und im Banate, so daß sie den ganzen Süden der ungarischen Kronländer einnehmen. Jenseits der Scheideströme, in Bulgarien, Serbien, Bosnien, Dalmatien, Montenegro und in der Herzegowina wohnt der größere Theil dieses Stammes, geschieden von den österreichischen Serben durch die Gränz marken verschiedener Souveräne, vereint durch Abkunft, Sprache, Geschichte, Kirche und politische Sympathien. Sie sind ein kräftiger, oft athletisch gebauter Menschenschlag, reich an natürlichen Gaben des Verstandes, entschlossen, unternehmend, tapfer, ja oft tollkühn. In ihrer Erinnerung lebt die thatenreiche Geschichte des großserbischen Kaiserthums, das sich von den Ufern des adriatischen Meeres bis an die Gränzen Macedoniens, von den Gränzen Morea's bis über die Donau erstreckte. Die Herrscher und Helden der Glanzperiode dieses Reiches leben in ihren Liedern unvergeßlich fort. Blinde Sänger durchziehen das Land und übertragen die Thaten und die Namen von Geschlecht auf Geschlecht. Jedes Kind, jeder Hirte, jeder Bauer weiß von ihnen zu erzählen. Der Untergang dieses Reiches im Jahre 1389 durch Sultan Murad ist der Stoff ewiger Klagelieder. Der Verräther des verhängnißvollen Tages auf Kossowo ist zum Gegenstande ewigen Fluches, so wie die Schaar der Helden, die auf diesem Felde den Opfertod für Glauben und Vaterland starben, zum Gegenstande ewigen Segens geworden. Die türkische Botmäßigkeit, unter welche die Serben nach der Schlacht von Kossowo *) geriethen, verfehlte nicht ihren hemmenden Einfluß auf die Fortbildung dieses Stammes auszuüben. Von dem Grade von Kultur, den die Serben unter ihren Fürsten schon erreicht hatten, sprechen nicht nur staatliche Dokumente, Verträge mit den Nachbarstaaten (Ungarn, Ra-

---

*) Am 15. Juni 1389 alten Datums.

gufa, Venedig) und andere Urkunden, die mit serbischen
Lettern in serbischer Sprache geschrieben sind, sondern auch
legislative Arbeiten, wie das Gesetzbuch Duschan's, das
eine sehr weit gediehene innere Politik beurkundet. Brücken
über Ströme zu bauen, Straßen anzulegen und zu pfla-
stern, Städte zu gründen, Klöster und Kirchen zu errich-
ten, waren Werke, in denen die Vornehmen des Reiches
wetteiferten, und die als gottgefällig bezeichnet wurden.
Die Namen der Gründer wurden dem Gedächtnisse des
Liedes übertragen. Den Charakter der Serben in jenen Tagen bezeichnete eine gewisse Ritterlichkeit, Hang
nach Abenteuern und Zweikämpfen, Todesverachtung im
Kampfe gegen die Feinde des Christenthums. Die Heiligkeit der Familie und aller in ihr begründeten Verhältnisse, Mutterliebe, Kindesliebe, Geschwisterliebe, Ach-
tung vor dem Alter, Mitleid mit dem Elend, Unver-
letzlichkeit des Unglücks sind Tugenden, die der Serbe
aus den Trümmern seiner Vergangenheit zum Theil in
die Gegenwart herübergerettet hat. Unter dem Regimente
des Halbmondes gerieth fast alle Kultur und ihre Denkmale in Verfall. Voll unvertilgbaren Hasses gegen die
Unterdrücker lernte der Serbe alle Leidenschaften nähren,
die das furchtbare Gefolge des Ingrimms sind. Er fing
an die Waffe dem Pflug vorzuziehen, und statt der Be-
sorgung der Hürden wurde sein Geschäft, auf Rache an
dem ungläubigen und herrischen Türken zu sinnen, sein
Stolz, das Blut eines Moslims vergossen zu haben. In
den langjährigen Kriegen der Pforte mit Ungarn und

Oesterreich waren die von Serben bewohnten Landstriche fast ununterbrochen die Wahlstätten blutiger Schlachten, die Schauplätze der furchtbarsten Verheerung, der barbarischesten Verwüstung. Nichts destoweniger hörten sie nie auf, sich mit ihren letzten Kräften dem verhaßten Erbfeinde entgegenzusetzen, und schlossen sich offen und heimlich den Bekämpfern desselben an. All die sizilianischen Vespern, welche der türkische Säbel in ihren Dörfern und Städten anrichtete, konnten es nicht hindern, daß sich unvertilgbarer Haß in einer Kette von Aufständen Luft machte, die endlich zu einer Revolution führten, deren Ergebniß die Selbstständigkeit des heutigen Serbien ist.

Die Rumänen oder Wallachen bewohnen die südliche Hälfte des Banates und Siebenbürgens, von der größern und bedeutendern Masse ihrer Stammgenossen durch die Gränzen geschieden, welche Oesterreich von der Türkei trennen. Sie sind die Abkömmlinge römischer Kolonisten, oder, wenn auf die Charaktere der Gesichtsbildung ein Werth zu legen ist, der romanisirten Urbewohner des Landes, der Dazier. Ihre Sprache ist ein Produkt der römischen, slavischen, wohl auch der ungarischen und türkischen Idiome, jedoch mit bei weitem vorherrschenden römischen Elementen, wohlklingend, formbar, und für den Philologen sowohl, als Geschichtsforscher, von hohem, bisher unausgebeutetem Interesse. Das alte orthodoxe Christenthum ist ihnen mit dem Serben gemeinschaftliches Glaubensbekenntniß. Eine selbstständige Vergangenheit ist ihrer Erinnerung fremd, daher wohl auch das

Streben nach nationaler Geltung ein minder reges als bei andern Stämmen. Dieselben Einflüsse jedoch, die das slavische Element in Ungarn zu erhöhten Lebensäußerungen aufregten, haben auch das rumänische geweckt und in eine oppositionelle Stellung gedrängt — ich meine die irrigen Wege, welche sich die Magnaten und Ablegaten der ungarischen Landtage zur Verwirklichung einer richtigen Erkenntniß vorzeichneten. Ungarn hatte erkannt, daß es des moralischen Nachbrucks der in Oesterreich allenthalben erwachenden neuen geistigen Kraft, des Strebens nach einer kräftigen Erhebung aus nationaler Versunkenheit bedürfe, um seine politische Stellung zu behaupten. Es beschloß, sie zu wecken, und verfiel dabei in denselben Fehler, durch welchen Josef der Zweite den Samen einer Revolution der Racen über ganz Oesterreich verbreitet hatte. Es beschloß, die nationalen Bestrebungen Eines Stammes durch Gesetze zu den nationalen Bestrebungen aller in Ungarn wohnenden Stämme zu erheben, die Sprache Eines Stammes zur Sprache aller zu dekretiren. Es mußte somit jedes andere Streben nach nationaler Geltung im Umfange Ungarns niederhalten, zum Absterben bringen wollen. Was ehebem die Fürsten gegen ihre Völker, was Josef gegen die nichtdeutschen Stämme Oesterreichs übte, das übte nun Ein Volksstamm gegen die andern mit ihm wohnenden. Mußten nicht die Wirkungen auch dieselben sein?

Der Plan stieß auf um so mehr Widerstand, als die Bestrebungen der Slaven in Böhmen auch bereits den

Sinn der zahlreichen Slaven in Ungarn ihrer Muttersprache und eigenen Geschichte zugelenkt hatten. Die Magyaren vergaßen, was den Keim der Opposition gegen
Oesterreich bei ihnen geweckt; sie vergaßen, was sie
dahin drängte, in der Pflege ihrer Sprache Rettung vor
völligem Verschwinden vom Schauplatze der Geschlechter
zu suchen, und drängten durch das Gleiche die Slaven
in Ungarn zu einer Opposition gegen sich, deren End-
punkt eine Schilderhebung der ungarischen Slaven gegen
das Magyarenthum werden mußte.

Die Duldung dessen, was nun nicht mehr zu er-
tödten war; das Begnügen, die magyarische Nationalität
sich frisch und lebenskräftig in ihrem Kreise entfalten zu
sehen; die Anerkennung der andern im Lande wohnenden,
gleichfalls erwachenden Nationalitäten; die kluge Benutz-
zung der nun einmal erwachten Potenz zum Schutze der
gemeinsamen politischen Stellung und zur Bewahrung des
gemeinsamen Konstitutionalismus und der Nationalität
jedes einzelnen der Stämme Ungarns vor autokratischer
Subaktion, hätte den Magnet Ungarns, an dem es so
verschiedene Volksschaften festhielt, gestählt. Es unterließ
dies nicht nur; es that sogar das Gegentheil: und die
Keime einer antimagyarischen Revolution, eines Racenkrieges in Ungarn waren gegeben. Die Erschütterung Mitteleuropa's förderte sie vielleicht um ein halbes, vielleicht
um ein ganzes Jahrzehend früher an's Licht.

2

Drittes Kapitel.

———

Die auf den Landtagen zu Preßburg und in den Kongregationen der einzelnen Komitate langgenährte Idee
der Spracheinheit als Bollwerk gegen die Wiener Politik
fing um die Mitte des dritten Jahrzehends dieses Jahrhunderts an, in das Bereich der Ausführung überzugehen. Sie fand jedoch die Stämme, die durch sie hint-
angesetzt werden sollten, nicht unvorbereitet. Der erste
Versuch schon schlug wie Stahl an Kies — die Funken
eines Kampfes sprühten auf, wie die Geschichte noch keinen kannte, des Sprachenkampfes.

Die Waffen, mit denen dieser Kampf gefochten wurde,
waren bis auf die Säbel in den Wahlhöfen gemischter
Komitate, keine andern, als jene der Agitation auf dem
Gebiete munizipaler Thätigkeit und der Propaganda in
der Familie, in der Gesellschaft, und wo es ging, in der
Schule.

Das serbische Heldenlied in den Sammlungen Buk's
wurde ein Buch, das in keinem Hause, zum mindesten

in keinem Orte fehlte. Die Werke alter serbischer Schriftsteller aus der blüthenreichen Ragusaner Schule wurden
hervorgesucht, neue Versuche an sie angeknüpft. In Kroatien namentlich fing ein kräftiges literarisches Bestreben,
eine schlagfertige Polemik an Platz zu greifen, jenes eine
Verbindung mit den Czechen anbahnend, diese den Kampf
mit dem Magyarenthum vorbereitend, während sich Syrmien, die Batschka und das Banat mit den geistigen Bestrebungen des aufblühenden Belgrad in Verbindung setzten, theils weil Erinnerung und Glaubensgleichheit die
Serben dieser Gebiete eher hinüberzog als zu den katholischen Kroaten, theils weil die bestehende Ordnung
der Dinge ein nationales geistiges Aufleben hier völlig
unmöglich machte. Nichts desto weniger wurden Lese-
vereine als Sammelpunkte der Gleichgesinnten gegründet,
die mißachtete Sprache gepflegt und bald zur Fahne einer
Partei erhoben, welche entschlossen war, sich bei den Wahlen der Magistrate sowohl als der Komitate der um
sich greifenden Magyarisirung entgegenzusetzen. Der magyarischen Propaganda, die ihre Förderer im gesammten
Magnatenthum, in dem gesammten Heere der städtischen
sowohl als Komitatsbeamten, in dem größten Theile des
begüterten Mittelabels, endlich ihren Anhänger in jedem
Einzelnen hatte, der irgend Etwas erreichen oder zu Amt
und Brot gelangen wollte, trat die nationale, die serbische Propaganda entgegen, die sich aus der griechisch
nichtunirten Bürgerschaft der Städte, aus der noch un-
beamteten, intelligenten Jugend und aus den minder

abhängigen Kommunalbeamten rekrutirte, und ihre eifrigsten Förderer unter der serbischen Geistlichkeit zählte.

Ohne Rücksicht auf diesen Stand der Dinge, ohne
Beachtung der Mahnungen der wenigen Nationalen, deren
Wahl in Kroatien, Slavonien und Syrmien durchzusetzen
gelungen war, faßte der Preßburger Landtag im Jahre
1843 Beschlüsse, welche nur geeignet waren, den einmal
gesäeten Keim einer antimagyarischen Schilderhebung besser
zu hegen und zu pflegen.

Es ist gewiß, daß man in Wien damals weiter sah
als in Preßburg, und daß man diese Beschlüsse begünstigte, weil man in ihnen die Waffen erkannte, die ihrer
Zeit zur Bezwingung Jener dienen sollten, die sie ge-
schmiedet. Es unterliegt auch keinem Zweifel, daß man
im Kabinette des Großkanzlers entschlossen war, sich ihrer
nicht nur zu bedienen, sondern sie auch für jeden möglichen Fall schärfer zu wetzen. Daß die Diplomaten der
Preßburger Tafeln in der Wahl der Mittel für ihre Zwecke
sich so arg vergriffen; dann, daß sie nicht bei Zeiten den
Fehlgriff erkannten, sondern noch dann, als alle Welt
schon laut davon sprach, wie die sämmtlichen Sprachgesetze nichts Anderes seien als die Fangnetze, mit denen
das Magyarenthum nicht nur sich, sondern ganz Ungarn
umstricke, in überpatriotischem Jubel auf dem eingeschla-
genen Wege verharrten; das sind Schuldmomente, in
denen der spätere tragische Erfolg seine vollkommene Erklärung findet.

Die Auflehnung gegen das gewaltsame Oktroyiren

einer Sprache fing nun um so ernster zu werden an, als die Termine für gewisse Sprachbestimmungen, wie z. B. für die Führung der Kirchenbücher in magyarischer Sprache u. s. w. entweder bereits eingetreten waren, oder immer näher und näher rückten. Sie fingen an, um so rascher aus dem Stadium friedlicher Propaganda in jenes thatsächlicher Erhebung überzugehen, als sich die Vollstrecker der mißliebigen Gesetze nicht immer in den Schranken ihrer Amtsbefugniß zu halten vermochten, und sich in übergroßem Eifer für die schnellstmögliche Verwirklichung derselben an vielen Orten zu Gewaltthätigkeiten fortreißen ließen. So verbot z. B. der Stuhlrichter eines von Serben bewohnten Bezirkes die in serbischer Sprache gedruckten Kalender und befahl die Anschaffung der magyarischen, wenn diese auch Niemand seiner Bezirkszuständigen verstand. Einen Bauer, bei dem sich nichts besto weniger ein serbischer Kalender vorfand, ließ er mit fünfzig Stockstreichen bestrafen. Der Stock sei das beste Mittel, meinte der eifrige Beamte, die Leute magyarisch zu lehren.

Die ersten Früchte solcher Saat waren die Julileichen zu Agram. Die nationale Partei bot alle ihre Kräfte auf, um bei der Restauration des Komitatmagistrates sich geltend zu machen. Nach schon beendeter Wahl, da die Massen den Wahlhof längst verlassen hatten, und nur noch Einzelne auf dem Markusplatze beisammen standen und erwogen, wie die Partei sich nun, da sie immer noch nicht habe durchbringen können, organisiren

müſſe, ließ der Banus Graf Haller den Platz von Soldaten umſchließen und auf die Wehrloſen Feuer geben.
Leute, die durchaus unbetheiligt waren und blos zufäl-
lig über den Platz gingen, fielen den Kugeln zum Opfer.
Das allgemeine Gerücht ließ dieſe Kugeln in dem Kabinette des Großkanzlers gegoſſen ſein, um die Erbitterung
des Sprachenkampfes zu ſteigern. Die Herren zu Preßburg erkannten aber noch immer nicht, daß es die alte
Regel: „Zertrage und beherrſche dann!“ ſei, die man
in jenem Kabinette eifrig übte, oder beachteten es nicht.

Dieſe und zahlreiche andere, ſei es im Dienſte Wiens
oder im Eifer für Preßburg vollführte Gewaltthätigkeiten
und Willkürlichkeiten erweiterten die Kluft zwiſchen der
beherrſchten ſerbiſchen und der herrſchenden magyariſchen
Partei täglich mehr, während ſie die Fragmente der
nationalen Partei in Kroatien, Slavonien, Syrmien,
Batſchka und Banat einander näher brachten und zu
kompakten Maſſen zuſammendrängten.

Hierüber kamen die Wahlen für den Landtag 1847.
Nun war es bereits möglich, an vielen Orten, namentlich in den Freiſtädten, nationale Vertreter durchzuſetzen
und, wo dies nicht gelingen konnte, die Ablegaten wenigſtens an Inſtruktionen zu binden, die ſie, wenn nicht
verpflichteten für die nationale Sache zu wirken, doch
hinderten, gegen ſie zu ſtimmen, wie dies namentlich
in mehrern ſüdlichen Komitaten der Fall war, in denen
die magyarenfreundliche Partei immer noch die Oberhand
hatte. Am ausgedehnteſten und kräftigſten war die na-

tionale Partei in Kroatien geworden, und dieses Land
war es, das diesmal die meisten Vertreter der nationalen Sache nach Preßburg schickte.

Der Landtag von 1847 jedoch hatte die Sprachpolitik jenes von 1843 nicht nur vollständig adoptirt, sondern auch die durchgreifendere Ausführung derselben in
sein Programm aufgenommen, und sich folgenden Ge-
setzesentwurf betreffs der ungarischen Sprache und Nationalität vorlegen lassen:

„Die Reichsstände haben mit Hinzukommen der a. g.
Uebereinstimmung Sr. Majestät beschlossen:

„§. 1. Die Reichsstände haben jene gnädigste Sorg-
falt Sr. Majestät, gemäß welcher die Glieder des er-
habenen Herrscherhauses in die ungarische Sprachwissen-
schaft eingeweiht werden, mit dankbarer Anerkennung erfahren, und wollen dies auch wegen künftiger Garantie
in das Gesetz einschalten.

„§. 2. Sowohl die gesetzbringende und Staatsver-
waltungs-, als auch die anderweitige Amtssprache wird
fernerhin allein und ausschließlich die magyarische sein, —
jede nach Kundmachung dieses Gesetzes in anderer Sprache
ausgefertigte amtliche Schrift und Urkunde ist ungiltig; —
und nur in solchen Fällen ist es erlaubt, eine andere
Sprache zu gebrauchen, betreffs welcher die nachfolgenden
4, 6, 7 und 8 §§. des gegenwärtigen Gesetzes entweder
eine Ausnahme oder eine besondere Anordnung treffen.

„§. 3. Auch die öffentliche Unterrichtssprache soll ausschließlich die magyarische sein.

„§. 4. Die Poschegaer, Veröker und Syrmier Komitate¹) und eben so auch das ungarische Litorale werden im Gebrauche der bisher gepflogenen lateinischen respektive italienischen Sprache, jedoch blos im eigenen Gebiete und bei ihren eigenen inneren Angelegenheiten, noch auf sechs Jahre, vom Schlusse des gegenwärtigen Reichstages gerechnet, belassen.

„§. 5. Alle ungarischen Reichsgelder sollen mit ungarischen Zeichen und Rundschriften geprägt werden, und bei allen bürgerlichen, Schatzkammer-, Militärinstituten, wie auch den ungarischen Seehäfen, den Schiffen der ungarischen Kaufleute und anderweitigen ungarischen Schiffen sollen auf den Flaggen alleinig das Reichswappen und die Nationalfarben gebraucht werden. — Endlich soll bei allen Amtssiegeln die Rundschrift magyarisch sein.

„§. 6. Die in §. 2 ausgedrückte allgemeine Anwendung der magyarischen Sprache wird auf die Partes²) nur in so weit ausgedehnt, in wiefern die Partes, deren Gerichtsbarkeiten und Tribunale mit der Gesetzgebung, Regierung, mit den ungarischen Jurisdiktionen, mit dem Obergericht und anderen Tribunalgerichten in Berührung kommen; diesemnach wird in den Partes die mit der Regierung, den einzelnen Jurisdiktionen, dem Obergerichte und anderen Tribunalgerichten zu betreibende amt-

---

¹) Fast durchgehends von Serben bewohnt. Die Bewohner des Litorales sind Kroaten und italienisirte Kroaten.
²) Bezieht sich auf Kroatien.

liche Korrespondenzsprache, die Beilagen nicht mitver=
standen, alleinig die magyarische sein. — Indeß betreffs
aller öffentlichen und Privatangelegenheiten, inwiefern
diese nur im Gebiete der Partes oder von Jurisdiktionen
der Partes betrieben werden, ebenso auch betreffs der
Berathungen dieser Jurisdiktionen und Tribunale wird
der Gebrauch der lateinischen Sprache beibelassen.

„§. 7. Die Beamten der in den Partes befindlichen
Jurisdiktionen, wenn sie unter eigenem Namen, betreffs
streng amtlicher Angelegenheiten mit Beamten der un=
garischen Jurisdiktionen korrespondiren, können die la=
teinische Sprache gebrauchen; dahingegen, wenn sie im
Auftrage ihrer Jurisdiktionen sich mit Beamten der un=
garischen Jurisdiktionen verständigen, sind sie verpflichtet,
in magyarischer Sprache zu korrespondiren. Ebenso auch
alle in den Partes befindlichen Oberbeamten, als: der
Banus, die Diözesanbischöfe, die Komitats=Oberbefehls=
haber sind, wenn sie mit ungarischen Beamten oder Ju=
risdiktionen korrespondiren, verpflichtet, die magyarische
Sprache zu gebrauchen.

„§. 8. Die Anwendung des §. 3 betreffs des öffent=
lichen Unterrichts wird auf die Partes nicht erstreckt. Je=
doch soll der magyarische Sprachunterricht in allen öffent=
lichen Schulen der Partes ordentlich stattfinden.“

Die Debatte über diese Gesetzvorschläge beherrschte der
Ablegat von Pest, der, mit seltenen Gaben des Geistes
und der Rede ausgestattet, unstreitig der begabteste Ver=
treter des exklusiven Magyarenthums, bisher Alles ver=

fochten hatte, was zur Erweiterung des spezifisch magyarischen Einflusses beitragen konnte, und Alles bit-
ter und rücksichtslos verfolgte, was sich diesem entge-
genstellte.

Kossuth wußte es, daß dem Censor seines Journals
von Wien aus die Weisung geworden, ihn, um den sich
alle jugendfrischen, freisinnigen Elemente des Magyarenthums sammelten, wohl streng zu überwachen, in Allem
jedoch, was sich auf den Sprachstreit beziehe und gegen
die andern in Ungarn wohnenden Nationalitäten gerichtet
sei, ungestört gewähren zu lassen. Der Censor, die Ab-
sichten des Großkanzlers vielleicht errathend, theilte ihm
selbst diese Weisung mit. Kossuth durchblickte den Hintergrund dieser Instruktion nicht, oder hielt den Abgrund,
der sich ihm zeigte, für nicht zu gefahrvoll, als daß er
darüber nicht sollte hinwegsetzen können, die Existenz eines
Reiches, das Glück eines Volkes auf seinen Schultern —
er überschätzte seine Schwungkraft.

Vergebens weisen Ablegaten aus Slavonien und Kroatien auf den Gesetzartikel 120 vom Jahre 1715 hin,
nach welchem die Sprachfrage gar nicht vor den Landtag
gehört, sondern ausdrücklich den Landeskongregationen,
somit der Selbstbestimmung der partes adnexae vorbehalten ist (einunddreißigste Cirkularsitzung am 8. Jänner 1848); vergebens protestirt ein Ablegat aus Kroatien (Buschan) gegen jedes auf dies Land sich bezie-
hende Sprachgesetz, da die Munizipalrechte nur vor die
Kongregation dieses Landes gehören, eines der heilig-

ſten Munizipalrechte jedoch die Sprache ſei, über die
man nur ſelbſt verfügen könne, wie in der That auch
die kroatiſche Landeskongregation von 1750 aus eigenem Entſchluſſe die lateiniſche Sprache zur Geſchäfts-
ſprache angenommen habe; vergebens weiſt ſelbſt der
Perſonal in der Reichsſitzung vom 21. Jänner darauf
hin, daß Kroatien geſetzlich das Recht habe, über ſeine
Sprache daheim zu verfügen; fruchtlos ſpricht Graf An-
ton Szechenyi in der Reichsſitzung der Magnatentafel
vom 4. Februar, nachdem Lonovits, der Biſchof von
Cſanad, in demſelben Augenblicke, als er in ſalbungs-
voller Rede die Süße und Heiligkeit der „Mutterſprache"
pries, das Sprachgeſetz, und ſomit die Unterdrückung der
„Mutterſprachen" anderer Nationen auf's wärmſte em-
pfohlen hatte, die beſonnenen Worte: „Die Gewaltthätigkeit gegen jede beſtehende Nationalität, möge dieſe
auch noch ſo ſchwach ſein, wird nie andere Früchte bringen, als die der Entfremdung und des Haſſes gegen
die Unterdrücker." Der Ablegat von Peſt vertrug keinen Widerſpruch. Jeder Verſuch, dem natürlichen Rechte
und der Klugheit Gehör zu verſchaffen, ergriff ſein über-
reiztes Gemüth faſt krankhaft und riß ihn zu Reden fort,
deren Inhalt er eben ſo wenig vor der Geſchichte als
vor dem Rechte zu rechtfertigen immer im Stande oder
auch gewillt war. Wolle Slavonien ſich nicht fügen, ſo
müſſe man gegen daſſelbe imperatoriſch verfahren und
ihm einen peremtoriſchen Termin zur Einführung der ungariſchen Sprache ſetzen (achtzehnte Reichsſitzung vom

7. Jänner 1848); das Begehren Kroatiens, welches Land in historischer Wahrheit gar nicht existire, und dem man um so weniger eine Konzession machen könne, als es sich darum handle, auch dessen Existenz ausdauernd zu negiren (dieselbe Sitzung), das anmaßende Begehren Kroatiens nach Gleichstellung mit Ungarn könne nicht anders als Ungarns Erbitterung wecken (einunddreißigste Eirkularsitzung am 8. Jänner 1848). Man war so wenig geneigt, etwas zu thun, was die Aufregung im Süden des Reiches zu mäßigen im Stande gewesen wäre, daß Pazmandy in der vierundzwanzigsten Reichssitzung der Ständetafel erklärte, „man müsse die Ansprüche der Südslaven gar keiner Antwort würdigen," und Josipovitsch, der Graf von Turopolya, sich in den verletzendsten Ausdrücken über die nationalen Bestrebungen der Slaven ergehen durfte.

Dieser Gang der Verhandlungen zu Preßburg war nicht geeignet, die aufgeregten Gemüther des Südens von Ungarn zu beschwichtigen. In demselben Maße, als mit jedem von den Ablegaten an ihre Komittenten einlaufenden Berichte die Gewißheit stieg, daß auf diesem Landtage über Alles, was nicht magyarisch, der Stab gebrochen werden solle, steigerte sich die Erbitterung. Man sah in den Gesetzvorlagen nichts Anderes mehr als Allarmsignale, die nur des ersten Flammenzeichens harrten, um auf den Spitzen aller Höhen durch das ganze Land emporzulodern — der Sanktion des Königs.

Man wußte dies in Preßburg und täuschte sich soweit, daß man eine Schilderhebung je eher je lieber
wünschte, um der Durchführung der neuen Gesetze den
Nachdruck der Gewalt geben zu können, und daß man
nicht bedachte, die Politik von Wien könne, ja werde
wahrscheinlich einen solchen Ausbruch eher zur Bezwingung als zur Erweiterung der längst mißliebigen Macht
der ungarischen Tafeln benutzen. Und doch war es bekannt, daß von Wien aus in demselben Augenblicke, als
man die magyarischen Sprachgesetze wohlwollend billigte,
die antimagyarischen Bestrebungen Kroatiens begünstigt
wurden.

Weniger als bei den Südslaven wirkten die neuen
Gesetze im Norden Ungarns bei den Slovaken auf die
Gemüther, obwohl auch hier die intelligente Jugend durch
die Sprachverwandtschaft mit den Czechen zu nationalen
Manifestationen bereits geweckt, und einer der vorzüglichsten slavischen Schriftsteller aus ihrer Mitte hervorgegangen war, der Pastor Johannes Kollar, der Dichter
der Slavy dcera. Fast gar keinen augenblicklichen Eindruck machten die Gesetze bei den Rumänen. Die Deutschen
fügten sich ihnen nicht nur, sondern waren gern bereit,
ihre eigne Nationalität der herrschenden hintanzusetzen.

So fand der März des Jahres 1848 die Dinge in
Ungarn. Mußte nicht die Revolution in diesem Reiche
in den Charakter jener umschlagen, die hier seit anderthalb Jahrzehenden vorbereitet war? Fast schien es einen
Augenblick, als sollte sie es nicht.

Die Kunde von der plötzlichen Aenderung der Dinge
in Wien schien in Preßburg wie ein Zauberschlag auf
alle Gemüther zu wirken. Aller Nationalitätenhaber trat
in den Hintergrund, und es gab einen Moment, wo Kroaten und Magyaren sich küßten und Brüder nannten —
es war dies der Moment des ersten Freudenrausches über
die von den Armen Aller gesunkenen gemeinsamen Fesseln. Im Sturme der Begeisterung wurde der Sieg der
Freiheit zu Preßburg durch die Votirung einer Masse der
freisinnigsten Gesetze gefeiert, die sonst noch jahrelange
Debatten gekostet hätten. Grund und Boden wurde ent-
lastet, die Koordination der Städte angenommen, allen
Ablegaten das gleiche Stimmrecht ertheilt u. s. w. Selbst
in den Komitaten und Städten des Südens schien aller
und jeder nationale Groll dem Jubel über die politischen
Errungenschaften zu weichen, und Zustimmungsabressen
aus slavischen Städten flogen dem ungarischen Landtage zu.

Doch sollte es anders kommen. Lang vorbereitete
Wirkungen hintanzuhalten, deren Ursachen tief im Leben, tief in der Denkungsweise eines ganzen Volksstammes Wurzel geschlagen, bedarf es einer imposanten,
gewaltigen, Alles gründlich umändernden That. Nicht
sowohl die That, als der passende Moment für sie ist es,
um den die Politik oft verlegen ist. Ein solcher Moment
aber ist die Revolution, wenn auch nur in den ersten
Tagen ihrer schwungvollen Jungfräulichkeit. Hätte in
der Stunde, da der Umschwung der Dinge auch in Preß-

burg zum Durchbruch kam, eine herzhafte Stimme den Muth gefaßt, von der Tribüne herab das Ende alles Sprachstreits und die Anerkennung des Rechts der Selbstbestimmung der verschiedenen Stämme im Punkte der Sprache und Nationalität zu verkünden; hätte es die exklusive Partei über sich bringen können, die Sache wahrer Freiheit und den Bestand des Vaterlandes höher zu achten als suprematische Tendenzen: nie wäre Ungarn von erbitterten Racen zerklüftet, nie von einem Bürgerkriege verwüstet worden, nie wäre auf dem Felde von Vilagos der traurige Ruf: finis Hungariae! erschollen. Der Moment wurde versäumt, der erste Freudenrausch ging vorüber und die alten Bestrebungen tauchten wieder auf; nur daß nunmehr die Devise auf ihrer Fahne stand: „Jetzt oder nie!" Hatten die Vorkämpfer der magyarischen Suprematie die bisher befolgte Sprachpolitik als durch die konstitutionsfeindlichen Intriguen des Wiener Großkanzlers geboten erklärt, so bestanden sie nun, da das System dieses Mannes zu Grabe getragen war, auf derselben, weil es die Einheit des Reiches gebôte, das ein rein magyarisches werden sollte. Hatten die Slaven um Heiligachtung eines angebornen Rechtes, um Rücksicht auch auf ihre Muttersprache in jahrelanger parlamentarischer Opposition vergebens gekämpft, und sahen sie auch nun, im Augenblicke des Sieges langgeknechteter Menschenrechte, ihr Recht nicht mehr beachtet als zuvor, so glaubten sie nun den Moment gekommen, sich mit Einem Schwertstreich von allen

alten Gravamina und neuen Debatten zu befreien. Sie
waren entschlossen, dem Magyarenthum die Fehde zu er=
klären, nicht mit Ungarn, wohl aber mit der in diesem
Reiche nach der Suprematie strebenden Partei zu brechen.
„Anerkennung der Slaven als mit den Magyaren gleich=
berechtigte Nation im Umfange der ganzen Krone Un=
garns!" war der Ruf, der durch's Land scholl.

Am längsten vorbereitet war der Bruch in Kroatien
und Slavonien; er erfolgte auch hier am raschesten und
vollkommensten. Die Existenz dieses Landes war in Preß=
burg geläugnet worden. Es suchte daher nicht mehr deren
Anerkennung, sondern bewies sie thatsächlich, indem es
eine Deputation an den König sandte, seine Abgeordneten
von Preßburg abrief und keine neuen mehr dahin senden
zu wollen erklärte. Seine Revolution legte den Weg von
der Schilderhebung gegen einen Stamm bis zur Empö=
rung gegen die ganze Krone in wenigen Stunden zurück.
Es sagte sich unbedingt und völlig von dem Zusammen=
hange mit Ungarn los. Slavonien folgte ihm. Wie
die Serben in der Militärgränze, in der Batschka und
im Banate, dann in Syrmien, denen das, was die Reife
Kroatiens förderte, eine eigene Landeskongregation, ab=
ging — wie diese durch die Unnachgiebigkeit der exklusiv=
magyarischen Partei zu Gleichem gedrängt wurden, die
Darstellung der serbischen Schilderhebung, so lange sie eben
eine lediglich nationale, selbstständige war, sei die Aufgabe
der folgenden Blätter.

Viertes Kapitel.

———

Der 15. Juni des Jahres ~~1498~~ 1389 war der Tag, an welchem den christlichen Völkern Mitteleuropa's das Loos fiel, mit den Erbfeinden des Kreuzes jahrhundertelange Kämpfe bestehen zu müssen. Die Schlacht von Kossowo war geschlagen, die Macht des großserbischen Reiches, des äußersten Bollwerkes christlicher Kultur und Fortbildung gegen seldschuckische Verwilderung und islamitischen Stillstand war nach verzweifeltem Widerstande gebrochen, und nichts stand den stolzen Siegern im Wege, das blutige Zeichen ihrer Unüberwundenheit, die rothe Fahne über die Donau zu tragen, und die Kriegserklärung gegen Alles, was christliche Sitte ist, in alle vier Winde zu entsenden. Die Beschwerden der Gebirge vermeidend, suchten sie ihre Einbruchsstellen längs jener Strecke der Donau, wo diese die kornreichen Ebenen des Banats, der Batschka und des rebenreichen Syrmien bespühlt, und machten diese Gegenden dadurch, daß sie sie mit eifersüchtigem Auge stets als den Stützpunkt ihrer

Unternehmungen zu behaupten bedacht waren, zum faſt ununterbrochenen Schauplatz der blutigſten Kämpfe, Verheerungen und Verwüſtungen. Wo immer auch der Halbmond wüthete, kein Gebiet hat mehr gelitten, als dieſe von Serben bewohnten Gegenden. Bald lag es auch halb entvölkert. Die Klöſter ſtanden verlaſſen, die Höfe verwaiſt, und nur der Türken grüne Gezelte bedeckten die Ebene, oder die Kolonnen öſterreichiſcher Feldherren und die Schaaren türkiſcher Veziere ſchlugen ſich in den Sümpfen und auf den Pußten.

Dieſe Entvölkerung lag eben ſo wenig im ſtrategiſchen als im ſtaatsökonomiſchen Intereſſe Oeſterreichs, ja des gebildeten Europa. Der Hof zu Wien mußte darauf bedacht ſein, das Land wieder zu bevölkern. Er hatte Gelegenheit genug gehabt, den Werth der Serben im Kampfe gegen den Erbfeind kennen zu lernen. Lag ja das Land eben deshalb wüſt und öde, weil ſich die ſerbiſchen Bewohner deſſelben eher aufreiben ließen, als daß ſie dem verhaßten Feinde gewichen wären. Er erkannte, daß Deutſchland, Oeſterreich, Ungarn keine beſſere Schutzwehr gegen den Halbmond, und nebenbei gegen die Peſt, haben könne, als den unverſiegbaren Haß der Serben, und lud die jenſeits der Donau wohnenden zu wiederholten Malen ein, ſich an den dieſſeitigen Ufern auf den Ebenen niederzulaſſen, die noch unlängſt von ihren Voreltern und Brüdern bewohnt waren. Der väterliche Schutz des Doppelaars wurde ihnen dafür verheißen. In der That ſtießen zu wiederholten Malen Schaaren ſerbiſcher

Kämpfer zu den österreichischen Heeren, und die nicht, neue Opfer ihres unbegränzten Türkenhasses, auf den Schlachtfeldern blieben, ließen sich während der Pausen des Krieges mit ihren Familien in den wiedereroberten Gegenden nieder.

Der bedeutendste dieser für die österreichische Armee nicht unwichtigen Zuzüge war der unter dem Despoten Georg Brankowitsch i. J. 1688. Unter der Anführung dieses, in der Kathedrale zu Adrianopel vom Erzbischofe Maxim zum Wojwoden gesalbten Helden, verdrängten die Serben als selbstständige Heersäule den Halbmond aus der Batschka und dem Banate, während Ludwig von Baden Kostainizza, Brod, Grabiska eroberte, und erstürmten, mit diesem Feldherrn vereint, Belgrad. Die eroberten Gebiete wurden ihnen als bleibende Wohnsitze zuerkannt, ihr Führer aber in seinen mitgebrachten Rechten und Würden als Oberhaupt anerkannt, damit er sie nach ihren herkömmlichen Rechten und Gebräuchen verwalte und richte.

Zwei Jahre später lud Kaiser Leopold I. durch den österreichischen General Aeneas Sylvius Piccolomini den Patriarchen zu Ipek, Arsenius III. Tschernoewitsch, ein, eine zahlreichere Einwanderung von Serben in das noch immer halb entvölkerte Land zu veranlassen. Gegen eine geringe Kriegsdienstleistung sollte auch diesen Ansieblern die Unantastbarkeit ihrer mitgebrachten Sitten, Gebräuche und Freiheiten, so wie die freie Uebung ihres orthodoxen Glaubens gesichert werden. Der Patriarch ging auf diese

3*

Zusagen ein und führte, nachdem die Türken am 8. Oktober 1690 Belgrad zurückerobert hatten, 37 bis 40,000 serbische Familien, also nahe an 200,000 Menschen über die Donau, wo sich diese neben den hier bereits angesiedelten Serben niederließen. Ein Patent vom 21. August 1690 ¹) bekräftigte den Einwanderungsvertrag. Außer der freien Religionsübung und Beibehaltung aller mitgebrachten Rechte und Freiheiten war den Einwanderern auch die Freibelassung von allen Steuern und öffentlichen Lasten, die vor der türkischen Invasion bestandenen königlichen und Herrenrechte ausgenommen, zugesichert, nach Bezwingung des türkischen Joches eine ihren Wünschen und Bedürfnissen entsprechende Verwaltung verheißen und das Recht der freien Wahl eines Wojwoden zuerkannt. Alle den Türken noch abzunehmenden Ländereien sollten

¹) Wir Leopold I. ꝛc. versprechen allen Völkern in Albanien, Serbien, Moesien, Bulgarien, Silistrien, Illyrien, Macedonien, Raßien, so wie auch in allen zu dem ungarischen Reiche gehörigen und Uns als König von Ungarn unterthänigen oder noch zu unterwerfenden Provinzen, daß sie nebst freier Religionsübung und Behaltung aller ihrer Rechte und Freiheiten, der freien Wahl eines Wojwoden, von aller öffentlichen Last oder Steuer befreit sein sollen, ausgenommen von den vor der türkischen Invasion bestandenen königlichen und Herrenrechten, die unter der türkischen Herrschaft eingerissenen Mißbräuche nicht inbegriffen. Nur in der Noth des Krieges und zwar zu Eurem eigenen Heile und Eurer Selbstvertheidigung werdet Ihr Uns im Wege der freiwilligen Beisteuer Hülfe leisten, daß Wir Unser Heer erhalten, Unsere Provinzen vertheidigen und die Kriegslasten bestreiten können. Nach der Bezwingung des türkischen Joches aber werden Wir überall Alles nach Eurem Wunsche und zu Eurer Genugthuung in erwünschte

in den freien Besitz der Eroberer übergehen, welchen ihnen
streitig zu machen Niemand das Recht haben sollte. Dies
Patent schloß mit den Worten: „Ladet Eure Brüder ein,
Eurem Beispiele zu folgen! Ergreifet die von Gott Euch
und Mir gebotene und vielleicht nie wiederkehrende Gelegenheit, wenn Ihr das Wohl Eurer Söhne, so wie
Eures geliebten Vaterlandes fördern wollt!"

Das Patent war erlassen; die Verheißungen aber, die
es enthielt, sollten nie in Erfüllung gehen.

Georg Brankowitsch, der tapfere Führer in zahlreichen
sieggekrönten Schlachten, wurde zwar zum Wojwoden gewählt, durfte sich jedoch dieser Würde nicht lange erfreuen.

Oesterreich konnte versichert sein, daß sich die frommen
Christenkämpfer eher Alles gefallen lassen, als unter das
Joch des Christenfeindes zurückkehren würden; zudem war
der Friede geschlossen: — und Georg Brankowitsch ver-

Ordnung bringen und werden Jedwedem nach seinen Rechten, Vorrechten, Freiheiten und freier Religionsübung Gerechtigkeit erweisen
und Allen Denkmale Unserer Gnade, Gewogenheit, Milde und
väterlichen Beschirmung geben. Wir versprechen auch noch Allen
und Jedwedem und verleihen ihnen hiermit den freien Besitz eines
jeden beweglichen und unbeweglichen Eigenthums, das sie in ihren
Gränzen den Türken abnehmen werden. Handelt daher in Gottes
Namen für Eure Religion, Euer Heil, für die Wiedererlangung
Eurer Freiheit und Eurer Sicherheit; kommt ohne Furcht in
Unsere Lande, verlasset da nicht wieder Eure Wohnungen und
die Arbeit Eurer Felder, ladet Eure Brüder ein, Eurem Beispiel zu folgen, ergreifet die von Gott Euch und Mir dargebotene
und vielleicht nie wiederkehrende Gelegenheit, wenn Ihr das Wohl
Eurer Söhne, so wie Eures geliebten Vaterlandes fördern wollt.

schwand, um in den Kerkern von Eger als Staats-
gefangener zu verschmachten, ohne daß je seine Schuld
bekannt worden wäre. Den Serben, die nach Wien eilten, um die Freilassung ihres Wojwoden zu begehren,
wurde erklärt, das Staatswohl verlange seine Gefangen-
haltung. Ob man seinen Einfluß fürchtete? Ob es wahr,
daß die Eifersucht des Patriarchen den Wünschen des Hofs
entgegenkam? Kurz, Brankowitsch war unwiderruflich verloren. Alles, was den Serben den Verlust ihres Wojwoden ersetzen, den Bruch eines der wichtigsten Punkte des
Vertrages verschmerzen machen sollte, war die Erlaubniß
der Wahl eines Vizewojwoden.

Johann Monasterli wurde gewählt. Ein neues Patent jedoch [1]), das noch in demselben Jahre (20. August

[1]) Wir Leopold rc. dem verehrten und von uns geliebten Erzbischofe der morgenländisch-griechischen Kirche und der Raszier,
und allen übrigen Geistlichen und Weltlichen, Hauptleuten und
Unterhauptleuten und der ganzen Gesammtheit der griechischen
Kirche und der raszischen Nation in Ungarn, Slavonien, Illyrien-
Moeßien, Albanien, Griechenland, Bulgarien, Herzegowina, Dalmatien, Podgorien und in Jenopol, wie auch in den angehörenden
Orten, und Allen, die dieses lesen oder hören und beschauen werden,
entbieten Unsere kaiserliche Gnade und alles Gute. Nicht nur aus
dem unterthänigen Gesuche, das Uns in Eurem Namen durch
Euern Abgesandten, den Bischof von Jenopol übergeben worden,
sondern auch aus seinen an Uns gerichteten mündlichen Vorträgen
vernahmen Wir Eure unterthänige Dankbarkeit, daß Wir Euch
aus dem Rachen der türkischen Tyrannei befreit, so auch die Ergebenheit, mit welcher Ihr Euch Uns wegen der vielen Wohlthaten, die Wir Euch zu Eurem Wohle erwiesen, und zu Unserer
um so größeren Freude als Ihr Unser Recht anerkennt, Unserer

1691) erschien, benahm dem Wojwoden alle seine frühere Bedeutung, und ließ ihm nur das Recht, die bewaffnete Mannschaft anzuführen. Die wichtigsten Vertragspunkte des ersten Patents werden durch die Bestimmungen des neuen aufgehoben. Der Einfluß der Priesterschaft, die mit zahlreichen Vorrechten ausgestattet wird, wird über jeden anderen erhoben und vollends auch alle weltliche Macht an den Patriarchen übertragen, der übrigens von den Priestern und Laien gemeinschaftlich gewählt werden sollte.

Arsenius III. wandte allen seinen Einfluß an, um die hierdurch aufgeregten Gemüther zu beruhigen. Fortwährende Kämpfe mit den Türken trugen überdies dazu bei,

---

Gnade und Milde als Eurem Herrn und rechtmäßigen Könige unterworfen und unter Unserem Schutze zu leben und zu sterben bereit erklärt habt. In Folge Eurer Uns sehr angenehmen Erklärung, nehmen Wir Euch nicht nur in Unseren kaiserlich-königlichen Schutz, sondern Wir mahnen Euch zugleich väterlich, daß Ihr Eurem lobenswerthen Vorsatze getreu, zu jeder Zeit und Gelegenheit das auch Euren Söhnen einschärfet und mit wirklichen Beweisen bekräftiget; daß Ihr gegen den unerbittlichen Feind des christlichen Namens, gegen Euren Verfolger unter Unserer und Unserer Heerführer Leitung die Waffen ergreifet und alle Euch zugefügte Schmach, alles Unrecht und Elend, rächen sollet. Hingegen, damit Ihr der Milde und Süße Unserer Herrschaft und Regierung gleich im Anfang theilhaftig werdet, beschließen Wir mittelst unserer angebornen Güte Eure Bitten erhörend, daß Ihr den Ritus der morgenländischen Kirche, nach dem Gebrauche der Raszier und den Vorschriften des alten Kalenders beibehaltet, und wie bis jetzt, auch hernach von keiner kirchlichen oder weltlichen Person darin gestört werdet; es soll Euch freigestellt sein, unter

die Mißstimmung auf einen anderen Gegenstand abzuleiten, und eine kluge, umsichtige Verwaltung ließ die
Serben in der Macht des Patriarchen bald einen Ersatz
für jene des Wojwoden und einen Einigungspunkt für
ihre Interessen finden.

Arsenius III. war jedoch der erste und auch letzte
Patriarch der Serben auf österreichischem Boden. Sein

Euch, nach eigenem Willen aus der raßischen Nation einen Erzbischof nach dem Wunsche der Geistlichen und Weltlichen zu wählen, und dieser Erzbischof soll das Recht haben, mit allen morgenländischen griechischen Kirchen frei zu schalten und zu walten, die
Bischöfe zu weihen, Mönche zu bestellen, Kirchen, wo sie nöthig
sein werden, zu erbauen, in die Städte und Dörfer raßische Geistliche zu schicken, mit einem Worte, wie bisher: er soll aus eigener
kirchlicher Machtvollkommenheit allen griechischen Kirchen und Gemeinden vorstehen und zwar kraft der Privilegien, die Unsere Vorfahren in ganz Griechenland, Raszien, Bulgarien, Dalmatien,
Bosnien, Jenopol und Herzegowina, wie auch in Ungarn, Moesien und Illyrien, wo sie wirklich bestehen und so lange sie alle
und insgesammt Uns treu und unterthänig verbleiben, Euch verliehen haben. Nicht minder soll den geistlichen Ständen, wie
dem Erzbischofe, den Bischöfen, Mönchen und allen Priestern
der griechischen Kirche in den Klöstern, Kirchen, das Recht der
freien Verwaltung verbleiben, der Art, daß Niemand in den erwähnten Klöstern, Kirchen und Wohnstätten eine Gewalt verüben
darf; sie sollen die alte Befreiung genießen von allen Zehnten,
Steuern und Einquartirungen, auch soll außer Uns Niemand
des weltlichen Standes das Recht haben, aus dem geistlichen
Stande Jemanden einfangen zu lassen, sondern der Erzbischof habe
das Recht, dergleichen von ihm abhängende strafwürdige Priester
nach dem kanonischen Kirchenrecht zu strafen. Wir verleihen und
bekräftigen alle griechischen Kirchen und Klöster mit allem Angehör, wie auch was immer für welche Güter des Erzbischofs und

Nachfolger — Arsenius starb 1706 — Isaias Djako-
witsch durfte sich nicht mehr Patriarch, sondern nur Erzbischof nennen. Ebensowenig wurde nach dem Tode Monasterli's in die Wahl eines neuen Wizewojwoden, und
noch weniger in die Wahl eines neuen Wojwoden ge-
willigt, nachdem Brankowitsch nach 22jähriger Haft im
Gefängniß zu Eger gestorben war.

---

der Bischöfe, wie sie von Unseren Vorgängern verliehen wurden;
Wir befehlen auch die von den Türken eroberten Kirchen nach
ihrer Zurückeroberung Euch zurückzuerstatten. Wir erlauben ferner nicht, daß Euer Erzbischof oder Euer Bischof, wenn sie im
Fall der Nothwendigkeit die Kirchen und Klöster in den Städten
und Dörfern untersuchen, oder wenn sie die Pfarrer oder Gemeinden instruiren, von irgend Jemand, er mag ein Geistlicher oder
Weltlicher sein, gestört werden. Wir werden auf alle mögliche
Art trachten, daß Wir die durch Unsere siegreichen Waffen mit
Hilfe Gottes befreite rasische Nation so schnell als möglich in
ihr früheres Gebiet und in ihre früheren Wohnungen wieder ein-
führen und ihre Feinde von dort vertreiben. Wir wollen ferner,
daß das rasische Volk unter der Leitung und Verwaltung seiner
eigenen Magistrate verbleibe, und die von Uns verliehenen alten
Vorrechte und die daraus entstandenen Gewohnheiten ungestört
genießen könne. Wir geben ferner noch Unsere Zustimmung, daß
wenn Jemand von den Griechisch-Nichtunirten ohne Erben sterben
sollte, die Verlassenschaft auf den Erzbischof und die Kirche fallen
soll, wie auch wenn der Erzbischof oder ein Bischof stürbe, sein
Erbe an das Erzbisthum falle. Nicht minder wollen und befehlen
Wir, daß Alle, sowohl in kirchlichen wie in weltlichen Sachen,
von dem Erzbischofe als kirchlichem Oberhaupt abhängen sollen.
Wir haben festes Vertrauen, daß Ihr Euch bestreben werdet, Euch
Unserer gnadenreichen, gnädigen und huldvollen Verleihungen wür-
dig zu zeigen und Eure Treue in keinem was immer für einem
Sturme brechen werdet.

Waren bis jetzt die den Serben gemachten weltlichen
Verheißungen so wenig in Erfüllung gegangen, so begann die damals mächtige Hand der Jesuiten auch an
den verbrieften kirchlichen Rechten zu rütteln. Bald wurden die Verfolgungen mit einem solchen Eifer und die
Bekehrungsversuche mit einem Aufwande so vieler un-
heiliger Mittel betrieben, daß der Mißmuth und die Ent-
täuschung im Jahre 1735 zu einem Aufstande führten,
durch den mit Waffengewalt erzwungen werden sollte,
was die Gewalt der Politik allmälig entzogen hatte.
Der Aufstand wurde gedämpft, die Anführer in Temesvar geviertheilt und enthauptet.

Noch haftete an der Würde des Erzbischofs ein Schatten jenes Einflusses, den das Patent von 1691 dem Patriarchen einräumte. Nun war es Zeit, auch diesen zu
beseitigen und das Regiment der Bureaux an die Stelle
der verheißenen, den Wünschen und Bedürfnissen der Ansiedler entsprechenden Verwaltung treten zu lassen. Die
kirchlichen sowohl als weltlichen Angelegenheiten der Serben wurden einer sogeheißenen „serbischen Hofdeputation"
übertragen, die ihren Sitz in Essek hatte, jedoch kein
einziges serbisches Mitglied zählte. Dies geschah im
Jahre 1752.

Durch die Amtsthätigkeit dieser Deputation geriethen
jedoch die serbischen Zustände dermaßen in Verwirrung,
daß sich die Serben genöthigt sahen, zu wiederholten
Malen ihre Beschwerden dem Hofe vorzulegen. Zur
Untersuchung derselben wurde endlich der kaiserliche Ge-

neral Graf Hadik nach Karlowitz gesandt, um daselbst einer Nationalversammlung beizuwohnen und die Beschwerden zu untersuchen. Die Versammlung legte dem General die Privilegien und namentlich jenes von 1690 vor und erklärte, sich zufrieden geben zu wollen, wenn der Inhalt desselben verwirklicht würde. Als Antwort hierauf erfolgte im Jahre 1770 ein kaiserliches Regulamentum, in welchem zuerst das Privilegium erklärt und dann versichert wurde, „daß Alles, was bisher geschehen, im Sinne desselben gewesen sei.‟

Dieses Regulamentum vermochte die Serben nicht zu befriedigen. In den Karlowitzer Versammlungen von 1774 und 1776 wurden die Beschwerden erneut, und es hatten diese nichts als den Erlaß eines zweiten Regulamentum zur Folge (1777), durch welches die Privilegien abermals, jedoch nur noch einschränkender, erläutert wurden. Die serbische Deputation wurde aufgehoben und die Leitung der serbischen Angelegenheit nunmehr der k. k. Hof- und Staatskanzlei zu Wien übertragen, welche von nun an die Serben, wie die anderen, nach und nach um den letzten Schimmer von Selbstständigkeit gebrachten Völker Oesterreichs mittelst Hofdekreten regierte. Im Ganzen ging die Tendenz der beiden Deklarationen dahin, den Privilegien blos eine kirchliche Bedeutung beizulegen, die nationalen Verheißungen jedoch als von der Nation unrecht aufgefaßt darzustellen. Selbst Kongresse sollten nicht mehr gehalten werden dürfen. Die durch ein solches Verfahren geweckte Mißstimmung wurde so bedenk-

lich, daß sich der Hof im Jahre 1779 zu einem neuerlichen Deklaratorium veranlaßt sah, durch welches zwar
Versammlungen, jedoch von nicht mehr als 75 Personen
und lediglich zur Besprechung der kirchlichen Verwaltungs-
angelegenheiten gestattet sein sollten.

Dieses Deklaratorium war nicht geeignet, die Mißstimmung zu beseitigen. Alle folgenden Beschwerden blieben fortan völlig unbeachtet und die Serben beschloffen
endlich, die Vermittelung des ungarischen Landtags an-
zugehen, der damals (1790) bereits gegen den Hof von
Wien eine oppositionelle Stellung einzunehmen begann.
Der ungarische Landtag nahm das Ansuchen eines Volksstammes, der durch zahlreiche Waffenthaten seine Bedeutung bereits bewährt hatte, günstig auf und versprach,
über die Mittel zu berathen, durch welche den Serben
die Erfüllung der Privilegien erwirkt werden könnte. Dieser unerwartete Schritt verursachte in Wien nicht unge-
gründete Besorgnisse, und man glaubte sich zu einiger
Nachgiebigkeit entschließen zu müssen. Den Wünschen der
Serben sollte durch die Errichtung einer eigenen illyrischen
Hofkanzlei (1791) Rechnung getragen sein. Der ungarische Landtag war jedoch nicht gesonnen, eine so günstige
Gelegenheit, die Wiener Politik in etwas einzuschüchtern,
leichtlings fahren zu laffen. Unbekümmert um die Errichtung der Kanzlei, erklärte er die Serben vor allen
Andern als „Angehörige der ungarischen Krone,“ eine
Erklärung, der man sich serbischerseits keineswegs ver-
sah, da man wohl die Vermittelung Ungarns, nicht aber

die Aufnahme in dessen Staatenverband angesucht hatte. Indessen sanktionirte der König den Beschluß und hob als Konzession gegen den Landtag die illyrische Hofkanzlei, nachdem sie sechszehn Monate bestanden, wieder auf. Ihre Geschäfte und somit die Verwaltung der serbischen Angelegenheiten wurden der ungarischen Hofkanzlei übertragen; die den Serben unter der Verheißung von nationaler Selbstständigkeit zu freien Wohnsitzen überlassenen Gebiete dem Königreiche Ungarn einverleibt, und die Serben sahen sich plötzlich als Unterthanen der ungarischen Krone, sahen über sich und ohne sich verfügt, zuwider allen Verträgen, allen Verheißungen.

An die Stelle der „den Wünschen und Bedürfnissen der Serben entsprechenden Verwaltung" trat nun die ungarische Komitats- und Adelsherrschaft, eine Form des Regiments, wie sie eben so wenig den Bedürfnissen als den Herkömmlichkeiten der Nation entsprach. Dem serbischen Volke war der Adel eine völlig fremde Einrichtung, so wie man auch heutzutage im jenseitigen Serbien weder einen Adel noch irgend eine andere Bevorrechtigung der Personen oder Stände kennt[1]). In dieser Verwaltungsform ist der Grund des Uebergewichts zu suchen, das bald das magyarische Element über das serbische gewann, so wie des Verfalles des letzteren. Eine Verwaltung,

---

[1]) Dem Slaventhume ist der Adel überhaupt ursprünglich fremd. Der polnische und russische Adel sind theils durch Berührung mit den westeuropäischen Völkern entstanden, theils Imitation germanischer und französischer Sitte.

bei der Amt und Würde nur an Adelige ertheilt werden kann, bedarf der Adeligen. Die Serben hatten keine. So war denn augenblicklich der Ersatz derselben durch den magyarischen Adel nöthig, der sich auch allsogleich zahlreich unter den Serben niederließ und mit den Aemtern und Würden die ganze Verwaltung der adoptirten Nation in die Hände nahm. Aber auch die Stimmfähigkeit bei den Komitatskongregationen und Landtagen hing von dem Besitze eines Adelsdiploms ab. Da aber die Serben keine dergleichen besaßen, so blieben sie bei den Versammlungen ihrer eigenen Komitate, eben so wie bei den Landtagen völlig unvertreten. Die unter ihnen wohnenden amtsfähigen Magyaren bildeten die Kongregationen, zu denen höchstens die serbischen Bischöfe und Klöster Zutritt hatten. Adelige unter den Serben wurden erst allmälig geschaffen, jenachdem man den Reichthum oder den Einfluß Eines oder des Andern hoch anschlug, oder Einer und der Andere sich den magyarischen Machthabern willfährig bezeigte. Es war natürlich, daß der jungserbische Adel in Allem und Jedem seinen Ursprung vergessen zu machen und dem magyarischen es gleich zu thun strebte.

Fünftes Kapitel.

———

Mit dieser Vorgeschichte fanden die Sprachkämpfe die serbische Bevölkerung Südungarns.

Hatte man in den Klöstern und Priesterschulen noch immer nicht der Privilegien von 1690 und 1691 vergessen; waren die Diakone und Protopopen allenthalben bemüht gewesen, ihren Gläubigen die Erinnerung an ihre einstmalige Werthgeschätztheit und das Bild ihrer gegenwärtigen Erniedrigung vor Augen zu halten; und war sich das Volk durch tausende von Liedern, die ihm seine Blinden täglich vorsangen, seiner thatenreichen Vergangenheit, seiner Verdienste und der Art, wie sie belohnt wurden, selbst bewußt geblieben: so konnten die Sprachkämpfe nur dazu dienen, um einen neuen Gegenstand der Beschwerde an's Tageslicht zu fördern, dem langverhaltenen Mißmuth einen neuen Anhaltspunkt, den unzufriedenen Elementen einen neuen Einigungspunkt zu schaffen. Die serbische Geistlichkeit säumte nicht, sich an dem genannten Kampfe in diesem Sinne zu betheiligen.

Die jüngere Generation hatte in den Schulen von Wien und Pest, wohin sie gegangen war um sich für Aemter und Stellen vorzubereiten, ferner in der vielfachen Berührung, in die sie durch den regen Handel, den die wohlhabenden Serben betrieben, mit allerlei Ländern und Städten gerieth, die freisinnige Weltanschauungsweise des Zeitgeistes in sich aufgenommen. Sie hatte von den Ungarn und Deutschen den Haß gegen den altösterreichischen Absolutismus, sie hatte aber auch bei den Ungarn sowohl als bei den verwandten Slaven die Begeisterung für das nationale Element kennen gelernt und diese bald auf das angeborene Serbenthum übertragen. Jener, so wie diese, fanden in ihnen die eifrigsten Verbreiter in der Heimath.

Ein eigenes Mißbehagen ist durch die nichts weniger als milde militärische Verwaltung in der Militärgränze großgezogen worden. Bis gegen Siebenbürgen hin fast durchgehends von Serben bewohnt, seufzte dieser Landstrich seit undenklichen Jahren nicht nur unter der Verpflichtung einer das ganze Leben umfassenden Kriegsdienstleistung, sondern auch unter dem Joche des peinlichsten aller Gesetzbücher, der Theresiana, und unter der Kettenlast einer Unzahl von speziellen, allen materiellen Aufschwung wie alle geistige Regung niederhaltenden Verordnungen. Mitten in Europa bestand eine Kolonie von halben Sklaven, und das Maß ihres Elends schien sich gefüllt zu haben.

So fanden sich in den serbischen Gegenden drei ver-

schiedene Gährstoffe neben einander angehäuft, als die
bunkle Kunde von den Ereignissen der zweiten Woche des
März dahin gelangte. Es waren dies der kirchliche Nationalismus der Geistlichkeit, die in der orthodoxen
Kirche eine wesentlich serbische sah; der modern liberale Nationalismus der Jugend und Intelligenz der
Städte; dann der Mißmuth der Gränzer, die es dunkel ahnten, daß etwas geschehen müsse, um ihrem jammer-
vollen Zustande eine Wendung zu geben. Das Widerstreben gegen die magyarische Suprematie war allen gemein. Es bedurfte nur eines Anlasses, um sie alle gegen
diese Eine zu verbinden, und dieser Anlaß lag in obiger
Kunde.

Die ersten in der Batschka und in Syrmien ange-
langten Nachrichten stellten die Revolution als eine ausschließlich magyarische dar. Es hieß, die Magyaren hätten losgeschlagen, um dem Sprachenstreite auf einmal
ein Ende zu machen. Die Wirkungen — schon waren sie
an einigen Orten, wie in Bukovar, wo eben Kongregation abgehalten wurde, um den Landtagsablegaten Instruktionen zuzusenden, zu Thätlichkeiten ausgeartet —
hätten furchtbar werden können, wenn nicht bei Zeiten
Briefe aus Wien den Zusammenhang der Ereignisse mit
dem Umschwung der Dinge in der Residenz aufgeklärt
hätten.

Der Haß gegen das System von Wien wurzelte zu
tief in allen Schichten der Gesellschaft, war allen Parteien zu sehr gemeinsam, als daß nicht über die poli-

4

tische Wandlung der Dinge auch hier, wie in Preßburg, die nationalen Antipathien und Begehren einen Moment hätten in den Hintergrund treten sollen. Vielmehr beeilte man sich in den Städten sowohl als auf dem Lande, von den Errungenschaften Besitz zu nehmen. Jede Stadt, jede kleine Gemeinde machte ihre kleine Ortsrevolution durch, indem sie vor allem Andern die alten, nach einem beschränkten Census gewählten Magistrate vertrieb, und neue, aus der allgemeinsten Wahl hervorgegangene einsetzte. Wo Buchdruckereien bestanden, wurde sogleich von der freien Presse Gebrauch gemacht, Proklamationen im Sinne der Errungenschaften wurden verbreitet, die Nationalgarde errichtet, und der Serbe reihte sich ihr gleich willig an wie der magyarische und deutsche Ansiedler. Aller Groll schien wie verschwunden. In Neusatz und Temesvar wurden die zwölf Pester Petitionspunkte vom 16. März unter Jubelrufen adoptirt, in der erstern Stadt die Errungenschaften mit hundert und ein Kanonenschüssen begrüßt, und an vier Altären verrichteten zum Zeichen der Verbrüderung katholische, griechisch nichtunirte, protestantische und jüdische Priester unter freiem Himmel Dankgottesdienste für den glorreichen Sieg der Revolution, von der Jeder überzeugt war, daß sie nicht nur dem politischen, sondern auch dem nationalen Parteienkampfe ein Ende gemacht habe. Wenn einzelne Städte ihren Zustimmungsadressen den Wunsch beifügten, daß die serbische Sprache und die serbische Religion unangetastet bleiben mögen, so geschah dies nur in der zuversichtlichen Ueberzeugung, daß ein Ministerium der Revolution nicht anders handeln könne, nicht anders handeln werde.

In der Militärgränze war der Boden für die Aufnahme der Revolution weniger günstig. Unter dem Kommando kaiserlicher Generale stehend, mußten die Bewohner derselben vielmehr gefaßt sein, auf einen gegebenen Wink ihre Waffen gegen dieselbe zu kehren. Nur in den sogenannten Militärkommunitäten kam sie zum Ausbruch. Die Verfassung dieser Städte war ein unglückseliges Gemenge von civiler Bureaukratie und militärischer Zuchtherrschaft, das jeden lebhafteren, materiellen sowohl als geistigen Aufschwung mit der bleiernen Last von tausend und abertausend Hofkriegsrathsdekreten niederhielt. Alle Versuche dieser Städte, dem hemmenden Militärgränzverbande entrückt zu werden, alle Deputationen und fußfällige Vorstellungen um zweckmäßigere Gemeinbeeinrichtungen waren bisher erfolglos geblieben. Nun rafften sich die Kommunitätsbürger zur Selbsthülfe empor, sagten sich faktisch vom Gränzverbande los, vertrieben die vom Hofkriegsrathe eingesetzten Magistrate und wählten sich ihre eigenen als königliche Freistädte der ungarischen Krone. So Pantschevo, so Semlin. Die Militärgränze selbst, das flache Land, die Kompagniebezirke und Dorfschaften, zum Theil weil durch die Ausmärsche nach Italien entvölkert, zum Theil weil gelähmt vom Drucke einer strengen Stockhausherrschaft, keines Aufschwunges fähig, hatte keine Stimme für ihr Elend. Das Aufhören der militärischen Despotie in derselben, ihre Umwandlung

4 *

in gleichberechtigtes Bürgerland, war dafür ein Petitions-
punkt, den fast jede Stadt in ihrem Namen aussprach.

Während sich fast allenthalben die Dinge also günstig
gestalteten, fehlte es doch nicht an einzelnen Orten, wo
man darauf bedacht war, die ausdrückliche Anerkennung
eines Rechts vom ungarischen Ministerium zu erlangen,
über das seit anderthalb Jahrzehenden so viel gestritten
worden und das der Landtag ausdrücklich anzuerkennen
in der Hast der Bewegung versäumt zu haben schien —
des Rechtes, im Punkte der Sprache sich selbst zu be-
stimmen, die Anerkennung der serbischen Nationalität
neben den andern im Reiche wohnenden. In der un-
zweifelhaften Voraussetzung dieser Anerkennung führte
die Kongregation von Poschega die Sprache der Nation
als Geschäftssprache in allen innern sowohl als äußern
Angelegenheiten des Komitats ein, fassen Neusatz, Karlovitz, Semlin, Pantschevo, gleiche Beschlüsse, und alle von
Serben bewohnten Orte machen faktischen Gebrauch von
einem natürlichen Rechte, das ihnen voraussichtlich Niemand mehr streitig machen sollte.

Man hatte sich indessen verrechnet. Das Ministerium
zu Pest nahm diese Manifestationen des nationalen
Willens sehr ungünstig auf, und gab seinen Entschluß,
den Sprachansprüchen der Serben nach wie vor keine
Rechnung tragen zu wollen, faktisch dadurch kund, daß es
in amtlicher Beziehung die serbischen Landstriche als
magyarische behandelte. Reichte schon dies hin, um einen
völligen Umschwung der Gesinnung unter den Serben

herbeizuführen, so häufte die Unduldsamkeit der unter ihnen wohnenden Magyaren, noch mehr aber der nationalen Renegaten, das Maß.

In Neusatz und Karlovitz ging man einen Schritt weiter; in dieser Stadt, als dem Sitze des kirchlichen Oberhaupts und dem Sammelpunkt der gesammten orthodoxen Geistlichkeit, in jener als dem Vereinigungspunkte der Intelligenz, des Mittelstandes und der national-liberalen Partei. Versammlungen wurden bald hier, bald dort abgehalten und man fragte sich, was zu thun sei, um den so hartnäckig verweigerten Rechten Anerkennung zu verschaffen, die serbische Nationalität vor weiteren Uebergriffen zu bewahren. In Karlovitz waren es besonders die Privilegien, die man in's Auge faßte, von deren Restituirung man sich einzig und allein einen ausgiebigen Erfolg versprach; in Neusatz richtete man sein Augenmerk auf die gleich feste Begründung der politischen Freiheit wie der nationalen.

Auf welchen Standpunkt man sich dabei in Karlovitz stellte, dürfte am besten aus folgender Stelle zu entnehmen sein, die wir aus einer, damals in vielen Tausenden von Exemplaren verbreiteten Schrift eines der einflußreichsten Männer anführen, der dem geistlichen Stande angehörte [1]):

---

[1]) „Die am 1. und 3. Mai zu Karlovitz abgehaltene serbische Nationalversammlung, die frühere Hofpolitik und die gegenwärtige der neuen magyarischen Regierung. Von einem rechtgläubigen Vaterlandsfreunde. Belgrad 1848."

„Aber zugleich mit dem gegebenen Worte (er erzählte
den uns bekannten Hergang des Verfahrens gegen die Serben nach ihrer Einwanderung) waren auch alle Bande gebrochen, durch welche wir sowohl an den Hof als später
auch noch an die ungarische Regierung geknüpft waren.
Die Traktate, die wir mit dem Hofe schlossen, als wir
herübersiedelten, hatten längst aufgehört Kontrakte und
Verträge zu sein, weil der andere Theil, mit dem wir
sie eingegangen, sie nicht erfüllt hat. Die serbische Nation
trat also in dasselbe Verhältniß zum Hof zurück, in welchem sie sich befand, da sie zur Niederlassung aufgefordert
wurde. In diesem Zustande fand sie der Monat März...
Man fing nun an sich zu besprechen, wie und welche neue
Verträge man machen werde, sei es entweder mit dem
Hof oder mit der neuen ungarischen Regierung."

Die Punkte, welche den neuen Verträgen zu Grunde gelegt werden sollten, waren die Wiedereinsetzung der Würde
des Patriarchen, dann des Wojwoden, und die vertrags-
mäßige Erklärung der den Türken abgenommenen Gebiete
von Syrmien, Batschka, Banat und Baranya zu einer
serbischen Wojwodschaft.

Zu Neusatz faßte man die Wünsche der Nation in
siebenzehn Punkte zusammen und beschloß, sie durch eine
Deputation dem Preßburger Landtage zur Genehmigung
vorzulegen. Das Maß, welches man dabei in Bezug
auf den Sprachpunkt beobachtete, die Versöhnlichkeit, zu
der man geneigt war, spricht sich in folgender Forderung
aus, die obenan stand:

„Wie die Serben die diplomatische Geltung der magyarischen Nationalität anerkennen, so erwarten sie auch
Anerkennung und Respektirung ihrer Nationalität in Bezug auf ihre innern Angelegenheiten.“

Die Frage, ob man weiterhin zur Krone Ungarns gehören wolle oder nicht, kam gar nicht in Anregung. Es
fiel Niemandem ein an eine Lossagung von Ungarn zu
denken.

Am 8. April erschien diese Deputation vor den Schranken des Hauses, von Ludwig Kossuth angemeldet, und
von den Mitgliedern des Hauses einstimmig bewillkommt.

Alexander Kostitsch, ihr Wortführer, sprach im Namen
der 12000 Serben von Neusatz die Erwartung aus, daß
der Landtag die beigebrachte Petition zu billigen wissen
werde und erklärte, daß die serbische Nation bereit sei,
für die Krone Ungarns ihr Gut und Blut einzusetzen.

Kossuth erwiederte von der Ministerbank, die Nationalitäten würden respektirt werden. Doch würde man
wohl einsehen, daß die magyarische Sprache eines jener
Bänder sein müsse, das sie Alle vereine. Der Magyare
gönne den Serben gerne an der Freiheit Theil zu nehmen, die er errungen. Dafür hoffe er aber auch billig,
daß seine Sprache das Band sei, welches die Nationen,
mit denen er die Freiheit theilt, mit ihm verbinde.

Die Deputation verließ den Saal unter dem Eljenrufe
des Hauses. Von den Lippen des Ministers waren aber
Worte gefallen, die nicht geeignet waren, sie glauben zu
machen, das liberale Ministerium sei gewillt, dem Sprach-

zwange, den man früher unter dem Vorwande übte, er sei als
Gegenwehr gegen die Politik des Fürsten Metternich geboten, ein Ende zu machen. Das Bittere dieser Erkenntniß wurde durch das Verletzende einer Aeußerung nur
noch erhöht, die später so viel unversöhnlichen Haß nährte
und denen, die sie im Munde führten, so viele Sympathien entzog; einer Aeußerung voll ungerechter Selbst-
überhebung und Selbstüberschätzung. Der Magyare lasse
den Serben gern an der Freiheit „Theil nehmen,“ die
„er“ errungen. Es war bekannt, daß die politische Wendung der Dinge für ganz Oesterreich durch den Heldenmuth der Intelligenz von Wien herbeigeführt worden und
daß der Sieg der liberalen Partei des ungarischen Landtages nur eine Folge des Sieges zu Wien war. Als
die Juraten und Deputirten von Preßburg nach Wien
kamen, „um für die andern Völker die Freiheit zu erringen, die sie dann mit ihnen zu theilen bereit waren,“
hatten die braven Wiener das Werk bereits gethan und
brachten den ungarischen Gästen die Freiheit entgegen,
und doch kam es nicht vor, daß Einer der Kämpfer ge-
sagt hätte, er sei bereit, die Ungarn an der Freiheit
„Theil nehmen“ zu lassen, die er errungen. Was aber,
abgesehen von der stolzen Selbstüberschätzung, diesem später in tausend Reden wiederholten Satze gerade der Deputation gegenüber so viel Verletzendes gab, war die
damit indirekt ausgesprochene Suprematie des magyarischen Stammes. Wer einen Andern gern an etwas Theil
nehmen läßt, der erklärt zugleich, daß er es thue, nicht

weil er die Verpflichtung hierzu anerkenne, sondern weil er es aus freiem Antriebe so wolle; erklärt, daß es eben so in seiner Macht liege, es auch nicht zu thun. Die Deputation verließ daher den Saal mit der unangenehmen Gewißheit, daß die Regierung die magyarische Nation als über der serbischen stehend betrachte und daß es vom Gesichtspunkte der ersteren nur eine freiwillige Huld sei, wenn sie die letztere von den Errungenschaften der Revolution nicht ausschließe.

Die Deputation beschloß, die Minister in ihren Wohnungen aufzusuchen, um nähere Aufklärungen zu erhalten.

Der Ministerpräsident empfing sie als die Abgeordneten der getreuen „Magyarenstadt" Neusatz, und versicherte sie, daß alle ihre Wünsche, soweit dieselben mit den Interessen des magyarischen Reiches vereinbar seien, berücksichtigt werden würden.

Kossuth sprach: „Meine Herren! Sie fordern im Namen von 12000 Bewohnern von Neusatz Gleichstellung mit der hochherzigen magyarischen Nation. Es ist dies nur billig und die edle Nation wird gern darein willigen, daß Sie alle staatsbürgerlichen Rechte und Freiheiten mit ihr gemein haben."

„Wir glauben, Sie, Herr Minister, aufmerksam machen zu müssen," nahm Einer aus der Deputation das Wort, „daß die in Ungarn wohnenden und gegen Garantie ihrer mitgebrachten Rechte und Gebräuche in dies Land berufenen Serben auch die Anerkennung des heiligsten dieser ihrer mitgebrachten Gebräuche, des Gebrauches ihrer Sprache erwarten. Die serbische ist eine von der magyarischen völlig verschiedene Nation und erwartet nichts Unbilliges, wenn sie als solche anerkannt sein will, so wie sie ihrerseits die magyarische anerkennt und bereit ist, nach wie vor mit dieser unter Einer Krone und Einem Gesetze zu verbleiben."

„Was verstehen Sie unter einer Nation?" fragte der Minister.

„Einen Volksstamm, der seine eigene Sprache, eigene Sitten, eigene Gebräuche und eigene Fortbildung hat und Bewußtsein genug, diese zu bewahren," erwiderte der Abgeordnete.

„Wissen Sie, daß eine Nation auch ihre eigene Regierung haben müsse?" bemerkte Kossuth.

„Wir gehen nicht so weit," entgegnete ein Zweiter aus der Deputation. „Eine Nation kann unter mehreren Regierungen zersplittert und mehrere Nationen können unter Einer Regierung vereint sein. Ein Beispiel vom Erstern sind die Deutschen und ein Beweis für das Letztere ist, um nicht von ganz Oesterreich zu sprechen, Siebenbürgen."

Der Minister, durch jedwede Einwendung leicht gereizt, schien nicht geneigt, die Erörterung weiter zu verfolgen, und erklärte kurzweg, das Interesse der magyarischen Nation fordere es, daß keine zweite im Reiche neben ihr als Nation gelte.

Ein Dritter aus den Abgeordneten machte den Minister auf die seit Jahren zunehmende Gährung unter den Südslaven aufmerksam. „Die Gährung wird, fürchte ich, zum offenen Bruche führen," fuhr er fort, „wenn sich die Südslaven in der Erwartung, die neue Lage der Dinge werde dem Sprachzwange ein Ende machen, getäuscht sehen, und man wird die Anerkennung anderswo suchen, wenn sie Preßburg verweigert."

„In einem solchen Falle wird das Schwert entscheiden," erwiderte Kossuth und zog sich in sein Kabinet zurück.

Dieser Augenblick beschwor den serbischen Krieg herauf mit allen seinen Gräueln und Verwüstungen.

Sechstes Kapitel.

———

Die Raschheit und Entschiedenheit, mit der die Empörung Kroatiens auftrat, die Truppenmacht, über die sie
dadurch verfügte, daß der Oberbefehlshaber sämmtlicher
Gränztruppen an ihrer Spitze stand, die offenbare Ver-
günstigung, die ihr von Oesterreich zu Theil ward, hatte
indessen die magyarische Regierung zu versöhnenden Schritten gegen dies bereits abgefallene Land bestimmt. Am
28. März beantragte derselbe Minister, der die Existenz
eines Kroatiens so oft geläugnet, eine Proklamation an
dasselbe, und setzte mit derselben Beredsamkeit, mit der
er früher das Gegentheil verfochten, die Nothwendigkeit
aus einander, die kroatische Nationalität zu respektiren.
„Das freundschaftliche Verhältniß zwischen Ungarn und
Kroatien," sprach er, „könnte nur durch Nichtachtung der
Nationalität gestört werden. Man muß also den Kroaten erklären, daß man nie im Sinne gehabt, ihre Nationalität nicht anzuerkennen, und daß man sie nach wie
vor anzuerkennen bereit sei."

Diese Versöhnlichkeit kam allerdings zu einer Zeit, wo Kroatien bereits unter Waffen stand und den Aufruf zum Anschlusse an den ganzen slavischen Süden erlassen hatte. Ob Kroatien wohl daran that, die versöhnende Hand, die ihm entzogen worden, da es sie suchte, und die man ihm bot, da es ihrer nicht mehr bedurfte, zurückzuweisen, ist noch heute nicht entschieden. Indeß — sie wurde geboten[1]).

Ganz anders verfuhr die magyarische Regierung den Serben gegenüber. Die Gährung unter diesen schien ihr nicht bedenklich genug, als daß sie ihr hätte versöhnende Schritte entgegensetzen sollen; sie drohte daher mit dem Schwerte.

Hatte der blitzschnelle Fortgang der Revolution in Kroatien nicht verfehlt, die Gemüther der Serben in die lebhafteste Spannung zu versetzen; hatte der Aufruf, der aus jenem Lande an alle Südslaven ausgegangen, die Gefühle der Blutsverwandtschaft auch bei ihnen angeregt und darauf hingewiesen, daß Kroaten, Slavonier und Serben, Söhne eines und desselben großen Stammes, auch einen

---

[1]) Doch war dies nicht so ernst gemeint. Selbst fünf Wochen später, am 1. Mai, also zu einer Zeit, da der Aufruhr in Kroatien und Slavonien bereits vollständig organisirt, die kroatische Sprache bereits de facto eingeführt war, war Alles, wozu sich die magyarische Regierung bereit erklärte, nicht mehr, als daß sie mit Kroatien lateinisch korrespondiren, ihm die Gesetze im magyarischen Urtert mit beigefügter lateinischer und kroatischer Uebersetzung zusenden, mit Slavonien jedoch, trotz dem Proteste der Bevölkerung, in magyarischer Sprache verkehren wollte.

und denselben Feind, ein und dasselbe Interesse der Befreiung haben: so reichte die Kunde von der Antwort des Finanzministers hin, es auch in den serbischen Gegenden allenthalben zum Ausbruche der Schilderhebung kommen zu lassen. Die einzige Konzession, die Abhaltung eines Kongresses zur Ordnung der ausschließlich kirchlichen Angelegenheiten, konnte diesen Ausbruch nicht hintanhalten. Er wandte sich zuerst gegen die notorischen Anhänger der magyarischen Suprematie unter den Beamten. Die magyarische Trikolore, in der man bisher die Farben des Reiches verehrte und nun die einer Partei erkannte, wurde, und zwar nicht immer ohne Blutvergießen, beseitigt und die serbische aufgehißt. Zu Szent Tomas und Betsche wurden die Kirchenbücher, die seit einiger Zeit in magyarischer Sprache hatten geführt werden müssen, aus den Kirchenschreinen gerissen und auf offener Straße feierlich verbrannt. Die Priester standen den Auto da fé's bei. Bald war kein Ort, keine Kirche hinter dem Beispiele zurückgeblieben, und das Signal zum Aufstande loderte auch in der Batschka, in Syrmien, in der Militärgränze und im Banat in den hellen Flammen der Kirchenbücher empor.

Die entfesselte Empörung drohte den furchtbarsten Charakter anzunehmen, wenn sie nicht bei Zeiten in die Gleise einer geregelten Revolution geleitet wurde. Die Serben geriethen nicht nur allenthalben mit ihren magyarischen und deutschen Nachbarn, welche letztere zu den ersteren hielten, sondern auch mit der bewaffneten

Macht, die erst unlängst dem magyarischen Ministerium untergeordnet worden war, in die erbittertsten Konflikte, von denen der zu Kikinda am 12. (24.) April eines der traurigsten Beispiele.

Hier hatte sich nämlich bei Gelegenheit der letzten Restauration des Distriktsmagistrates einer der Beamten, Namens Kengelaz, eine Partei zu schaffen gewußt, indem er denjenigen Besitzern von Ueberlandsgrundstücken, welche diese verkauft hatten, ihre Felder zurückzuverschaffen versprach, falls er zum Distriktsrichter, d. i. zur obersten Magistratsperson gewählt werden würde. Kengelaz wurde gewählt, war jedoch nicht im Stande, sein allem Rechte zuwiderlaufendes Versprechen zu erfüllen. Bald darauf nahm die Bewegung ihren Anfang. Die Kikindaner Serben brachten von Karlovitz eine serbische Trikolore mit und verlangten, daß sie, da Kikinda eine größtentheils von Serben bewohnte Stadt sei, auf dem Rathhause aufgepflanzt werde. Kengelaz verweigerte es. Da jedoch die Masse ihr Begehren stürmisch wiederholte, berief er den Magistrat zu einer Sitzung, um zu berathen, was zu thun sei. Das Volk umdrängte mittlerweile das Stadthaus und verlangte unverzüglich das Aufhissen der Fahne. Die Stimmen der ehemaligen Ueberlandsbesitzer ließen sich ebenfalls hören. Da requirirte Kengelaz, um sich die lästigen Mahner unter Einem vom Halse zu schaffen, eine Abtheilung der im Orte kantonirenden Kavallerie und ließ in die Massen einhauen. Dies steigerte die Erbitterung bis zur Wuth.

Das Volk lief zwar auseinander, jedoch nur um bald mit Sensen und Aerten bewaffnet zurückzukehren und das Rathhaus zu erstürmen. Kengelatz hatte sich geflüchtet; den meisten übrigen Senatoren und Magistratualen war es gelungen, sich zu retten. Die beiden Senatoren Tschuntschitsch und Isakovitsch fielen als Opfer der Wuth, der letztere, indem er, auf seine Popularität bauend, unter die Menge trat, um sie zu beruhigen*).

Die Berichte von diesem, als kommunistisch bezeichneten und ähnlichen Vorfällen bestimmten die magyarische Regierung, den für sie einzig möglichen Weg einzuschlagen, den der Gewalt. Nun, da sie es versäumt, die Serben zu gewinnen; nun, da sie sie selbst zur offenen Empörung gedrängt, blieb ihr in der That nichts Anderes zu thun, als diese mit eiserner Faust niederzudrücken und durch die Mittel des Schreckens der Autorität Gehorsam zu verschaffen. Es wurde über sämmtliche von Serben bewohnte Ortschaften der Kriegszustand verhängt und Peter Tschernoevitsch mit allen Vollmachten ausgestattet, um als Regierungskommissar im Namen des Königs und seiner Regierung den Aufruhr zu

---

*) Herr Julian Chownitz in seiner Geschichte der ungarischen Revolution läßt in Kikinda die russische Fahne aufpflanzen. Wenn wir ihm glauben, so hatte das magyarische Ministerium schon früher „vorsichtshalber" einen Regierungskommissär hieher gesandt, der sein Amt damit begann, daß er die Hauptverführer hängen ließ. Indessen finden sich diese Fakta nur im Buche des Herrn Chownitz.

unterdrücken. Die Anwendung des Standrechts blieb seinem Ermessen anheimgestellt.

Die Parteien von Carlovitz und Neusatz hatten sich indessen vereint, um Hand in Hand das gemeinsame Ziel, die Anerkennung der Nation zu erstreben. Man entwarf die Grundzüge dessen, was man verlangen, man zeichnete sich im Allgemeinen den Weg vor, den man gehen wollte. Von Ungarns Landtag und Regierung war man abgewiesen worden und mußte sich zu einem verzweifelten Kampfe gegen dieselben vorbereiten. Man beschloß, sich nun an den König und an Oesterreich zu wenden, dem man früher, ehe man Ungarn ohne eigenes Begehren und Wollen einverleibt worden war, unmittelbar unterstanden. Vor Allem aber mußten die zerstreuten Kräfte gesammelt, dem einigen Willen auch ein einiger Ausdruck gegeben werden. Man beschloß, eine Volksversammlung abzuhalten.

Immer noch waren die in Oesterreich wohnenden Serben gewohnt, in dem Metropoliten von Carlovitz nicht nur den geistlichen Nachfolger des Patriarchen, sondern auch, obgleich er längst aller politischen Macht entkleidet war, den Mittelpunkt ihrer nationalen und politischen Interessen zu sehen. Der Aufruf zu einer Volksversammlung konnte nur von ihm ausgehen, der die Abgeordneten der Gemeinden so oft zur Ordnung kirchlicher Angelegenheiten zusammenberufen. Man wandte sich deßhalb an ihn. Rajatschitsch jedoch, der damalige Metropolit, in den Jahren hoch vorgerückt und friedlichen, gesetzlichen Gemüthes, erklärte sich, wenn auch der nationalen Sache zugethan, doch für unberechtigt zur Abhaltung irgend einer andern als bloß kirchlichen Versammlung. Vielleicht auch hegte er zur serbischen Erhebung zu wenig Vertrauen, und darüber, daß er durch die Berufung einer Volksversammlung sich thatsächlich gegen die Gesetze und die machthabende magyarische Regierung auflehnen würde, Bedenken.

Tschernoevitsch, ein Serbe von Geburt, aus der Familie des Patriarchen stammend, dessen Angedenken dem Volke heilig war, reich begütert und im ganzen Lande gekannt und angesehen, hatte zwar allenthalben das Standrecht verkündet, war jedoch nirgends zur ernsten Anwendung gewaltsamer Maßregeln geschritten. Natürliche Gutmüthigkeit und das nicht völlig erloschene Gefühl der Scheu vor Gewaltthätigkeit gegen ein Volk, mit dessen Geschichte der eigene Name so innig verschmolzen war, aus dessen Mitte ihm, wo immer er sich hinwandte, Jugendfreunde, Verwandte und Bekannte entgegentraten, hatten seinen Arm entwaffnet. Vergebens wurden ihm die Kanonen von Temesvar und sämmtliche dem Ofener Kriegskommando unterstehenden Truppen zur Verfügung gestellt. Sein kurzes Wirken auf dem Schauplatze der unter seinen Augen sich organisirenden Revolution war ein Schwanken zwischen den drängenden Zuschriften von Pest und dem Wunsche, Unheil von dem heimischen Boden fern zu halten. Er erklärte sich zur Vermittelung, ja zu Konzessionen bereit, hatte aber nicht ben Muth, in den letzteren so weit zu gehen, als er selbst für nöthig erachtete. Er wollte den Serben einen gewissen Grad von Selbstständigkeit garantiren, selbst gegen eine Wojwodschaft wandte er nichts ein; doch sollte die zu garantirende Selbstständigkeit nicht über die kirchlichen Angelegenheiten hinausgehen. Eine Anerkennung der Nationalität, der Sprachberechtigung lag von vorn herein außer seiner Vollmacht. Seine baldige Ersetzung durch einen weniger nachgiebigen Charakter war daher vorauszusehen.

Der kaiserliche General Hrabowski hingegen, der in der Festung Peterwardein kommandirte und sich der magyarischen Regierung, als der vom Könige für Ungarn eingesetzten gesetzlichen, zur Verfügung gestellt hatte, leistete dem Kommissär allen Vorschub und nahm selbst Stellung gegen die serbischen Bestrebungen. Zudem war dieser General selbst zum Regierungskommissär außer andern Landstrichen auch Syrmiens ernannt worden, das einer der vorzüglichsten Ausgangspunkte für die ganze Bewegung war. Es war somit keine Zeit zu verlieren.

Da machte sich eine Deputation von Neusatz auf, bestehend nicht nur aus Abgeordneten des Ausschusses, der sich mittlerweile zur Leitung der Bewegung hier gebildet hatte, und aus Bürgern der Stadt, sondern auch aus Einwohnern der gesammten Batschka, Syrmiens und des Banates, die in Neusatz fortwährend ab- und zuströmten und den Geist der Revolution über das ganze Land verbreiteten, so wie aus zahlreichen Abgeordneten aus dem

Tschaikistenbataillon, dem Peterwardeiner, dem Deutschbanater und andern Gränzregimentern. Die Erbitterung
dieser Gränzer namentlich war dadurch bis auf's Aeußerste
gestiegen, daß sie unbedingt der magyarischen Regierung
untergeordnet, also an Ungarn gleichsam abgetreten
worden waren und sich bei der ausgesprochenen Tendenz
des Ministeriums, das Heerwesen, das Kommando und
den ganzen Armeeverkehr magyarisch einzurichten, zunächst
der gefürchteten Magyarisirung preisgegeben sahen. Die
Erbitterung wandte sich sogar gegen Oesterreich, das sie
für die riesigen Blutopfer, die sie ihm gebracht, auf
solche Weise belohnte.

Auf dem Wege von Neusatz über Peterwardein nach
Karlovitz wuchs die Anfangs nicht sehr zahlreiche Deputation zu einer riesigen Prozession von Leuten aller Trachten, jeden Alters und Geschlechtes an. Fahnen wurden
geschwungen, Kampflieder wechselten mit Kirchengesän-
gen ab, und während die Sackpfeifer mit ihren raschen,
schnurrenden Weisen bald aufjauchzten und bald in wilde
Klagen zurückzuverfallen schienen, sangen die Blinden,
von Knaben an Stäben geführt, die Geschichten von Milosch Obilitsch und Marko Kraljevitsch und dann die Geschichte von Arsenije, dem sveti patriarch, und von Gjorgje Brankovitsch, dem ruhmreichen Wojwoden, den sie
nach Semlin luden und dort gefangen nahmen, ohne
daß man wußte warum, und den sie dann in der deutschen Tamnitza (Kerker) Eger einsperrten, ohne daß man
wußte warum, und der dann nach zweiundzwanzigjähri-

gem Leiden in dieser Festung starb, ohne daß er sein Volk, noch sein Volk ihn je wieder gesehen. Stamatovitsch, der Erzpriester von Neusatz, der es wie Keiner verstand, zu den Seinen zu reden, sprach wenig zierliche, aber fortreißende Worte.

So kam der Zug in Karlovitz an, stellte sich vor dem Hause des Patriarchen und im Hofe seiner Residenz auf und rief nach einer Skupschtina (Volksversammlung). Eine Anzahl der Abgeordneten begab sich zu dem Metropoliten und setzte ihm aus einander, wie eine Volksversammlung nunmehr nicht länger aufzuschieben sei, wie es jetzt nur Ein Mittel gebe, den brausenden Strom der Revolution in berechneten Dämmen zu halten und dies Eine Mittel sei, daß Er sich an die Spitze der Erhebung stelle. Der Erzbischof erhob seine Einwendungen und Bedenken wieder. Da drückte ihm Stamatovitsch einen Kalender in die Hand. Das Volk von unten rief zu wiederholten Malen nach einer Skupschtina.

„Und wann soll diese stattfinden?" fragte der Erzbischof. Eine Hand wies auf den 1. Mai und der Erzbischof erklärte sich bereit, die Skupschtina für den 1. (13.) Mai nach Neusatz auszuschreiben.

Siebentes Kapitel.

Die Skupschtina war ausgeschrieben. Jede rechtgläu-
bige Serbengemeinde des Banates, der Baranya, Syrmiens, der Militärgränze, Slavoniens, ja selbst Kroatiens
wurde aufgefordert, ihre Abgeordneten zu senden. Weder
der königliche Kommissär, noch der kommandirende General vermochten es zu verhindern, daß allenthalben Versammlungen abgehalten wurden, um die Abgeordneten zu
wählen, und daß sich Provinzialisten sowohl als Gränzer
darüber besprachen, wie dem bisherigen unhaltbaren Zustande abzuhelfen, wie das Neue zu erstreben sei. Die
Leiter der Bewegung traten mit den Häuptern zu Agram
in Verbindung. Nichtsdestoweniger glaubte Tschernoevitsch, gegen dessen Unentschiedenheit zu Pest die un-
zweideutigste Mißbilligung laut geworden und dem die
nachdrücklichste Weisung zu energischerem Einschreiten zugekommen war, die Abhaltung der Skupschtina selbst noch
hintanhalten zu können, indem er für Neusatz das Kriegsgesetz und das Standrecht proklamirte. Das Mittel er-

wies sich jedoch fruchtlos. Der Metropolit verlegte die Versammlung nach Karlovitz.

Schon am letzten Tage des April (alten Kalenders) wimmelten die engen Straßen der ziemlich alt und schmucklos gebauten Militärkommunität und erzbischöflichen Residenz von bunten Volkshaufen, die mit ihren Abgeordneten herbeigekommen waren, um Zeugen der Ereignisse des folgenden Tages zu sein. Die Tschaikisten in ihren hellblauen Uniformen waren troß des strengen Verbotes ihrer Offiziere über die Donau herübergeschifft; die Peterwarbeiner, die Deutschbanater und Illyrischbanater erschienen in ihren blauen Ungarhosen und braunen Gränzerjacken, die syrmischen Landleute in ihrem blendendweißen Sonntagslinnen und die Städter mit nationalen Abzeichen und Bändern. Aerzte, Advokaten, Kaufleute und junge Leute von fern und nah, auch hie und da ein nationalgesinnter Gutsbesißer bewegten sich unter der Menge, und nicht selten ließ ein goldbordirter Tschako einen Offizier aus der Gränze erkennen, der es troß dem Verbote des kommandirenden Generals gewagt, die Skupschtina zu besuchen. Die kleine, sonst wenig belebte und fast todtenstille Stadt vermochte die Zahl der Gäste nicht zu fassen. Hunderte und Hunderte lagerten auf den Straßen, auf dem großen Plaße vor der Kathedrale und der Residenz des Metropoliten, wohl auch vor der Stadt, und brachten die südlich warme Frühlingsnacht unter freiem Himmel zu. Aebte, Popen und andere eifrige Männer gingen von Gruppe zu Gruppe und nannten den Namen des Mannes, der morgen an die Spitze des serbischen Volkes gestellt werden sollte.

Der Morgen des 1. (13.) Mai erschien und in dem Hofe der erzbischöflichen Residenz und auf dem Platze vor derselben waren mehre Tausende von Menschen versammelt. Von nah und fern waren die Massen herbeigeströmt und selbst aus dem jenseitigen Serbien waren die Leute in ihren malerischen Anzügen herübergekommen, um zu sehen, was ihre diesseitigen serbischen Brüder beginnen würden.

Ein feierlicher Gottesdienst in der Kathedrale eröffnete den Akt und eine Ansprache des Erzbischofs an die versammelte Nation ward vertheilt, „in dem Augenblicke, da der Freiheitskampf vom Westen Europa's sich über alle Völker dieses Erdtheils ausdehne, sei auch der Tag der Erlösung für die serbische Nation gekommen, der das Blut, das sie im Kampfe für das Kreuz nicht nur im Dienste Oesterreichs, sondern im Dienste ganz Europa's vergossen, bisher nur mit Unterdrückung und Hintansetzung gelohnt worden." Das Volk wurde ermahnt, bei den Beschlüssen, die es zu fassen gekommen, des Glanzes und des Ruhmes alter Zeiten zu gedenken, und damit gesegnet, daß die Geister der Nemanitsche, Simeon's, Sava's, Duschan's, Lazar's, des edlen, heldenmüthigen Obilitsch, der neun Jugowitsche und endlich der Geist Arsenije's, des heiligen Patriarchen, über ihm walten möge.

Todtenstille herrschte, als der Erzbischof, begleitet

von den Aebten und von einer großen Anzahl Popen,
im Hofe erschien und die Pergamente von 1690 und
1691 der versammelten Menge gleich heiligen Reliquien
vorzeigte. Ein Abt, der dem Erzbischof zur Seite stand,
verlas sie mit vernehmlicher Stimme und beredte Volks-
männer versuchten sie zu erklären.

„Das serbische Volk, welches sich am 1. Mai von
allen Seiten in Karlovitz versammelt hatte," spricht ein
Augenzeuge, „wußte in diesem Augenblicke sehr wohl,
daß es nun durch Nichts mehr an den österreichischen
Hof gefesselt sei, erkannte aber auch, daß es eben so
wenig mit der neuen Regierung in Ungarn in irgend
einer Verbindung stehe oder stehen könne, da auch diese
den unveräußerlichen Rechten der Nation nicht Rechnung tragen wollte. Es befand sich also in der Lage,
seine Rechte vorerst faktisch zum Bestande bringen und
sodann deren Bestand durch den Nachdruck der Anerkennung von Seite irgend einer Macht sichern zu müssen.
Die Macht, an die es, von Ungarn abgewiesen, zunächst
gewiesen war, war Oesterreich. Weigerte sich dieses,
seine eigenen Verträge anzuerkennen, so war das Volk
darauf gewiesen, sich sie durch eigene Kraft zu erwirken."

Der erste Punkt, der nun der Versammlung vorgelegt
wurde, war der von der Würde des Patriarchen.

„Auf wessen Aufruf und Zurede," fragten die Redner, „seid Ihr herübergekommen in die Ebenen, auf
denen vor uns eine tapfere serbische Bevölkerung von

ben Gräueln des Krieges aufgerieben worden? War es nicht das Wort des Patriarchen, dem Ihr folgtet? Und wo ist der Patriarch? Man hat uns zwar die Unantastbarkeit unserer Kirchen- und sonstigen Gebräuche verheißen. Wo aber ist der zweite Patriarch, der nach dem Tode des Ersten folgen sollte? Wo sind die folgenden? Man verbot uns, was unser gutes Recht war! Nun aber ist zwar der Titel seither ungebraucht geblieben, aber die Würde des Patriarchen lebte in unsern Metropoliten fort, in unsern obersten, keinem höhern unterstehenden Kirchenoberhäuptern, lebt auch in unserm jetzigen Kirchenoberhaupte fort, und so wollen wir denn, daß er auch wieder heiße, was er von Rechtswegen ist: unser Patriarch!"

Das Volk erwiederte: „Es lebe Josif, der Patriarch!" und huldigte dem neuen Patriarchen, indem es ihn auf die Schultern erhob.

„Unter wessen Anführung kamen Tausende und Tausende unserer bewaffneten Brüder und wozu kamen nach ihnen 40000 unserer Familien mit ihrem Hab' und Gut herüber? Kamen sie nicht unter den Befehlen eines Wojwoden, um gegen den Feind des Kreuzes zu kämpfen und nach beendetem Kriege die eroberten Gebiete zu bewohnen als freien Besitz, unter der Oberhoheit des Kaisers, mit Beibehaltung ihres Wojwoden und im Genusse einer ihren Wünschen und Bedürfnissen entsprechenden Verfassung? Wo ist der Wojwode? Wo ist die Verfassung? Jenen hat man uns genommen, diese nie ge-

geben! Darum wollen wir uns nun beide selbst wieder=
geben!"

Das Volk erwiederte: „Es lebe der Wojwode! Es
lebe die Nation! Es lebe die nationale Verwaltung!"

Wer aber sollte der neue Wojwode sein? Sollte er
aus dem Stande der Bürger oder aus dem Stande der
Krieger gewählt werden? Das Volk war gewohnt, den
Wojwoden an der Spitze der bewaffneten Männer zu sehen.
Er mußte also aus der kleinen Anzahl von Offizieren
gewählt werden, die, dem orthodoxen Glauben angehörig
und der nationalen Sache zugethan, eine höhere Stel=
lung im Heere bekleideten. Der Patriarch nannte die
Namen des Feldmarschalllieutenants Schiwkowitsch, des
Generalmajors Jowitsch, des Generalmajors Thoboro=
witsch, des Obersten Jowitsch, des Obersten Bubisavlje=
witsch. Das Volk hörte sie stillschweigend an. Er nannte
den Obersten Stefan Schuplikatz [1]), und das Volk rief:

---

[1]) Stefan Schuplikatz de Witez wurde im Jahre 1789 zu Pe=
trinia in der Banal=Militärgränze geboren, allwo sein Vater als
Stabsoffizier stationirte. Anfangs für eine bürgerliche Laufbahn
bestimmt, besuchte er das griechisch nichtunirte Gymnasium zu Kar=
lowitz, dann die philosophischen Schulen zu Oedenburg. Sechzehn
Jahre alt trat er im Regimente seines Vaters als Kadett ein und
wurde noch in demselben Jahre auf dem Feldzuge in Italien Fähn=
rich. Im Jahre 1809 wurde er Lieutenant, 1810 Oberlieutenant.
Mit dem Friedensschluß dieses Jahres kam ein Theil der Militär=
gränze an Frankreich, und Schuplikatz focht von nun an in den Rei=
hen Napoleons. Marschall Marmont machte ihn zu seinem Ad=
jutanten und 1812 zum Kapitän. Als solcher machte er den un=
glücklichen Feldzug nach Rußland mit und erhielt auf dem Schlacht=

„Es lebe Schuplikaß! Es lebe der Wojwode Stefan!"
Es hatte sich Tages zuvor über den Namen des Mannes
geeinigt, der unter den Fahnen Napoleons das Kreuz der
Ehrenlegion erworben hatte, der, von der Sonne des Wohlwollens wenig beschienen, siebenzehn Jahre lang Hauptmann gewesen war, ehe es ihm gelingen konnte, auf der
Stufenleiter des Avancements einen Sprossen weiter zu
steigen, der mit seinem Regimente nun in den Reihen der
italienischen Armee stand und dessen Sympathien für die
Sache der Nation bekannt waren; und das Protokoll des
Tages wurde mit dem Saße begonnen und beschlossen:

„Die serbische Nation hat bei Anlaß der Eröffnung ihrer Nationalversammlung unter dem Vorsiße des
eigends für diesen Fall erwählten Obmannes, Sr. Excellenz des Herrn Josef Rajatschitsch, Erzbischofs von
Karlowiß und Metropoliten, in schmerzvoller Erinnerung
des Unrechts, das ihr durch die, allen, mit dem Hause
Oesterreich als dem machthabenden in Ungarn und in
den mit diesem vereinten Königreichen, abgeschlossenen
Verträgen zuwiderlaufende Abschaffung der Würden und
des Amtes des Wojwoden als Oberhauptes der serbischen

---

selbe das Kreuz der Ehrenlegion. Im Jahre 1814, da er in Mag-
deburg in Garnison lag, ging er mit der unter ihm stehenden
Kompagnie Kroaten zu seinen Landsleuten über und kam nach
dem Frieden von 1815 als Hauptmann in das Deutschbanater Re-
giment. Im Jahre 1832 erst wurde er Major, im Jahre 1837
Oberstlieutenant im Ogulliner Gränzregimente und im Jahre 1842
Oberst bei demselben. Als solcher führte er sein Regiment im
Winter 1847 nach Italien.

Nation dann der Würde des Patriarchen als kirchlichen Oberhauptes der in Oesterreich wohnenden Serben, zugefügt worden, die Wiedereinsetzung eines Oberhauptes für die politische Verwaltung für nothwendig, so wie auch die Wiederbekleidung ihres Metropoliten mit der althergebrachten Patriarchenwürde für zweckmäßig erkannt und deßhalb

Erstens dieses ihr Recht verkündet, und hierauf Se. Excellenz den Metropoliten und Erzbischof Herrn Josef Rajatschitsch zum serbischen Patriarchen, und den Obersten des Oguliner Regimentes, Herrn Stefan Schuplikaz, zum Wojwoden einmüthig erwählt und ausgerufen." —

Am folgenden Tage, einem Sonntage, am Tage Athasius des heiligen Patriarchen, feierte zum ersten Male seit Arsenius Tschernoevitsch ein Patriarch die Liturgie in der Kathedrale von Karlovitz.

Noch einmal kam hierauf die Versammlung am 3. (15.) Mai zusammen und faßte folgende Beschlüsse:

„In Anbetracht, daß keine Nation ihrem Berufe nachzukommen und die ihr eigenthümlichen Fähigkeiten und Kräfte zu entwickeln und zur Anerkennung zu bringen im Stande sei, so lange nicht alle Schranken, welche dieser Entwickelung und der naturgemäßen Erfüllung der Pflicht des Fortschrittes und der Vervollkommnung im Wege stehen, und alle Fesseln, welche sie als eine Nation, die ihre eigene Sprache, ihre Geschichte, Vergangenheit und Zukunft hat, daran behindern, beseitigt sind, erklärt sich

Zweitens: die serbische Nation für eine politisch frei und selbstständige unter dem Hause Oesterreich und gemeinschaftlichen Krone Ungarns.

In Hinweisung auf die von der serbischen Nation mit dem Hause Oesterreich und der Krone Ungarns abgeschlossenen Verträge; in Dafürhaltung, daß die durch dieselben der Nation zugesicherten Rechte ohne Verletzung der Verträge nicht aufgehoben werden können; in der Ueberzeugung, daß es für den Bestand und die Befestigung des Thrones keine größere Garantie gebe, als die Liebe und Anhänglichkeit des Volkes; und in Anbetracht, daß diese nur durch die Erfüllung der der Nation geleisteten Verheißungen, so wie durch die dem Zeitgeiste gemäße Erweiterung der Freiheiten erhalten werden könne, ist es der Wunsch der serbischen Nation, daß

Drittens: Syrmien mit der Gränze, die Baranya, die Batschka mit dem Betsche'er und dem Tschaikistenbistrikte, endlich das Banat mit seinem Gränzgebiete und dem Distrikte von Kikinda als eine serbische Wojwodschaft erklärt werden.

In Anbetracht, daß, so wie kein Körper im Stande ist sich seiner natürlichen Bestimmung gemäß zu entwickeln, wenn seine Theile von einander geschieden sind, und so wie kein Theil das Wohl, sondern vielmehr eher den Ruin des Ganzen herbeizuführen geeignet ist, wenn er nicht seine natürliche Stellung einnimmt, sich auch keine zersplitterte Nation, sei es materiell, geistig oder politisch zu entwickeln und genugsam auszubilden vermag, so lange sich nicht ihre Theile zu einem Ganzen vereinigt haben und so lange sie nicht auf Grundlage der Freiheit und vollständigen Gleichberechtigung eine staatliche Gesammtheit bilden, erwartet man

Viertens: den politischen Verband mit dem dreieinigen Königreiche Kroatien, Slavonien und Dalmatien, mit dem Beisatze, daß die Bedingungen dieses Verbandes auf der oben ausgesprochenen Grundlage ausgearbeitet und verwirklicht werden sollen.

In Anerkennung der Nothwendigkeit, daß nach dem ausgesprochenen Grundsatze der Freiheit, Unabhängigkeit und des Verbandes der serbischen Wojwodschaft mit dem dreieinigen Königreiche Kroatien, Slavonien und Dalmatien unter der Krone Ungarns die wechselseitigen Beziehungen geregelt werden müssen, ernennt die Nationalversammlung

Fünftens: einen Odbor (Komité), und bevollmächtigt ihn, die Regelung jener Beziehungen vorzunehmen und die diesfälligen Vorschläge der Nationalversammlung zur Bestätigung vorzulegen, ferneres über alles zur Förderung des obengenannten Zweckes Nützliche und Nothwendige zu verfügen, je nach Bedürfniß und Umständen die Nationalversammlung jederzeit einzuberufen, endlich einige Individuen aus seiner Mitte als permanenten Ausschuß niederzusetzen, der sich fortwährend hier (in Karlovitz) zu befinden, die Wünsche und Beschwerden der Nation entgegenzunehmen und zur Vorlage für die Nationalversammlung zu ordnen haben wird.

Geleitet von aufrichtiger Liebe zu dem Volke der Rumänen und Theil nehmend an jedem Fortschritte derselben in Entwickelung ihrer Nationalität, so wie von dem Wunsche durchdrungen, daß es auch ihnen gelinge, sich als Nation zu einigen und den übrigen Nationen anzureihen, hält es die Nationalversammlung der Serben für ihre Pflicht, dieselben in treuer und aufrichtiger Brüderlichkeit in ihrer nationalen Wiedergeburt zu unterstützen, und bittet, in der Hoffnung, daß die Rumänen den Serben ein Gleiches angedeihen lassen, den König, daß

Sechstens: die nationale Selbstständigkeit der Rumänen im Geiste der nationalen Freiheit und Gleichheit ausgesprochen werde.

In Betracht, daß dem Obbor die Macht eingeräumt ist, nach Zeitumständen die Nationalversammlung einzuberufen, wird beschlossen, daß

Siebentens: der für den 15. Mai d. J. ausgeschriebene Nationalkongreß nicht beschickt werde.

In Anbetracht, daß die serbische Nation mit ihrem Nationalvermögen nach ihrem eigenen Gutdünken verfügen könne, und in Anbetracht, daß die Angelegenheiten der Nation ohne Kostenaufwand nicht verwaltet werden können, bestimmt die Nation, daß

Achtens: der obgenannte Obbor die Vollmacht haben soll, im Einvernehmen mit Sr. Heiligkeit dem serbischen Patriarchen und den Mitbeschließern des Nationalfonds die erforderlichen Gelder unter dem aus der Nationalkasse zu erheben, daß seiner Zeit der Nationalversammlung

Rechenschaft abgelegt, und die Ausgaben nur auf die nothwendigsten und das Wohl des gesammten Volkes fördernden Zwecke verwendet werden.

In Anbetracht, daß es der Wunsch der Nation ist, diese unsere Beschlüsse baldmöglichst ausgeführt und verwirklicht zu sehen, wird

Neuntens der Obbor ermächtigt: im Einvernehmen mit Sr. Heiligkeit dem Patriarchen eine Deputation aus der Mitte der gesammten Nation zu ernennen, welche diese Wünsche Sr. Majestät dem Könige unterbreiten und zur Kenntniß der kroatischen Landeskongregation bringen wird.

In Betracht der uns von unsern slavischen Brüdern aus Böhmen zugekommenen Einladung zur Theilnahme an dem in Prag abzuhaltenden allgemeinen Kongreß der in Oesterreich lebenden Slaven behufs der Verständigung über die uns gemeinsamen Interessen, wird endlich

Zehntens derselbe Obbor ermächtigt: Abgeordnete aus der Mitte unserer Nation zu diesem Kongresse zu ernennen, welche die Interessen unseres Volkes bei demselben zu vertreten haben werden."

Die Mitglieder des glavni Odbor (Hauptkomité's) wurden noch an demselben Tage bezeichnet und die Volksversammlung ging aus einander, um den Anordnungen entgegenzusehen, welche dieser zur Durchführung der gefaßten Beschlüsse treffen würde. Die Schilderhebung trat in das Stadium der Organisation.

———

Achtes Kapitel.

Der glavni Odbor säumte keinen Augenblick, die ihm
anvertrauten Geschäfte in Angriff zu nehmen. Gleich am
folgenden Tage begann er seine Sitzungen unter dem
Vorsitze des neuen Patriarchen.

Die ersten Gegenstände, die er zur Erledigung brachte,
waren: die Wahl des permanenten engern Ausschusses
von fünfzehn Personen; die Ernennung der an den König
ungesäumt abzusendenden Deputation, und die Wahl der
Abgeordneten für den Slavenkongreß nach Prag.

An der Spitze der Deputation an den König — denn
noch immer glaubte man von Ungarns König das erlangen zu können, was Ungarns Landtag und Ungarns
Regierung verweigerten, obwohl man thatsächlich von
jenem bereits mehr verlangte, als man von diesen gefordert — sollte der Patriarch mit sämmtlichen Bischöfen
stehen; alle Klöster, alle Gemeinden, alle Gränzregimenter
sollten sich an ihr betheiligen. Die Deputation sollte ihren
Weg über Agram nehmen, sich daselbst mit der Landes-

kongregation in Verkehr setzen und am 24. Mai (5. Juni) am Hoflager des Königs zu Wien eintreffen.

An die Spitze der Abgeordneten zum Slavenkongreß traten der Archimandrit Nikanor Grultsch und der Protopresbyter von Neusatz, Paul Stamatovitsch. Diese Abgeordneten hatten unter Einem dahin zu wirken, daß sich am 5. Juni zu Wien auch eine Deputation seitens der Tschechen einfinde, um die Petition der Serben zu unterstützen.

Die magyarische Regierung, deren fast ganze Aufmerksamkeit durch die Dinge in Kroatien in Anspruch genommen war, hatte auf das, was in den serbischen Gegenden vorging, immer noch kein besonderes Gewicht gelegt. Alles, was sie that, beschränkte sich auf strenge und immer strengere Instruktionen, die sie ihrem Kommissär, trotz dessen entschiedener Unfähigkeit für den Posten, auf den sie ihn gestellt, zusandte. Die Ausschreibung der Skupschtina zog endlich ihre Aufmerksamkeit auf sich, und der Palatin als Stellvertreter des Königs richtete am 3. (15.) Mai an den Metropoliten die Aufforderung, die Skupschtina abzustellen, dagegen dahin zu wirken, daß ein auf den 15. (27.) Mai nach Temesvar auszuschreibender Kongreß beschickt werde, wo im Jahre 1790 ebenfalls ein Kongreß zur Schlichtung der serbischen Kirchenangelegenheiten abgehalten worden. Das Schreiben langte in Karlovitz an, da die untersagte Versammlung bereits getagt hatte. Der Odbor erwiederte, daß demselben nicht mehr nachgekommen werden könne und auch

6*

selbst früher nicht nachgekommen worden wäre, da es sich diesmal nicht um Angelegenheiten einer Kirche, sondern einer Nation handle, die ihren Rechten Anerkennung zu verschaffen entschlossen sei.

Auch der Kommissär der Regierung, der sich bisher zu keinem entscheidenden Schritte zu entschließen vermocht hatte, sah sich durch die Vorgänge vom 1. und 3. Mai zu einem energischeren Gebrauche seiner Vollmacht veranlaßt. In einer Note vom 4. (16.) Mai forderte er den Metropoliten auf, von der widergesetzlich eingenommenen Stellung zurückzutreten, die Permanenz so wie den Obbor aufzulösen, die gefaßten Beschlüsse zu annulliren und sich aller Proklamationen und Erlasse zu enthalten. Er forderte ihn auf, unverzüglich zum Gehorsam gegen die gesetzmäßige Regierung des ungarischen Gesammtvaterlandes zurückzukehren und machte ihn für alle Folgen des fortgesetzten Widerstandes verantwortlich. Der Patriarch legte die Zuschrift dem Obbor vor, dieser aber beschloß, sie unbeantwortet den Flammen zu überliefern. Es sollte dies ein Akt der öffentlichen Verurtheilung des abtrünnigen Nachkommens und Trägers des Namens „Tschernoevitsch" sein [1].

Dem Patriarchen, da er sich einmal an die Spitze der Bewegung gestellt, fehlte es weder an dem guten Willen,

---

[1] Nach sehr zuverlässigen, uns zugekommenen mündlichen Mittheilungen, wurde bloß eine Kopie verbrannt, das Original jedoch im Archive, das nachmals nach Temesvar an das österreichische Gouvernement ausgeliefert worden, hinterlegt.

noch am Muthe, der Sache der Nation, der er sich hin-
gegeben, zu dienen. Wohl aber fehlte es ihm an jener
Schnellkraft und Beweglichkeit, die nur Attribute junger
Jahre und männlich rüstiger Begeisterung zu sein pflegen, und deren die Erhebung einer Nation, die so Vieles
zu erringen hatte, als die serbische, nicht leicht entbeh-
ren konnte. Besonnenheit und Bedachtsamkeit sind die
Weisheit des Alters, Entschiedenheit und Begeisterung
die Weisheit der Jugend. Beide haben ihre Momente und
können einander nicht ersetzen, aber auch nicht entbeh-
ren. Die Gewalten waren herausgefordert und es bedurfte nun der Weisheit der Jugend, um ihnen entgegenzutreten.

Dem Patriarchen war das Streben nach regsamem
Vorwärtsschreiten, das sich im Obbor fast bei jeder Be-
schlußfassung kund gab, nicht entgangen. Immer noch
an eine friedliche Lösung glaubend, empfahl er daher dem
Obbor vor seiner Abreise, sich jedes weiteren Schrittes,
jedes wesentlichen Beschlusses bis zu seiner Rückkehr vom
Hoflager des Königs zu enthalten.

Der junge sechsundzwanzigjährige Mann aber, den
die Wahl anstatt des greisen Patriarchen an die Spitze
des Obbors und somit der ganzen Bewegung berief, war
nicht derjenige, der der Entwickelung der Dinge ruhig
hätte zusehen können, ohne selbst einzugreifen.

Einer begüterten Familie der Batschka entsprossen, die
ihre Herkunft von einem Wojwoden ableitete, der zur Zeit
Lazars von Serbien (um 1380) in Albanien selbstständig

herrschte und dessen Nachkommen daselbst noch lange Zeit
ihre Selbstständigkeit behaupteten, hatte er frühzeitig in
der Ingenieurakademie zu Wien eine militärische Erzie-
hung genossen und während derselben vielseitig Gelegenheit gefunden, nicht nur seine Wißbegierde im Heerwesen, sondern auch sein Streben nach allgemeinerer
Ausbildung zu befriedigen. Neben den strengsten Kriegs-
wissenschaften waren es hier besonders Geschichte, Phi-
losophie und schöne Literatur, die ihn anzogen. Unter
den Philosophen war es vorzüglich Kant, unter den Dich-
tern Uhland, die der junge Serbe gern las, der wohl
auch selbst deutsche Gedichte schrieb, von denen einige
gedruckt wurden. Die Ernennung zum Husarenoffizier
machte den Stubien eher ein Ende, als diese dem einmal geweckten Geiste eine entschiedene Richtung zu geben
vermocht hatten. Italien, wohin Stratimirovitsch bestimmt war, entfesselte die Leidenschaften, und der feste
Glaube, daß ihm kein Unglück widerfahren könne, riß
den jungen Serben zu mancher Tollkühnheit fort. Eine
Urlaubsreise in die Heimath sollte auch dieser Laufbahn
bald ein Ende machen. Der einundzwanzigjährige Offizier
verliebte sich in die junge Tochter eines der angesehensten Güterbesitzer und entführte die Geliebte, da der
Vater in die angesuchte Verbindung durchaus nicht willigen wollte. Stratimirovitsch entsagte dem Kriegsdienst
und lebte auf seinem Besitzthume der Liebe, der Oekonomie und politischen Studien. Die nationale Fort-
schrittspartei fand bald in ihm einen ihrer eifrigsten An-

hänger, und als solchen traf ihn am 6. (18.) Mai die Wahl zum Präsidenten des Odbors.

Die rascher vorwärtsstrebenden Elemente dieses Körpers konnten sich nun ungehindert kund geben. Die Permanenz hatte bereits den zu Neusatz erscheinenden Vjestnik (Anzeiger) zu ihrem Organ gemacht und dessen Uebersiedelung nach Karlovitz angeordnet. Es wurde nun festgesetzt, das Volk von dem jedesmaligen Stande der Dinge durch die Veröffentlichung der Sitzungsberichte und Beschlüsse in Kenntniß zu erhalten. Um einen geregelten Zusammenhang der Bewegung im ganzen Lande zu erzielen, wurden die Städte und Dörfer zur Einsetzung von Pododbors (Unterkomité's) aufgefordert, welche dem Odbor von Karlovitz unterstehen, von diesem ihre Weisungen erhalten und an ihn ihre Berichte einsenden sollten. Jede Zersplitterung der Kräfte, so wie jeder Ausbruch unnützer Exzesse und Demonstrationen sollte hieburch hintangehalten werden. Um seinen Anordnungen den Nachdruck der Autorität zu geben, nahm der Odbor die Bezeichnung »Glavni odbor za privremeno upravljenje Vojvodstva srbskoga«, Hauptkomité zur provisorischen Verwaltung der serbischen Wojwodschaft, und das Wappen der serbischen Nation als Insiegel an. An die deutsche Bevölkerung wurde allsogleich [10. (22.) Mai] eine Proklamation erlassen, in der die wachgewordenen Besorgnisse derselben und die durch die Magyaren erweckte Furcht, als sei der Zweck der serbischen Empörung nichts als Raub und Mord, ihre Beruhigung finden sollten.

„Deutsche Mitbürger! Die serbische Nation sucht nur ihre Rechte zu erhalten und geht nicht darauf aus, die Rechte Anderer zu unterdrücken. Darum seid unbesorgt und ruhig, Euch wird von den Serben kein Unrecht geschehen. — Die serbische Nation wird ihr Gut und Blut einsetzen, um ihre Nationalität zu bewahren und zu befestigen; aber sie erklärt zugleich eine jede Nationalität für unverletzlich. Darum habt Ihr, deutsche Brüder, die Ihr mit uns wohnt, für Eure Nationalität nichts zu befürchten. — Die serbische Nationalität fühlt sich auch berufen, eine höhere Idee des Völkerlebens hervorzurufen, welche die bisherige engherzige Fürstenpolitik erdrückt hat. Gleichheit der Menschen hat die letztere proklamirt, zur Gleichheit der Nationen konnte sie sich nicht erheben. Gleichheit der Religionen hat sie mit harter Mühe begriffen, Gleichheit der Nationalitäten konnte sie nicht begreifen. Die serbische Nation bekennt sich hiermit zu der neuen Völkerpolitik, welche neben der Gleichheit der Bürger und der Religion auch die Gleichheit der Nationen und der Nationalitäten versicht. Darum, ihr deutschen Mitbürger, seid unbesorgt um Eure bürgerlichen Rechte, seid beruhigt um Eure Religion, Sprache und Nationalität. — Deutsche Mitbürger! die Serben wollen nicht durch Unterdrückung der Mitbürger anderer Stämme groß scheinen. Sie wollen nicht andere Nationalitäten zum Futter der ihrigen machen. Sie wollen nicht ihre Sprache zur alleinseligmachenden im Staatsvereine erheben. Freiheit, Gleichheit und Brüderlichkeit, aber für alle Nationen, für alle Nationalitäten, für alle Sprachen, das ist ihr Wahlspruch!"

War die Skupschtina mit ihren Forderungen weiter gegangen, als die Deputation zu Preßburg, so hatte der Obbor in seinen Maßnahmen bald die Skupschtina über= flügelt. Er hatte sich, wenn auch vorläufig bloß dem Namen nach, zur provisorischen Regierung erhoben, und es war zu erwarten, daß er sich auch bald thatsächlich aller öffentlichen Gewalt bemächtigt haben werde.

Weder Tschernoevitsch, noch General Hrabowski, der Befehlshaber der nahen Festung Peterwardein und eben= falls Kommissär der Regierung, konnten diesem Vor= gange gleichgiltig zusehen. Zudem war das Auto da fé, das an der Zuschrift des Ersteren verübt worden, ein Akt der Verhöhnung aller ihnen übertragenen Autorität, über den sie nicht stillschweigend hinweggehen konnten. Ihre Berichte verfehlten nicht, in Pest die Anordnung neuer Maßregeln hervorzurufen, durch die man immer noch hoffte, des Widerstandes Meister zu werden. Die Versammlung vom 1. und 3. Mai wurde für einen Akt der Rebellion, die Wahl des Patriarchen für unge= setzlich und ungültig erklärt. Dem Metropoliten wurde die Einberufung des nach Temesvar auf den 15. (27.) Juni auszuschreibenden Kongresses unter schwerer Verantwort= lichkeit befohlen. Hrabowski, bereits mit der Kantoni= rung des Banus beauftragt, erhielt die Weisung, sich zur Unterdrückung des Aufstandes der Gewalt der Waffen zu bedienen, und dem Temescher Grafen Peter Tschernoe=

vitsch wurde durch einen Regierungsbeschluß vom 12. (24). Mai der Temescher Vizegespann Saba Bukovitsch mit gleichausgedehnten Vollmachten an die Seite gesetzt.

Bukovitsch, wenn auch selbst Serbe von Abkunft, war nicht der Mann, sich durch Sympathien leiten zu lassen. Mit seinem Auftreten hören die friedlichen Vermittelungsversuche auf, und beginnt die Gewalt die Schaubühne der Ereignisse zu betreten.

Sein erstes Verbot traf die Belgrader und überhaupt alle slavischen Zeitungen bei Todesstrafe. Blutgerichte wurden eingesetzt und jeder Förderer oder Anhänger der serbischen Sache als denselben verfallen erklärt. Die Nationalgarden der magyarisch gesinnten Ortschaften wurden zu Streifzügen aufgeboten, um allenthalben die serbische Bevölkerung zu entwaffnen, die Straßen zu bewachen und alle, serbischer Sympathien verdächtigen Personen den Gerichten zu überliefern. Bald zog die magyarische Bevölkerung von Jarkovaz, Zenta, Halasch, Melykut, Theressopel, Tschervenka, Verbas und Torsa mit Flinten, Gabeln und Sensen bewaffnet in den serbischen Ortschaften umher und gaben das Signal zu Verjagungen und Gewaltthätigkeiten, die nicht lange unvergolten bleiben sollten. Zudem wurde die Zusammenziehung eines stehenden Lagers um Segedin angeordnet. Die Komitate Arad, Tschanad, Temesvar, Batsch, Krasso, Tenies und Torontal, so wie die königlichen Freistädte Arad, Temesvar, Ssegedin, Theressopel und Zombor wurden aufgefordert, ihre Nationalgarden und Freikorps in dasselbe abzusenden, und auch noch andern Komitaten ging die Weisung zu, sich durch Korps von 2 — 4000 Freiwilligen an der Niederhaltung der serbischen Empörung zu betheiligen. Durch einen Kordon, der von der Gränze des Tschaikistenbataillons bis Futak gezogen wurde, sollte den Serben jede Kommunikation unter einander und jede Zufuhr von Lebensmitteln erschwert werden.

Der Karlovitzer Odbor, mittlerweile durch die Abreise des größten Theiles seiner Mitglieder bis auf nicht viel mehr als die Permanenz reduzirt, mußte nun vor Allem darauf bedacht sein, der Macht eine Macht entgegenzusetzen. Er bedurfte der bewaffneten Unterstützung, theils um den eigenen Befehlen Nachdruck, theils um den magyarischen den Gehorsam verweigern zu können.

Ein Kernstamm bewaffneten und wohlgeübten Volkes stand ihm wohl in den Gränzregimentern zu Gebote, die sich an den Beschlüssen des 1. und 3. Mai betheiligt hatten. Es bedurfte nur eines Aufrufes an sie, um sie in Schaaren zum Schutze des Odbors und der Beschlüsse der Skupschtina herbeieilen zu machen. Eines aber stand noch im Wege: der militärische Gehorsam, das Band der Subordination, durch welches sich der Gränzer an seine Obern gebunden fühlt, und Hrabowski war Befehlshaber der Gränze. Man mußte ihn eine bestimmte Stellung einzunehmen zwingen. Er mußte offen hervortreten und sich entweder für die Sache der Serben oder gegen sie erklären. Er mußte den Verfügungen des Odbor über die bewaffnete Gränzmacht nichts in ben Weg stellen, ober sich jebes weiteren Einflusses über sie begeben.

Zu biesem Behufe begab sich am Morgen bes 29. Mai (10. Juni) eine Deputation nach Peterwarbein unb verlangte vom General Schutz gegen bie Gewaltthätigkeiten, welche auf Veranlassung ber magyarischen Regierung gegen serbische Ortschaften verübt wurben.

Der General erklärte, biesen nicht gewähren zu können.

„Sinb Sie, Herr Felbmarschalllieutenant, ausschließlich ein General ber gegenwärtigen magyarischen Regierung, ober auch General bes Königs unb Kaisers?" fragte Einer aus ber Deputation.

Der General erklärte, ein kaiserlicher General zu sein. „Ich bin im Gehorsam grau geworben," erwieberte er, „unb gehorche nur meinem Herrn, bem Kaiser, ober bem, an ben mich bieser weist. Ich bin aber an's ungarische Ministerium gewiesen."

„Dann werben Sie aber auch anerkennen," fuhr ber Wortführer ber Deputation fort, „baß es eine Forberung ber Billigkeit ist, wenn bie serbische Nation erwartet, baß Sie ihr Schutz gegen bie Gewaltigkeiten gewähren, bie sich bie Kommissäre bes Königs erlauben, während sie selbst ihre Abgeordneten an ben König gesanbt hat, um bie Anerkennung ihrer Rechte unb Privilegien zu erwirken, bie ihr vor_anberthalb Jahrhunderten ertheilt unb seither schmählich entrissen worben."

Der General erklärte, von biesen Privilegien unb

Rechten nichts zu wissen, da sie verjährt und veraltet seien und keinesfalls auf die gegenwärtigen Zeitverhältnisse Anwendung finden könnten. „Von einer serbischen Nation weiß ich vollends gar nichts," fügte er hinzu. „Oder sind Sie im Stande, mir zu zeigen, wo hier ein Serbien oder eine serbische Nation verzeichnet ist?" fragte er weiter, indem er die Deputation an eine Karte des Kaiserstaates führte. „Ich finde keine serbische Nation, so weit Ungarn und Oesterreich reicht, und kann sie daher auch nicht beschützen. Drüben über der Drave ist ein Serbien, und wer ein Serbe sein will, der gehe hinüber!"

„So hätten wir denn nicht einmal einen Namen mehr in Oesterreich?" rief der Wortführer, der sich dieser Erklärung gegenüber nicht mehr zu mäßigen vermochte. „Erst unsere Privilegien, dann unsere Selbstständigkeit, endlich auch unsern Namen?"

Die Deputation verließ unter den unzweifelhaftesten Zeichen der äußersten Aufregung den Saal. Selbst die Offiziere, die den General umgaben, waren der Meinung, daß dieser zu weit gegangen.

Die Antwort des Generals aber hatte nicht verfehlt, in Karlovitz die größte Sensation zu erregen. Noch an demselben Tage beschloß die Permanenz, gegen den Befehlshaber von Peterwardein bei dem Könige eine Klage einzureichen, weil er es gewagt, der serbischen Nation alle Existenz abzusprechen, ehe noch der König darüber entschieden. Eine Proklamation an alle Serben trug noch am Nachmittage desselben Tages die Aeußerung des Kommandirenden als zündenden Funken durch alle Gränzgebiete:

„Auf solche Weise bezahlt Euch ein kaiserlicher General das serbische Blut, das Ihr für den Thron und die Krone Oesterreichs in Frankreich, Schlesien, Preußen und Rußland vergossen, und heute in Italien vergießet! Brüder! Serben! der Deutsche und der Tscheche, der Mähre und der Pole, der Tyroler und der Krainer, der Steyrer und der Kärnthner, der Schlesier und der Lele, der Italiener, der Magyare und der Siebenbürge, für Alle findet sich auf der Karte von Oesterreich und im Gesetzbuche von Ungarn ein Name. Für Euch, armseliges Volk — nicht einmal dieser! Dies also wäre Euer Loos? dies der Gewinn, den Euch das neunzehnte Jahrhundert, das goldene Zeitalter aller Nationen, gebracht?"

Ein Aufruf zu den Waffen schließt die Proklamation. Allen Unteroddors wird befohlen, denselben unter Glockengeläute in den Ortschaften zu verkünden, alle waffenfähigen Männer werden aufgefordert, sich mit Waffen und Munition allsogleich unter selbstgewählten Anführern bei Karlovitz, Perlas und den Römerschanzen einzufinden, und von Aerten, Schaufeln, Spaten und andern Schanzbauwerkzeugen, so wie von Pferden, Wagen und Kanonen mitzubringen so viel möglich. Der provisorischen Regierung sollte nun auch ein Insurrektionsheer zur Seite stehen.

Am Morgen des nächsten Tages (30. Mai, 11. Juni) erschienen zu Karlovitz zwei Offiziere des Generals (Ritt-

meister Richter und Oberlieutenant Raitsch). Der Kommandirende, der das Uebergreifende seiner gestrigen Aeu-
ßerungen erkannt haben mochte, forderte den Obbor auf,
eine neue Deputation in die Festung zu senden, damit
er die Forderungen nochmals reiflich überdenken könne.

Der Obbor antwortete, dies sei nicht mehr thunlich,
da eine Klageschrift gegen den General bereits nach Wien
abgesandt worden sei, und überreichte den Offizieren eine
Abschrift derselben für den General.

Neuntes Kapitel.

Der Aufruf zu den Waffen flog mit Blitzesschnelle durch das Land. Nirgends fand er das Volk unvorbereitet. Die Streifzüge der magyarischen Entwaffnungskolonnen hatten es fast allenthalben genöthigt, zum Schutze des eigenen Heerdes unter die Waffen zu treten. An vielen Orten harrte man nur des Winkes, um in hellen Haufen nach Karlovitz zu rücken. In Syrmien hatte man nicht einmal erst gewartet. In Vorahnung der Dinge, die da kommen sollten, hatte sich hier schon früher der Landsturm zu bilden begonnen, fest entschlossen, sich in diesem kleinen Gebirgslande, dem Ursitze serbischer Sitte und serbischen Glaubens, dessen Waldesdunkel die meisten Klöster und ältesten Denkmäler ehemaliger serbischer Herrschaft birgt, selbst dann noch zu vertheidigen, wenn alle jenseits der Donau gelegenen Landstrecken bezwungen worden wären. Ein Theil dieses Landsturms, etwa 800 Mann stark, war vor zwei Tagen unter Anführung eines ehemaligen Gränzeroffiziers, Tschitscha Joannovitſch[1]), bei Titel über die Donau gegangen und mit Hülfe der Tſchaikiſten, die mit ihm fraterniſirten, in Beſitz von acht kleinen Kanonen und einiger Munition gelangt.

Gleichzeitig mit der obenerwähnten Waffenprollamation richtete der Odbor an dieſen entſchloſſenen Offizier die Aufforderung, ſich der Sache der gemeinſamen Vertheidigung anzuſchließen. Er hatte in Syrmien bereits die Maſſen organiſirt, und ſollte nun den Tſchaikiſtendiſtrikt inſurgiren, ſich der Kriegsvorräthe des Titeler Arſenals bemächtigen und in den Römerſchanzen eine feſte Stellung einnehmen. Vom Odbor mit dem Range eines Nationaloberſten bekleidet, wurde er ermächtigt, die Offiziere, ja ſelbſt den Oberſten des Tſchaikiſtenbataillons, falls ſie ſich widerſetzten, zu ſuspendiren. Ein namhafter Kriegsvorrath ſtand durch dieſen Schritt in einem Zeitraum von wenigen Tagen dem Odbor in Ausſicht.

Mit gleicher Vollmacht und ebenfalls mit dem Range eines Oberſten der Nation bekleidet, wurde der ehemalige Gränzoberlieutenant Drakulitſch in die Kompagniebezirke des benachbarten deutſchbanater Regimentes geſandt. Er ſollte ſich der Waffenvorräthe von Pantſchevo, dem Stabsorte dieſes Regimentes, bemächtigen, und ein Lager bei Perlas zuſammenziehen.

. Der ehemalige Oberlieutenant Koitſch und der Odborkommiſſär Stanimirovitſch erhielten den Auftrag, ſich in Beſitz der Kriegsvorräthe von Weiskirchen zu ſetzen und

---

[1] Er ſtarb 1850 in Wien im Hoſpitale.

7

die waffenfähige Mannschaft des illyrischbanater Regimentes aufzubieten und in einem Lager bei Alibunar zu sammeln.

In Karlovitz selbst hatten sich auf das augenblickliche Bekanntwerden des Waffenaufrufs bei 2000 Mann syrmischen Landsturms, einige hundert bewaffneter Batschker und ein Häuflein Serbianer [1]) eingefunden, die, angezogen von den kriegerischen Vorbereitungen, schon früher aus dem jenseitigen Serbien nach Syrmien herübergekommen waren.

General Hrabowski, die Abschrift der gegen ihn nach Wien gesandten Klageschrift in Händen, beschloß, dem Treiben des täglich kühner auftretenden Odbors ein Ende zu machen. Noch am Abend desselben Tages berief er seine Offiziere zu einem Kriegsrath. Man berieth bis tief in die Nacht hinein, und der folgende Morgen schon (31. Mai, 12. Juni) sah die Vorposten einer nach Karlowitz rückenden Exekutionskolonne auf den Höhen vor dieser Stadt. Es galt, den Odbor auseinanderzusprengen und des Hauptsitzes der Bewegung sich zu bemächtigen.

So schnell und so unvorbereitet hatte Niemand in Karlovitz einen Angriff erwartet. Die Kunde vom Heranrücken von Truppen verbreitete daher eine allgemeine Verwirrung und rathlos verließen die meisten Mitglieder des Odbors die Stadt, gefolgt von dem größten Theile

---

[1]) Zum Unterschiede von der allgemeinen Bezeichnung „Serben" werden die Bewohner des eigentlichen Fürstenthums Serbien „Serbianci, Serbianer" genannt.

der geängstigten Einwohner. Dem Präsidenten im Vereine mit einigen ausharrenden Mitgliedern des Obbors blieb es überlassen, den Ort eine Zeitlang fruchtlos zu vertheidigen oder allsogleich zu räumen.

An der Möglichkeit, Karlovitz zu behaupten, zweifelte selbst Stratimirovitsch, der sich genöthigt sah, die Leitung der Vertheidigung zu übernehmen, den geringen undisziplinirten Haufen aber nicht viel zutraute. Auf der andern Seite war jedoch das Vertrauen der Nation zu sich selbst auf dem Spiele. Ein Aufgeben des Ortes, ohne auch nur versucht zu haben, ihn zu vertheidigen, hätte der Schilderhebung den Todesstoß gegeben. Der Verlust von Karlovitz, eine Niederlage war bei den unzureichenden Kräften begreiflich und mußte nur zu verdoppelten Anstrengungen anspornen. Der Kampf mußte daher eingegangen werden.

Die Kanonen des Generals begannen auf den Höhen um Karlovitz ihr verderbliches Spiel. Die Infanterieabtheilungen rückten vor und die Dragoner schlugen ihren Weg längs des Ufers der Donau ein, um von einer andern Seite in die Straßen der Stadt einzubrechen. Da eilten 30—40 Serbianer mit ihren langröhrigen Albaneserflinten an die steinerne Brücke, die einen Gießbach überspannt und über die allein die Truppen Hrabowski's in die Stadt bringen konnten. Geschützt durch Bäume und die umliegenden Häuser versuchten die kaltblütigen Serbenschützen die Brücke so lange zu behaupten, bis es Stratimirovitsch gelungen sein würde, die

7 *

bewaffneten Haufen, die zum Theil auf der entgegengesetzten Seite der Stadt bei Banstol auf einen, ihnen
kriegslistiger Weise ertheilten falschen Befehl im Abzug
begriffen waren, zu sammeln und in den Kampf zu führen. Die Serbianer vertheidigten ihren Posten mit einer
Entschlossenheit und Ausdauer, ja mit einem gewissen
Humor, wie er nur Leuten eigen ist, die im kleinen Kriege
aufgewachsen sind und zwischen Felsen und Bergklüften
täglich mit dem Tode Wette spielen. Besonders machte
sich unter dem kleinen Haufen ein Montenegriner Namens Vule bemerkbar. Bis an die Brüstung der Brücke
herangeschlichen, legte er sein langes Albaneserrohr an
und nahm seinen Gegner aufs Korn. Die Kugel traf,
aber eine Decharge von zwanzig Kugeln gab ihm Antwort. Vule stürzte nieder und wand und krümmte sich
auf dem Boden, als ob er zum Sterben getroffen, mit
dem Tode ränge; lud, auf solche Weise von den Gegnern
unbeachtet, seine Flinte, kroch an einen Baum heran,
suchte sich wieder seinen Mann heraus und streckte ihn
nieder. Fünfmal hatte er bereits diese seine Kriegslist
wiederholt und fünf Soldaten des Generals die Todes-
kugel zugesandt, als Stratimirovitsch mit der von Banstol zurückgeführten Abtheilung des Landsturms an der
Brücke erschien, während eine andere Abtheilung ins Gebirge zog, um in einiger Entfernung von der Stadt, aus
einer Schlucht auf die Straße hervorzubrechen und den
Rückzug des Exekutionscorps zu bedrohen.

Inzwischen hatten die Kanonen gezündet. Da ließ

sich eine Handvoll Freiwilliger nicht zurückhalten und stürzte sich, Arm in Arm geschlungen, mit wüthendem Lärmen auf die nächsten Kanonen, um sie zu erbeuten. Eine Kartätschensalve streckte die Tollkühnen, die der Batterie nichts entgegenzusetzen hatten als ihre Knittel und ihren Heldenmuth, vor der Mündung der Geschütze in ihr Blut. Ein Haufe Peterwardeiner, mit Musketen bewaffnet und erfahrene Krieger, benutzten den Moment und stürzten über die Leichen ihrer Brüder mit gefälltem Bajonnette auf die Batterie, so daß diese nicht mehr Zeit zum Laden gewinnen konnte, und nöthigte sie zum Rückzug.

Gleichzeitig erschien die ins Gebirge entsandte Abtheilung im Rücken der Angreifenden und die Exekutionskolonne trat, um nicht auf der engen, von Gebirgen und Sümpfen begränzten Straße in die Mitte zweier Feuer genommen zu werden, ihren Rückzug gegen Peterwardein an.

Die ersten Häuser der Stadt wurden ein Raub der Flammen. Bei fünfzig Todte bedeckten den Kampfplatz. Bule wurde von seinen Landsleuten im Triumph durch die Stadt geführt und als der Held des Tages gepriesen. Der arme Montenegriner verlor vor Freude über seine Siege den Verstand, glaubte nicht anders, als er sei der wiedergeborne Held Milosch Obilitsch, und mußte später aus dem Lager geschafft werden.

So geringfügig die eigentlich militärische Bedeutung dieser mißlungenen Expedition war, so tiefgreifend und nachhaltig war ihr Einfluß auf den Fortgang der Begebenheiten, wenn durch nichts Anderes, so doch schon dadurch, daß der Krieg eröffnet war.

Es war nicht anzunehmen, daß der General seine Pläne auf Karlovitz aufgeben werde. Vielmehr mußte man jede Stunde auf eine energischere Wiederholung des Angriffs gefaßt sein. In der Ueberzeugung, daß Karlovitz einer solchen, so lange es nicht gehörig befestigt und besetzt wäre, nicht widerstehen könne, entschloß sich der Rest des Odbors, sich mit seiner kleinen Truppenanzahl in die syrmischen Gebirge zu werfen und sich dort so lange zu halten, bis die bewaffneten Zuzüge zu einer imponirenden Heeresmacht herangewachsen sein und eine erfolgreiche Aufnahme des Kampfes gestatten würden.

Die Kassen und Archive wurden noch an demselben Tage nach Belgrad in Sicherheit gebracht und Karlovitz sollte am folgenden Morgen verlassen werden. Da erschien am Abend, völlig unerwartet, die gesammte Flottille der Tschaikisten unter Jubelrufen und Kanonensalven auf der Donau. Sie hatte auf die Kunde, daß Karlovitz angegriffen sei, dem Kommandanten zu Semlin den Gehorsam aufgesagt und war herbeigeeilt, um sich dem Odbor zur Verfügung zu stellen. Zwei Schiffe von Titel brachten auch noch reichliche Munition, und der Odbor, besser gerüstet, beschloß zu bleiben. Eine Proklamation setzte am folgenden Tage das Volk von dem Geschehenen in Kenntniß und forderte zur Beschleunigung der allgemeinen Bewaffnung auf.

Der offene Anschluß an die Sache des Odbors ging

nun rasch von Statten. Da der Kommandant des Tschai-
listendistriktes, auf Befehle des Generals gestützt, das
Arsenal immer noch nicht übergeben hatte, begab sich
Stratimirovitsch am 3. (15.) Juni auf dem Dampfer
Duna, der mittlerweile den Serben in die Hand gefallen
war, mit 500 Mann selbst nach Titel, entsetzte den Kommandanten seines Postens und bemächtigte sich sämmtlicher Vorräthe. 140 Kanonenröhre, 2000 Stück Gewehre und bedeutende Munitionsmassen kamen dadurch in
die Gewalt der Insurrektion. Wichtiger jedoch war es,
daß sich mit dem Falle des Titeler Arsenals das ganze
Tschaikistenbataillon und das ganze Peterwardeiner Regiment, welche beide bisher, wenigstens zum Theil, noch
geschwankt hatten, für die Schilderhebung erklärten. Eine
Proklamation des Generals an sämmtliche Gränzer, in
welcher er ihnen gegen unverzügliche Rückkehr zum Gehorsam volle Verzeihung verhieß (4., 16. Juni), hatte
keinen Erfolg mehr. Nicht nur Tausende kriegserfahrener
Männer, auch zahlreiche Offiziere stellten sich unter die
Befehle des Obbors. Das Lager von Kamenitz ver-
größerte sich von Tag zu Tag. In der Batschka organi-
sirte Surdutschki die bewaffneten Haufen, am Franzenskanal erhoben sich unter der Leitung Bosnitsch's die Erdwälle von Szent Tomas und im illyrischbanater Regiment
überlieferte Oberst Dreyhann den mit 700 Mann er-
schienenen Kommissären des Obbors was an Kanonen,
Pulver und Gewehren vorhanden war. Nach weniger
als zwei Wochen verfügte der Obbor über eine Macht

von nahe an 15,000 Mann mit 40 Kanonen, die in den Lagern von Kamenitz, Szent Tomas, Perlas und Alibunar, dann hie und da in der Batschka und im Banate zerstreut lagerten. Den Oberbefehl führte Stratimirovitsch als oberster Befehlshaber aller nationalen Streitkräfte. —

Mitten unter diesen Rüstungen wurde der Obbor von der Kunde zweier Ereignisse überrascht, die zu den serbischen Bestrebungen in zu naher Beziehung standen, als daß sie nicht hätten dessen ganze Aufmerksamkeit anregen sollen. Es war dies die Kunde von der Suspension des Banus durch das Manifest vom 29. Mai (10. Juni), durch welches die Gränzer unter Einem zum Gehorsam gegen die magyarische Regierung verwiesen wurden, und von der Katastrophe des Slavenkongresses an den Prager Pfingsttagen [1]. Besorgnisse über das Schicksal der an den König gesandten Deputation wurden nun ebenfalls laut und zwar um so gegründetere, als man bisher selbst aller schriftlichen Nachrichten von ihr ermangelte. Behutsamkeit im Vorschreiten, Abwarten der Wendung, welche die Dinge nehmen würden, schien gerathen; eine Pause überdies, um die planlos herumlagernden Massen zu organisiren, die Truppenkörper zu vertheilen, in die Bewegungen Plan und Einklang, in die Befehle Einheit zu bringen, mehr als wünschenswerth, da die Größe des

---

[1] An einem und demselben Tage mit dem Bombardement von Karlovitz.

Kampfes, dem man sich entgegenrüstete, leicht umfassender werden konnte, als man sie Anfangs veranschlagte.

Aber auch den Kommissären der ungarischen Regierung, unter deren Augen die Macht der Schilderhebung trotz des Standrechts und der Blutgerichte in solcher Weise anwuchs, schien es gut, einen Stillstand in der Bewegung herbeizuführen, wäre es auch blos, um neue Instruktionen von Pest abzuwarten und für die Truppenkonzentration bei Szegedin Zeit zur Vorbereitung eines geordneten Angriffs zu gewinnen.

Diese beiderseitigen Rücksichten führten zu Unterhandlungen, deren Ergebniß der Abschluß eines zehntägigen Waffenstillstands war, der am 12. (24.) Juni unterfertigt und ausgetauscht wurde und am 24. Juni (4. Juli) zu Ende ging. Während dieses Zeitraums sollte es den bewaffneten Massen freistehen unter den Waffen zu verbleiben oder auch auseinanderzugehen; die Sicherheit des Obbors sowohl als jedes Einzelnen, die Enthaltung von wechselseitigen Feindseligkeiten wurde zugesichert. Nach der Rückkehr der Deputation oder nach Ablauf des Waffenstillstands sollten die bewaffneten Massen unbedingt entlassen werden, oder die Feindseligkeiten wieder ihren Anfang nehmen. Der Obbor hingegen sollte bis dahin seine Arbeiten ungestört fortsetzen.

Zehntes Kapitel.

Geregelte Heere dürfen einen Waffenstillstand schließen, weil sie ihn einzuhalten vermögen. Eine im Werden begriffene Revolution, der noch alle Gliederung, alle Einheit fehlt, darf es nicht, weil das gegebene Wort durch die Leidenschaftlichkeit des Einzelnen jeden Augenblick gefährdet ist.

Dem Waffenstillstande vom 12. (24.) Juni war kein besseres Schicksal vorbehalten. Während ihn die Häupter in Neusatz und Karlovitz unterzeichneten, während er an dem einen Ende verkündet wurde, wurde er an dem andern bald von serbischer, bald von magyarischer Seite gebrochen, ohne daß der Odbor oder der General dafür verantwortlich gemacht werden konnte.

In Neusatz stießen gleich zwei Tage nach Abschluß des Waffenstillstandes Serben und Magyaren hart an einander. Tschernoevitsch wollte an diesem Tage die Wahl eines Abgeordneten für diese Stadt zu dem ungarischen Reichstage vornehmen lassen, der auf den 2. Juli nach

Pest ausgeschrieben war. Die magyarisch Gesinnten versammelten sich zur Vornahme der Wahl auf dem Rathhause; die serbisch Gesinnten erklärten, es dürfe eine solche Wahl nicht vorgenommen werden, so lange nicht die Entscheidung des Königs herabgelangt sei. Der Streit wuchs bald zum Tumulte, der Tumult zum Straßenkampfe heran. Die blutigen Opfer der entfesselten Parteiwuth bedeckten die Straßen und der General drohte, den Bruch des Vertrages mit Beschießung der Stadt zu bestrafen, sobald sich die Scene erneuern würde. Die Wahl des Abgeordneten unterblieb zwar, doch wurden sämmtliche Serben in Neusatz entwaffnet und unter ein verschärftes Kriegsgesetz gestellt, durch welches es fortan der Stadt unmöglich wurde, sich an der Schilderhebung zu betheiligen, und welches über ihr während der ganzen Dauer der magyarischen Herrschaft lastete.

An den Römerschanzen fanden täglich kleine Gefechte statt. Die Streifpatrouillen der magyarischen Lager von O Ker und Verbas, und der Serben von Szent Tomas und Kobnitza konnten sich der Anfeindungen nicht enthalten, wenn sie einander begegneten.

Weniger noch kümmerten sich die magyarischen Garden sowohl, als die aus dem Fürstenthum herübergekommenen Serbianer um die Bestimmungen des Waffenstillstandes. Die Einen überfielen serbische Ortschaften und setzten nicht nur das Werk der Entwaffnung fort, sondern ließen sich auch zu Gräuelthaten und Brandschatzungen fortreißen; die Andern übten Repressalien und zogen von Ort zu

Ort, um die Einwohner zum Widerstande gegen die magyarische Regierung und zum Anschluß an die Sache der
Serben aufzufordern.

In Szent Mihaly nahmen die magyarisch gesinnten
Einwohner den serbischen Popen, der an sie gesandt worden, um sie für die Serben zu gewinnen, gefangen, und
überlieferten ihn dem Blutgerichte von Temesvar. Die
Serben überlieferten dafür den Ort den Flammen. In
Usbin erschlug man die beiden Parlamentäre der Serben. Es kommt zum Handgemenge, in welchem sich die
daselbst kantonirenden Uhlanen gegen die Serben betheiligen, und Rittmeister d'Orsay findet den Tod von serbischer Hand.

Ein so vielfach gebrochener Waffenstillstand war selbst
bei dem besten Wollen der Kontrahenten nicht zu halten.
Der Krieg war los, ehe die zehn Tage zu Ende waren,
ehe von dem Schicksale der Deputation, die vor fünf
Wochen an den König abgesandt worden, irgend eine
Kunde eingegangen, ehe man beiderseits genügend gerüstet war. Tschernoevitsch verließ den Schauplatz der
Begebenheiten, deren er nicht Meister zu werden vermochte, und der Odbor sah sich genöthigt, dem General
neuerdings entgegenzutreten. Werbungen und Rüstungen wurden mit erneutem Eifer in Angriff genommen,
Karlovitz wurde befestigt, die wichtigsten Punkte in Syrmien und in der Batschka wurden besetzt, und neue Lager längs der Donau bei Illok, Kamenitz und Neschtin
bezogen. Streifzüge, nächtliche Ueberfälle, kleine Treffen

bezeichneten den Beginn des kleinen Krieges, auf den sich die Serben ihrer immer noch unzulänglichen Macht wegen beschränkt sahen, und der beiderseits mit um so größerer Erbitterung geführt wurde, als ein Theil den andern des Wortbruches beschuldigte, als zwei Nachrichten in Karlovitz anlangten, die den Standpunkt, auf dem der Odbor bisher gestanden, mit Einem Male veränderten: die Nachricht von dem Erfolge der Deputation und von den Beschlüssen, die das Parlament zu Pest am 17. (29.) Juli gefaßt. Keine von beiden war geeignet, den Muth der Serben zu erhöhen.

Die Deputation, den Patriarchen an der Spitze, hatte bald nach ihrer Abreise ihren feierlichen Einzug in Agram gehalten. Sie hatte sich daselbst mit den Häuptern der kroatischen Bewegung in Verbindung gesetzt, und am 24. Mai (5. Juni) der Eröffnung des kroatisch-slavonischen Landtages beigewohnt. Die Aufnahme der Deputation von Seiten des kroatischen Volkes war eine glänzende gewesen. Zum Zeichen der Wiedervereinigung des großen serbischen Stammes, der durch das Schisma der Religion in zwei feindliche Glaubenslager geschieden worden[1]), segnete der griechisch nichtunirte

---

[1]) Die östlichen Serben hatten zur Zeit der Trennung der christlichen Kirche in die morgenländische und abendländische mit dem alten Glauben auch den alten Namen „Serben“ beibehalten. Die westlichen Serben, die sich der katholischen Kirche anschlossen, legten diesen Namen ab und nannten sich Dalmatiner, Kroaten, Bosnier u. s. w., in jüngster Zeit, wenn auch ohne

Patriarch das neue katholische Oberhaupt der zu vereinigenden südslavischen Lande im katholischen Dome ein, und hielt der katholische Bischof Oschegovitsch das Te Deum in altslavischer Sprache. Das Protokoll vom 1. und 3. Mai war in der Versammlung des kroattisch-slavonischen Landtages verlesen, der Wunsch nach Vereinigung der Wojwodschaft mit dem dreieinigen Königreiche Kroatien, Slavonien und Dalmatien zu einem nationalen sowohl als politischen Ganzen mit stürmischem Beifall zum Beschluß erhoben worden. Um die Sanktionirung dieses Beschlusses desto sicherer zu erlangen, hatte der Landtag eine Deputation aus seiner Mitte ernannt, die sich im Verein mit der serbischen Deputation zu dem Könige verfügen sollte. Das Verhältniß der Wojwodschaft zu dem dreieinigen Königreiche selbst, so wie des Wojwoden zum Banus, wollte man erst regeln, wenn die Sanktion, an der Niemand zweifelte, erfolgt sein würde.

Am 7. (19.) Juni waren die vereinigten Deputationen, geführt vom Patriarchen und vom Banus, der mittlerweile zur Rechtfertigung seines Widerstandes gegen die ungarische Regierung vor den König citirt worden war, in Innspruck angelangt, wohin sich der Kaiser und König in Folge der Wiener Ereignisse vom 3. (15.) Mai zurückgezogen hatte.

---

allen zureichenden Grund, Illyrier. Jene behielten die slavische Kirchensprache bei, diese nahmen die lateinische an.

Das Erscheinen dieser Deputationen am Hoflager hatte den unglückseligen Zwiespalt in der Person jenes Monarchen, der die Königskrone von Ungarn und die Kaiserkrone von Oesterreich auf Einem Haupte trug, und dem zweierlei gleichberechtigte Rathgeber zur Seite standen, die die Heiligkeit Einer Person zur Brustwehr für zweierlei Interessen gebrauchten, zum ersten Male grell ans Tageslicht gezogen. Die Räthe der ungarischen Krone hatten dem Könige die Beweise der Rebellion zu Füßen gelegt, in der sich Kroatien[1]) und die Serben befanden; die Räthe der österreichischen Krone hatten den Kaiser auf die Gefahren aufmerksam gemacht, die aus der strengen Verfolgung der ungarischen Staatstheorien dem Zusammenhange Ungarns mit Oesterreich, der Macht und Größe des Erzhauses drohten. Der König und Kaiser war durch das Erscheinen der Deputationen auf den Punkt gestellt worden, handeln zu müssen. Die Königspflicht gebot ihm, nach Kroatien und Slavonien den Bannstrahl zu schleudern, das Recht Ungarns zu schützen und Alles zu billigen, wodurch dies gewahrt werden konnte. Dem Kaiser, dem Oberhaupte des herrschenden Hauses mußte es am Herzen liegen, den Zusammenhang

---

[1]) Der Provinzial-Landtag von Kroatien und Slavonien konnte laut Gesetzartikel 58 vom Jahre 1791 nur nach Einholung der königlichen Zustimmung ausgeschrieben werden. Der Ban hatte dies Gesetz nicht beachtet und den Landtag aus eigener Macht ausgeschrieben, und war deshalb aufgefordert worden, sich in Innspruck zu rechtfertigen.

Ungarns mit Oesterreich nicht nur zu erhalten, sondern
möglichst unlösbar zu machen, die bedrohte Macht seines Hauses zu befestigen und Alles zu beseitigen, wodurch diese gefährdet, Alles zu thun, wodurch diese erhalten und erhöht werden konnte. Die Interessen des
Königs mit denen des Kaisers zu vereinigen war unter
den gegebenen Verhältnissen unmöglich, und doch galt
es, sich für den Augenblick den Anschein zu geben, als
wolle man es. Man beschloß deshalb, sich in den For-
men des Rechtes und Gesetzes so lange zu bewegen,
als nöthig, und die Lösung von den Ereignissen abzuwarten, die sich aus den weiteren Folgerungen des unhaltbaren Dualismus entwickeln würden. Das formelle
Recht war auf der Seite Ungarns, der Vortheil dort,
wo man ihn seit lange vorbereitet, in den nationalen
Spaltungen Ungarns. Ob sich Ungarn, ob die Südslaven behaupten würden, war jedoch nicht voraus zu ermessen. Man durfte daher mit keinem entschieden brechen und beschloß, nach beiden Richtungen hin zu handeln,
nach der einen offen, nach der andern vorbereitend. Offen
wollte man das formelle Prinzip wahren, das sich in
der Sache Ungarns verkörperte, während man im Stillen
die Negation desselben beschlossen hatte. Offen mußte
man dem revolutionären Prinzipe, das sich in der kroa-
tisch-serbischen Bewegung beurkundete, den Rücken kehren, während man sich im Stillen die Möglichkeit bewahren wollte, sich desselben zum endlichen Umsturze der
ungarischen Staatstheorie zu bedienen, und dasselbe, das

man verdammte, so lange es der Revolution von unten
diente, zu einem loyalen, konservativen umzutaufen, sobald es der Reform von oben förderlich sein würde.

Diese Politik, die man sich zu Innspruck vorzeichnete,
war es auch gewesen, welche dem Kaiser und Könige —
denn an beide hatten sich die Deputationen gewandt —
die Antworten in den Mund legte, die er den Kroaten
sowohl als den Serben ertheilt hatte, und von denen
nun die Kunde nach Karlovitz gelangte.

„Ich muß offen sagen,“ hatte Ferdinand zum Banus gesprochen, „daß Ihr Widerstreben gegen meine Befehle mich tief verletzte. Ich habe deßhalb den Baron
Hrabowski zur Untersuchung ausgesandt. Doch wünsche
ich selbst noch eine Ausgleichung, wozu mein ungarisches
Ministerium die Vermittelung meines Oheims, des Erz-
herzogs Johann vorgeschlagen hat. Benutzen Sie dieselbe zu der von mir beschlossenen Aufrechterhaltung des
Bandes zwischen Ungarn und Kroatien.“

„Ich kann die Wahlen und Beschlüsse eines unge-
setzlichen Konvents, welche von mehrern meiner griechisch
nicht unirten Unterthanen in Karlovitz unter einem Zu-
sammenfluß von Fremdlingen aus Serbien gegen das
Deklaratorium von 1799 gefaßt wurden, nicht bestätigen. Ich bin bereit, alle legalen, auf gesetzmäßigem
Wege unterbreiteten Wünsche meiner griechisch nicht unirten Unterthanen zu erfüllen. Der ungarische Landtag
und das ungarische Ministerium, so wie Euer gesetzmäßi-
ger Nationalkongreß sind die Organe, durch welche Ihr

8

mir Eure Wünsche zu unterbreiten habt. Die geäußer-
ten Gefühle der Treue und Anhänglichkeit nehme ich mit
Dankbarkeit auf."

Ob die Umgebung des Kaisers schon damals in ihren
Besprechungen mit dem Banus der Antwort, die diesem
geworden, die Schärfe des Ernstes benommen, ist nicht
leicht zu entscheiden. So viel ist gewiß, daß sie kurze
Zeit darauf durch ein Handbillet des Monarchen widerlegt
worden, eben so als es gewiß ist, daß weniger die Wünsche der Kroaten, als ihre Anstrebungen gegen Ungarn
bei Hofe Wohlgefallen erregten. Die Forderungen der
Südslaven, die wohl die Einheit der Monarchie, jedoch
eine föderative Einheit auf nationaler Gleichberechtigung,
eine Einheit des Ganzen mit möglichst umfassender Selbstverwaltung der Theile beanspruchten, konnten dort, wo
größtmögliche Centralisirung das Ideal der Bestrebungen war, nur wenig Anklang finden. Ein Eingehen in
dieselben mußte nicht minder den Interessen der Macht
widerstrebend erscheinen, als das legitime Recht Ungarns,
und zwar um so mehr, als einem zersplitterten und deßhalb leicht zu beherrschenden Stamme das Recht der kompakten und deßhalb resistenteren Einigung zugestanden
worden wäre — dem der Slaven.

Die Antwort, die der serbischen Deputation geworden, war ohne Milderung, ohne vertraulichen Kommen-
tar geblieben. Statt der Deputation langte eine brief-
liche Mittheilung über deren mißglückte Geschäftsverrich-
tung in Karlovitz an. Die Mitglieder der Deputation,

die sich in Innspruck aufgelöst hatte, kehrten einzeln zurück. —

Im Parlamente zu Pest hatte Kossuth in hinreißender Rede die Lage des ungarischen Reiches geschildert. Indeß Graf Esterhazy, der Minister Ungarns um die Person des Königs, diesem zu Innspruck die Noten der Pester Regierung unterbreitete, in welchen von Tag zu Tag die Gefahr des Vaterlandes bringender und lebhafter gezeichnet wurde; indeß die ungarische Regierung die Vermittelung der österreichischen im Streite mit den Südslaven ansuchte; indeß der Hof mit Kroatien bereits in Verbindung getreten war: erhoben sich in Kroatien und Südungarn bewaffnete Massen, gährte es bereits unter den Rumänen, und drohte Freiherr von Wessenberg mit der Neutralität Oesterreichs. Alles dies hatte Kossuth aus einander gesetzt. Als er von den Serben sprach, hatte er ausgerufen: „Diese Serben und Raizen nennen sich eine Nation — ein Haufe zusammengerotteten Raubgesindels! Hier kann von keiner Unterhandlung die Rede sein; für Räuber gehört das Standrecht!" Er hatte das Vaterland in Gefahr erklärt, und das Parlament hatte eine Armee von 200000 Mann und ein Anlehen von 42 Millionen votirt. Ein entscheidender Schlag gegen die Serben sollte die erste That zur Rettung Ungarns sein.

Diese beiden Nachrichten, in einem Augenblicke zu Karlovitz angelangt, wo der kleine Krieg schon im vollen Zuge und man wenigstens auf die erste derselben nicht

8*

gefaßt war, mußten allerdings den Obbor erkennen lassen, daß für die Schilderhebung, an deren Spitze er stand,
ein kritischer Moment eingetreten sei. Die Anerkennung
ihrer nationalen Rechte, die Erfüllung alter Verheißungen hatten die Serben vergebens bei der Regierung Ungarns gesucht. Sie hatten an den Kaiser und König
appellirt: an jenen, weil sein Vorfahr die Privilegien
unterzeichnet, an diesen, weil sie in ihm das Oberhaupt
Ungarns erkannten, und waren von ihm an jene verwiesen worden, die ihnen die Anerkennung bereits verweigert hatten, und gegen die sie bereits in offener Revolution standen. Der Obbor hatte gegen einen General
des Kaisers und Königs Klage geführt, weil er es sich
herausgenommen, die Existenz einer serbischen Nation im
Umfange des Kaiserthums zu läugnen, ehe der Kaiser
und König selbst entschieden, und dieser sprach nur von
seinen griechisch nicht unirten Unterthanen — er wußte
nichts von den Serben — er hatte entschieden. Was
blieb nun noch übrig?

Der Obbor hatte nur Eine Wahl: dem Ausspruche
von Innspruck zu folgen und die Nation der Regierung
von Pest zu überliefern, oder, von Ungarn abgewiesen
und von Oesterreich verlassen, sich auf den Standpunkt
der Selbsthülfe zu stellen und den Kampf der Nothwehr,
der Selbsterhaltung fortzusetzen. Das Erstere wählen,
hieß die Sache der Serben aufgeben, die Sache Kroatiens gefährden und ein Recht in dem Augenblicke opfern,
da es dem Gegner furchtbar zu werden begann. Viel-

leicht wäre man immer noch zu Ungarn zurückgekehrt, wenn nicht Kossuth durch obige Rede alle Möglichkeit einer Wiedervereinigung abgeschnitten, wenn er den Drohungen des österreichischen Kabinets die Anerkennung der Serben und der Wojwodschaft entgegengesetzt hätte. Kossuth erwarb sich um Oesterreich das große Verdienst, dies nicht gethan zu haben. Zudem glaubte der Obbor sich nicht dazu berechtigt, da sein Mandat ihm die Wahrung, nicht aber das Aufgeben jener Rechte zur Pflicht machte. Es blieb ihm also nichts übrig, als in seinen Kriegsrüstungen fortzufahren und das begonnene Werk gegen jede Seite hin zu vertheidigen, von der es angegriffen werden sollte. Die geringe Hoffnung auf Erfolg konnte ihn von diesem Entschlusse nicht abhalten. Die serbische Nation durfte ihre Sache verlieren, aber nicht aufgeben.

Eilftes Kapitel.

Hatte sich der Obbor in Erwartung einer günstigen Entscheidung von Seiten des Königs bisher blos auf Vor-
kehrungen beschränkt, und den kleinen Krieg nur geduldet,
weil er ihn eben nicht zu hindern vermochte, so trat er
nun selbst an die Spitze des Kampfes für die Beschlüsse
vom 1. und 3. Mai, entschlossen, durch das Schwert geltend zu machen, was durch Worte nicht zu erreichen war.
Offizierspatente wurden ertheilt, Offiziere, die bisher in
den Gränzregimentern in Diensten des Kaisers gestanden,
nach ihrem Anschluß an die Sache der Nation avancirt und
mit den Befehlen über einzelne Lager und größere Truppenkörper betraut. Der Präsident des Obbors selbst, in dessen
Hände ohnehin die Leitung der Heeresorganisation gelegt
war, nahm den Titel eines vrhovni vožd (Oberster Heerführer) an, den auch Kara Georg in der Schilderhebung der jenseitigen Serben gegen die türkische Botmäßigkeit geführt. Der Name, im Gedächtnisse jedes Serben
lebend, sollte den Bewohnern Bosniens, Serbiens und

Bulgariens eine Aufforderung sein, sich an dem Be-
hauptungskriege der Serben in Oesterreich und Ungarn
zu betheiligen, wie sie es an dem Befreiungskriege unter
Georg dem Schwarzen gethan. Die wenigen, noch magyarisch oder streng kaiserlich gesinnten Behörden, die sich
bisher noch behauptet hatten, wurden nun mit bewaffneter
Hand aufgelöst und die Leitung der öffentlichen Angelegenheiten überall den Pobobbors übertragen, welche für die
ungestörte Aufrechterhaltung der bürgerlichen Ordnung,
für die Rechtspflege und für die Sicherheit zu sorgen und
mit dem Hauptobbor zu Karlovitz eine ununterbrochene
Verbindung zu unterhalten hatten. An die Spitze der
Regimentsverwaltung von Peterwardein wurde, vom Obbor zum Obersten der Nation ernannt, der Auditor Radosavljevitsch [1]), an die Spitze des Tschaikistenbezirks mit
gleichem Range Joanovitsch gestellt.

An einem Zusammenstoß ernster Art sollte es bald
nicht fehlen.

Er mußte im Banate stattfinden, wo die von Bukovitsch niedergesetzten Standgerichte sich bereits in vollster
Thätigkeit befanden und jeden Tag mit neuen Hinrich-
tungen serbisch gesinnter Personen bezeichneten, wo die
Bevölkerung am gemischtesten lebte und die wechselseitige
Erbitterung durch fanatische Gräuel die Blutgerichte bereits überflügelt hatte.

---

[1]) In diesem Augenblick Bevollmächtigter der österreichischen
Regierung zu Belgrad, als Mayerhofers Nachfolger.

Am 28. Juli (10. August) hatten magyarische Frei-
schärler das serbische Dorf Vlikovetz in Asche gelegt und
den dortigen Notar, einen eifrigen Vertheidiger der nationalen Sache der Serben, erschossen. Tags darauf
rückten die Serben aus ihrem Lager bei Alibunar, etwa
1000 Mann zum Theil mit Sensen bewaffneten, un-
geregelten Volkes über die Trümmer von Vlikovetz gegen
Werschetz, um die That zu rächen. Oberst Blomberg[1])
zog ihnen mit den Garden von Werschetz, dann seinen
Uhlanen und einer Abtheilung Husaren unter Major
Graf Esterhazy entgegen. Die geordnete Truppe und die
Kavallerie siegte. Die Serben verließen die Wahlstatt
nachdem sie bei 60 Todte, 4 Kanonen und 3 Fahnen
auf derselben zurückgelassen. Die Ungarn besetzten bald
darauf Weißkirchen ohne Widerstand, um es erst im
Jänner des folgenden Jahres wieder zu räumen. Unter
den 21 Gefangenen, die sie gemacht hatten, befanden sich
Stanimirovitsch, der Kommissär des Odbors und Koitsch,
Major der Nation, beide mit der Organisation des Aufstandes im Banate betraut, beide eine Woche später (am
7., 19. Juli) von dem Kommissär der ungarischen Regierung und ihrem nachmaligen Justizminister, Vukovitsch,
zu Temesvar dem Strange überliefert.

Die erlittene Schlappe, der Verlust der beiden Häupter der Insurrektion im Banate, vor Allem aber die stra-

---

1) Damals der ungarischen Regierung untergeordnet, nun
kaiserlich österreichischer General.

tegische Wichtigkeit sowohl als die Schwierigkeiten, mit
denen der Fortgang der serbischen Schilderhebung daselbst
zu kämpfen hatte, lenkte das Augenmerk des Obbors auf
diesen Landstrich.

Syrmien und die Batschka, am stättigsten von Serben bewohnt und von jeher der Heerd der serbischen Agitation, hatten der Regelung des Aufstandes wenig Hindernisse entgegengestellt. Sie standen wie auf einen Zauberschlag unter den Waffen. Desto weniger günstigen
Boden bot ihr das Banat. Magyaren, Deutsche, Rumänen und Serben wohnen hier in bunter Mischung neben-
und untereinander, die beiden Ersteren entschiedene Gegner
der Letztern. Jede Spanne Landes, jedes Dorf, jeder
Weiler mußte mit Waffengewalt für die Schilderhebung gewonnen werden. Kein Fußbreit war länger ver-
läßig, als er besetzt gehalten wurde. Sobald die Serben, um die Insurrektion weiter zu verbreiten, abzogen,
erhoben sich hinter ihrem Rücken magyarische und deutsche Gegenaufstände, denen die mitwohnenden Serben
nicht selten als blutige Opfer fielen. Es galt daher, ehe
irgend etwas anderes geschehen konnte, in diesem Landstriche festen Fuß zu fassen.

Das Banat und die Batschka, beides fruchtbare Flach-
länder an der untern Donau und von dieser im Süden
bespühlt, sind durch die Theiß, den sumpfbegränzten
Strom der Pußten, von einander geschieden. Das Banat, in seinem östlichen Theile gebirgig, im übrigen eben
so wie die Batschka eine unabsehbare Kornebene, wird

von den Festungen Großwardein, Arad und Temesvar
beherrscht.

Die Batschka, von den Festungen Essek und Peterwardein beherrscht, wird von einem Kanale, der die Theiß
mit der Donau verbindet, dem Bega- oder Franzenskanal
quer in zwei Hälften getheilt. In der nördlichen Hälfte
hatte die ungarische Heeresmacht ihre Sammelplätze. Die
südliche war der Hauptheerd der serbischen Rüstungen.
Von drei Gewässern (Kanal, Theiß und Donau) rings
umströmt und so von Natur ein abgeschlossener, geschützter
Raum, ist die südliche Batschka überdieß von zwei Linien
uralter Wälle durchzogen, die unter dem uneigentlichen
Namen Römerschanzen bekannt sind. Die erste dieser
Linien, die kleinen Römerschanzen, erstreckt sich einige
Stunden unterhalb des Kanals von unweit Temerin bis
unweit Apathin ebenfalls quer durch das Land. Die
großen Römerschanzen, wiewohl an Ausdehnung die kleineren, scheiden in ihrem Verlaufe zwischen unweit Földvar und unweit Katj die Batschka vom Tschaikistenbezirk.
Die kleinen Schanzen sind niedrige, grasbewachsene Erd-
dämme, die ihren Ursprung eher ökonomischen als kriegerischen Zwecken verdanken dürften. Allem Anschein nach
wurden sie aufgeworfen, um die nördlich gelegenen Korn-
felder vor den Ueberschwemmungen der Donau zu schützen,
die sich bei der niedrigen Lage des Landes oft meilenweit
ufereinwärts erstreckten, ehe der Boden durch tausend-
jährige Schlammablagerungen sich etwas erhöhte. Die
sumpfige Beschaffenheit der Gegenden spricht noch jetzt

hierfür. Desto unstreitiger sind die großen Schanzen kriegerischen Ursprungs, hohe breite Wälle mit tiefen und
breiten Gräben, dem Ueberkommen nach von den Avaren
aufgeführt, die sich durch dieselben in dem gegenwärtigen
Tschaikistenbezirke verschanzt haben mochten, und die noch
jetzt ganz vortreffliche Vertheidigungswerke sind.

Nicht fern von der Einmündung der Theiß in die
Donau liegt Titel, der Hauptort der Tschaikisten, der
Stützpunkt für jede Unternehmung gegen das Banat.
Der sichere Besitz dieses Punktes hing von dem Besitze
der Theiß ab, der sichere Besitz der Theiß von dem Be-
sitze des Franzenskanals, der einige Stunden oberhalb
Titel bei Földvar in die Theiß mündet. Földvar war in
den Händen der Magyaren. Dagegen hatten die Serben
Szent Tomas in ihrer Gewalt, den wichtigsten Punkt am
Kanale, unweit Földvar, unweit der großen Römerschan-
zen, mittlerweile zu einem unnahbaren Bollwerke umge-
wandelt. Von hier aus sollte Földvar genommen, die
Theiß und mit dieser Titel gesichert und dann ins Banat
vorgerückt werden.

Die magyarischen Heeresmassen waren inzwischen in
den Lagern um Szegedin und Therestopel zu einer bedeutenden Stärke herangewachsen. Wohlbiszilinirte Truppen, Soldaten der österreichischen Armee, durch das Wort
des Kaisers erst vor Kurzem den Befehlen des ungarischen Ministeriums untergeordnet, standen hier neben
minder biszilinirten, jedoch um so begeisterteren magyarischen Garden und Freischaaren. Kriegserfahrene öster-

reichische Generale führten das Kommando, bereit, die Rebellion zu ersticken, die der Hof so laut verdammte. Der 3. (15.) Juli war der Tag, an dem zum allgemeinen Angriff geschritten werden sollte. Die Pläne der Serben auf Földvar forderten eine Beschleunigung. Sie mußten vereitelt werden, ehe ihre Ausführung versucht wurde, und dies konnte nur durch den Fall von Szent Tomas erzielt werden.

In der Nacht vom 1. (13.) auf den 2. (14.) Juli rückte General Bechtold an der Spitze von 8000 Mann (nach magyarischen Angaben) in drei Kolonnen gegen Szent Tomas. General Eder und Oberst Kolovrat standen unter seinen Befehlen. In den Schanzen von Szent Tomas führte Bosnitsch im Vereine mit dem Serbianer Luka Stephanovitsch den Oberbefehl über etwa 3000 Mann[1]), theils Gränzer, theils Serbianer, theils Szent Tomaser und Moholyer Landsturm. So unverhältnißmäßig jedoch die beiderseitigen Streitkräfte waren, so wenig gelang der Plan auf das Bollwerk der Serben. Zwar ließ General Bechtold beim Beginn des Angriffs alle Straßen sperren; die ersten Kugeln schon zündeten und nach den Berichten der Magyaren selbst kamen sechs Kugeln der magyarischen Batterien auf zwei serbische. Doch ließ der General nach sechsstündigem Gefechte den Rückzug antreten, weil er sich von den Römerschanzen

---

[1]) Nach magyarischen Berichten 8—9000 Mann mit 1000 Reitern. Nach anderen, ebenfalls magyarischen Angaben 4000 Mann mit 6 Kanonen, darunter nur 3—400 Gränzer.

her bedroht fah. Der Verluft des Treffens wurde indeffen theils der Unverläßlichkeit des Generals, theils der Feigheit der Nationalgarden von Tolna zugeschrieben, die bei den erften Kanonenfalven aus den Szent Tomafer Schanzen ihre Stellung aufgaben und durch ihre wilde Flucht eine allgemeine Deroute anrichteten.

Der Erfolg diefes Treffens, dem man magyarischerfeits als einer mißlungenen Rekognoszirung kein befonderes Gewicht beilegte, war, fo wenig es auch als eine glänzende Waffenthat bezeichnet werden konnte, für den Fortgang der Schilderhebung doch von entscheidendem Einfluß. Der Ruf eines Sieges fcholl durchs Land und entflammte die Gemüther. Eine neuerliche Schlappe, welche einem Haufen fyrmischen Landfturmes von einer kleinen Abtheilung Hufaren und magyarischer Infanterie am 5. (17.) Juli beigebracht wurde, konnte den Muth nicht herabftimmen. Sie wurde Tags darauf durch die Einnahme von Fölbvar vielfach aufgewogen. Die Theiß und Titel waren fomit gefichert.

Mittlerweile war es im Banate zu einem zweiten Zufammenftoße ernfterer Art gekommen. Auf linken Ufer der Theiß hatten die Serben bei Perlas, gegenüber von Titel, ein Lager aufgefchlagen und ftanden darin bei 5000 Mann ftark und mit 12 Gefchützen verfehen. Drakulitfch führte hier das Kommando. In dem nahe gelegenen Betfchkerek ftand der Hufarenoberft Ernft Kiß mit 3 Bataillonen Infanterie, bei 10 Eskadronen leichter Reiterei und mit 8 Gefchützen. Seine Aufgabe war die Zersprengung des Lagers von Perlas und die Einnahme einer festen Stellung gegenüber von Titel. Oberst Kiß war zum Angriff auf das Lager von Betschkerek nach Etschka vorgerückt, als sich die Kunde von dem Szent Tomaser Treffen mit Blitzesschnelle in seinen wie in den Reihen der Serben verbreitete. Kiß, neue Befehle ab=wartend, zögerte anzugreifen. In dem Lager von Perlas hingegen herrschte reges Leben und Begeisterung, die Tschaikisten und Serbianer wollten sich nicht länger hal=ten lassen und drangen darauf, nun selbst zum Angriff geführt zu werden. Stratimirovitsch, der im Lager zu=gegen war, übernahm das Kommando und führte die serbischen Schaaren noch in der Nacht desselben Tages, an welchem das Treffen von Szent Tomas stattgefunden, aus dem Lager. Am Morgen des 3. (15.) Juli stand er in zwei Treffen vor Etschka. Oberst Kiß hatte ihn in Schlachtordnung erwartet. Mit seinem rechten Flügel an ein Gehölz und aus Wasser gelehnt, hatte er seine Kanonen im Centrum vor dem Dorfe aufgestellt und seine Kavallerie, die den linken Flügel bildete, in der Ebene neben dem Dorfe ausgebreitet. Eine Erhöhung des Ter=rains vor dem Orte hatte er zu besetzen vergessen. Stra=timirovitsch besetzte die Höhe sogleich mit serbischen Ka=nonen und ließ sein erstes Treffen gegen die Aufstellung Kiß's vorrücken, während seine Geschütze gegen die beiden feindlichen Flügel ein ununterbrochenes Feuer unterhiel=ten, das sie an jeder Entwickelung hinderte. Zwar konnte das erste Treffen der Serben, von den magyarischen Ka-

nonen hart mitgenommen, ebenfalls nur langsam vorrücken. Doch gelang es einer Abtheilung derselben bald,
hinter den Ziegelöfen vor dem Orte, aus denen sie die
Magyaren verdrängten, Schutz zu finden und das Centrum des Feindes zum Weichen zu bringen. Die Reiterei
des Obersten hatte unterdessen den rechten Flügel des
serbischen Treffens zu umgehen gesucht, um diesem den
Rückzug abzuschneiden. Da rückt das zweite Treffen der
Serben auf die Wahlstatt, wirft sich der Reiterei mit
dem Bajonnette entgegen und bringt diese nach hart-
näckigem Kampfe zum Weichen. Hierdurch gewinnt die
serbische Artillerie und das erste Treffen Zeit zum Vorrücken gegen das Centrum und der tollkühne Serbianer-
häuptling Jantscha entscheidet mit seinen handsarbewaff-
neten Kampfgefährten das Treffen. Oberst Kiß verläßt
Etschka und zieht sich nach Betschkerek zurück.

Konnten die Serben auch an ein weiteres Vorrücken
gegen Betschkerek nicht denken, da zu einem Angriff auf
dieses ihre Streitmacht nicht ausreichte; gebot ihnen sogar die Vorsicht, auch Etschka nicht zu besetzen: so war
doch die moralische Wirkung dieses Erfolges ihrer Waffen
eine bedeutende. Die Gegenaufstände im Banat hatten ein Ende.

Zwölftes Kapitel.

———

Während sich die Serben diesseits der Donau dem Könige von Ungarn und seiner Regierung entgegen in offene
Empörung stellten; während die Empörung, wenn auch
indirekt, doch auch gegen Oesterreich gerichtet schien, das
bisher nichts gethan, um seine alten Verheißungen in
Erfüllung zu bringen, und theilnahmlos abwartete, von
welchen Erfolgen die serbische Selbsthülfe begleitet sein
würde, ehe es sich für oder gegen sie entschied; während sich die Schilderhebung jeden Augenblick direkt auch
gegen Oesterreich kehren konnte, um weiterausgreifende
Pläne zu verwirklichen, die auf dem Punkte waren, auf-
zuhören Geheimniß zu sein, konnte die Regierung des
jenseitigen Serbien nicht theilnahmlos zusehen. Die
Partei, die in diesem Fürstenthume herrschte, war im
Jahre 1842 durch eine kurze Revolution an's Ruder gelangt. Michael, der junge Sohn des Fürsten Milosch
Obrenovitsch, der Nachfolger dieses, ebenfalls durch eine
Pallastrevolution der Regierungsgewalt entkleideten Geg-

ners Kara Georg's[1]), hatte die serbische Fürstenwürde
dem Sohne dieses Letzteren, Alexander Karagjorgjevitsch,
der bei ihm die Dienste eines Adjutanten versah, nach
zweijähriger Herrschaft überlassen müssen. Michael und
sein Vater lebten, umgeben von einer kleinen Emigra-
tion, im Auslande, theils auf Reisen durch die ersten
Städte Europa's, größtentheils jedoch in Wien. Sowohl
Milosch aber als Michael hatten in Serbien ihre Parteien zurückgelassen. Keine von beiden hatte aufgehört
zu hoffen, und namentlich waren es die Anhänger des
jungen Michael, — unter dessen Herrschaft in Serbien
alle Fächer geistiger Thätigkeit einen jugendkräftigen Aufschwung zu nehmen begannen, was seit seiner Entfernung
wieder nachgelassen, — die sich von Tag zu Tag mehr-
ten und den augenblicklichen Machthabern manche Be-
sorgniß einflößten. Die Bewegung der Serben in Ungarn war nicht eine bloß eng nationale, sie trug auch
das Bestreben nach umfassenderer nationaler Einigung
in sich, und es wohnte ihr jenes liberale Element inne,
nach dessen Verwirklichung sich die Jugend des serbischen
Fürstenthums sehnte. Die Aufrufe zur Hülfe, zum Anschlusse, die von Karlovitz an alle serbischen Brüder aus-
gingen, konnten die Bewegung leicht über den Boden
Ungarns und Oesterreichs hinaus tragen, und nament-

---

[1]) Kara und Cerni, jenes türkisch, dieses serbisch, bedeuten
beide schwarz. Kara Gjorgje und Cerni Gjorgje sind daher
gleichbedeutend.

9

lich im Fürstenthume Serbien einen Anklang erwecken, dessen Tragweite nicht zu berechnen war. Tausende von Unterthanen des Fürstenthums hatten die Donau bereits überschritten, um in den serbischen Lagern der Batschka, Syrmiens und des Banates zu kämpfen. Ein Geringes, eine unvorhergesehene Wendung der Begebenheiten, und Michael konnte der Name werden, um den sich die serbische Revolution schaarte. Zudem war der junge Fürst um die Mitte des Juni in der Batschka persönlich erschienen. Die fürstliche Regierung sah sich veranlaßt, eine Skupschtina auf den 30. Juni (11. Juli) nach Kragujevaz auszuschreiben, um über das Verhalten zu berathen, das der serbischen Schilderhebung gegenüber fortan zu beobachten sei. Fürst Alexander, staatsrechtlich an eine neutrale Stellung gewiesen, sah sich, außer der Gefahr, die seiner eigenen Person drohte, auch noch von zwei andern entgegengesetzten Seiten gedrängt. Der Obbor forderte Hülfe gegen den gemeinsamen Feind aller Serben. Die Stimmung seines Volkes billigte nicht nur diese Forderung, sondern hatte sich bereits durch zahlreiche freiwillige Theilnahme an dem Behauptungskampfe der Brüder in Ungarn und Oesterreich geoffenbart. Ungarn drang durch die Stimme der Pforte und des französischen Konsuls von Belgrad auf strenge Beobachtung der Neutralität und auf Zurückberufung der serbischen Unterthanen von österreichischem Boden. Diesem Verlangen mußte entsprochen, die Stimmung des Volkes mußte berücksichtigt und das eigene Interesse gewahrt

werben. Den biplomatischen Anforberungen Genüge zu
leisten, beschloß die Skupschtina, bie fremben Regierun=
gen wieberholt ber Neutralität bes Fürstenthums zu ver=
sichern. Die nach Oesterreich und Ungarn übergetretenen
Serbianer wurden zur Rückkehr aufgeforbert und ber fer=
nere Uebertritt in bas Gebiet jenseits ber Donau unter
ben strengsten Anbrohungen untersagt. Die Stimme bes
Volkes zu berücksichtigen, wurde zwar bem Obbor offi=
ziell erklärt, bie serbische Regierung sei als solche nicht
im Stanbe, bem Begehren nach Unterstützung ber öster=
reichisch=serbischen Sache nachzukommen, konfibentiell jeboch
bebeutet, baß man freiwillige Zuzüge aus Serbien zwar
nicht anorbnen könne, jeboch auch nicht hinbern werde.
Die Interessen ber regierenben Partei zu wahren, wurden
Agenten nach Karlovitz und in sämmtliche Lager gesanbt,
und für gut erachtet, baß ein Mann von Einfluß sich als
Freiwilliger an bie Spitze ber Serbianerfreischaaren stelle.
Dieser sollte in ben Reihen ber Insurrektion kämpfen,
sollte jeboch ben Gang ber letzteren genau beobachten,
um, sobalb sich in ihr feinbliche Tenbenzen gegen bie
bestehenbe Orbnung bes Fürstenthums ober auch gegen
Oesterreich kund geben würben, bereit zu sein, sich ihr
gegenüberzustellen. Stefan Petrovitsch, von seiner Hei=
math Knitschanin genannt, ein treuer Anhänger bes Soh=
nes Kara Georgs, war bereit, biese Senbung zu über=
nehmen, und legte, ba es bie Regierung nicht wohl zu=
lassen konnte, baß er als Mitglied bes Sovet (Senat
von Serbien) sich ben Freischaaren anschließe, seine Se=

9*

natorswürbe nieder, um, wie tausend Andere, über die
Donau zu setzen, über die ihm eine große Anzahl von
kampfbereiten Serblanern vorangegangen. — Die serbische Nation bekleidete ihn mit dem Range eines Obersten,
und Knitschanin bezog die Lager des Banates, wo er
sich mit der Heeresabtheilung des Nationaloberstlieute-
nants Bobalitsch vereinigte, und fortan, mehr minder
selbstständig, an den Kämpfen Theil nahm. —

Sollten die Erfolge von Szent Tomas, Földvar und
Etschka nicht fruchtlos gewesen sein, so mußte dem Obbor
daran liegen, im Banate einen festen Stützpunkt für die
weitern Widerstandsoperationen, einen Mittelpunkt für
die Ausbreitung seines Einflusses über diesen Landstrich,
für die energischere Leitung der öffentlichen Angelegenheiten im nationalen Sinne zu gewinnen. Pantschevo,
als die größte und wohlhabendste Stadt im südlichen
Banate, schien wegen seiner Lage an der Donau sowohl,
als wegen seiner vorwaltend serbischen Bevölkerung hiezu
am geeignetsten. Zwar war hier vor längerer Zeit ein
okružni odbor (Kreiskomité) niedergesetzt worden. Dieser war jedoch nicht im Stande gewesen, sich zu behaupten. Das Kommando des Deutschbanater Regiments-
bezirkes, das in Pantschevo als dem Stabsorte dieses
Regimentes seinen Sitz hatte, und von dem kommandirenden Generale von Temesvar, Feldmarschalllieutenant
Piret, der gleich Grabowski die Weisungen der ungarischen Regierung vollzog, seine Befehle empfing, hielt jede
Agitation im Sinne des Obbors aufs kräftigste nieder.

Unterſtützt wurde es hiebei durch die Nähe des magya-
riſch geſinnten Stabsortes des illyriſchbanater Regiments,
Weiskirchen, in welchem der Honvedmajor Maderspach,
ein deutſcher Gutsbeſitzer aus dem Banate, den Oberbefehl führte, und durch die magyariſchen und deutſchen
Einwohner von Pantſchevo ſelbſt, von denen es ſeit längerer Zeit bekannt war, daß ſie mit einer weit ausgebrei-
teten Erhebung gegen die ſerbiſchen Intentionen umgingen.
Dieſer vorzubeugen und Pantſchevo ſobald als möglich
völlig in ſeinem Beſitz zu ſehen, gebot dem Odbor die
Vorſicht ſowohl als die Klugheit. Eine Expedition nach
dieſer Gränzkommunität war die erſte und bringendſte
Aufgabe, die gelöſt werden mußte. Am 11. (23.) Juli
erſchien der Präſident des Odbors an der Spitze einer
Truppenabtheilung plötzlich in Pantſchevo, nahm die
8 Kanonen, die ſich hier vorfanden, in Beſchlag, ließ ſie
geladen auf dem Hauptplatze aufführen und drohte mit
rückſichtsloſer Niederſchließung, wenn es Jemand wagen
würde, ſich ſeinen Befehlen zu widerſetzen. Der Magi-
ſtrat wurde auf das Stadthaus berufen, mit ihm die an-
geſehenſten Bürger der Stadt und die vorzüglichſten Führer
der magyariſchen Gegenbewegung. Die bewaffnete ſerbiſche Einwohnerſchaft wurde aufgeboten und auf dem
Hauptplatze unter den Befehl ſerbiſcher Offiziere geſtellt.
Der magyariſchen und deutſchen Bevölkerung wurden die
Waffen abgefordert und als Bürgen für den Vollzug dieſer Entwaffnung die Führer der Konſpiration auf dem
Stadthauſe zurückbehalten.

In den nächsten Stunden waren bei 2000 Stück Waffen abgeliefert. Die Untersuchung förderte eine namhafte Masse von Munitionsvorräthen zu Tage und ließ an den eisernen Läden der Fenster und an den Thoren Schießscharten entdecken, über deren Zweck kein Zweifel obwalten konnte. Der Magistrat blieb die ganze Nacht in Permanenz, und während die Lunten an den Kanonen glommen, erließ der Obbors-Präsident das Manifest vom 12. (24.) Juli an die verschiedenen Volksstämme des Banats. Allen Städten, Dörfern, allen Religionen und Nationalitäten, nicht nur den Serben, sondern auch den Magyaren, Kroaten, Slovaken, Deutschen und Rumänen, wie überhaupt jedem Menschen, sofern er nicht feindlich gegen die Sache der Serben handelt, wurde Sicherheit, Gefahrloshaltung und Schutz gegen jeden Feind und jede Ungerechtigkeit garantirt. Dagegen wurden über jeden Feind derselben und wäre es selbst ein Serbe, die Gewalten des Krieges verhängt. Wer Aufträge von irgend einer dem magyarischen Ministerium gehorchenden Behörde übernahm, ohne den Obbor davon in Kenntniß zu setzen, wer Waffen oder Munition verheimlichte, wer mit den Magyaren offen oder heimlich gegen die Sache der Serben verkehrte, war gebunden dem Pantschevoer Kreisobbor zur Bestrafung zu überliefern. Ortschaften, welche sich des Verrathes schuldig machen sollten, wurden mit dem Schicksale von Szent Mihaly und Uzdin bedroht. Alle bisherigen Obrigkeiten, General-, Regiments- und Gränzkommandanten, alle Komitate und Magistrate wurben suspendirt und es wurde verboten, ihnen irgend welchen Gehorsam zu leisten. Zur Fortführung der Angelegenheiten wurden Orts-Obbors eingesetzt, welche die Geschäfte in der Sprache der Mehrheit der Ortsbewohner zu leiten, dann dem Kreisobbor und durch diesen dem Haupt-Obbor zu Karlovitz zu unterstehen hatten. Proklamationen und Erlässe des österreichischen Ministeriums mußten ebenfalls dem Hauptobbor angezeigt und diesem zur Prüfung vorgelegt werden. Zum Oberkommandanten des Pantschevo-Deliblater Lagers wurde endlich der Oberstlieutenant der Nation, Bobalitsch, ernannt. Das Manifest schloß mit den Worten: „Wir kämpfen nur gegen denjenigen, der die Verfassung verhöhnt, die Freiheit für sich allein geschaffen wähnt, für uns Andere aber Sklavenketten; der Brüderlichkeit im Munde führt, in der That aber uns zu knechten bezweckt, der endlich die Staatskasse Ungarns, die zumeist aus slavischem, deutschem und rumänischem Schweiße gesammelt worden, zum Vortheile der kleinen Fraktion des magyarischen Stammes und zu unserer Knechtung treulos mißbraucht.‟

Dreizehntes Kapitel.

Die unerwarteten Erfolge der serbischen Waffen, der
rasche Aufschwung, den die Bewegung vom passiven
Widerstande zur thätigsten Kraftäußerung, vom Stadium
bemüthiger Deputationen zum Stadium der Revolution
genommen, das tägliche Anschwellen ihrer Macht und
ihres Umfanges endlich, konnte nicht verfehlen, auch auf
jene Kreise bestimmend zurückzuwirken, deren nächstes Thun
und Lassen durch den Stand der Dinge in Kroatien sowohl als an der unteren Donau bedingt war — auf
den österreichischen Hof und auf die magyarische Regierung. Jener, noch vor zwei Monaten eben so wenig mit
Entschiedenheit für als gegen die Sache der Serben ge-
stimmt, noch eben so wenig fest entschlossen, sie der magyarischen Staatstheorie zu opfern, als ihr Konzessionen zu
machen, um sich ihrer zur Befestigung des österreichischen
Thrones auf neuen Grundlagen zu bedienen, der österreichische Hof erkannte nun in der serbischen Bewegung
eine Kraft, die, sich selbst überlassen, leicht in Bahnen

gerathen konnte, die eben so wenig zum Frommen des Gesammtstaates führen würden, als jene, welche die anderen nationalen Parteien Oesterreichs, die deutsche, magyarische und italienische, betreten hatten, eine Kraft, die andrerseits durch Zugeständnisse gefügig gemacht, neben der Kroatiens der Durchführung einer zentralisirten Gesammtmonarchie bienstbar werden konnte. Die magyarische Regierung ihrerseits erkannte, daß sie nicht eine Horde von Räubern auseinanderzusprengen, sondern ein bewaffnetes Volk zu bezwingen habe. Da sie schon zu weit gegangen, um durch ein Eingehen auf die Wünsche des serbischen Volkes die Schilderhebung mit einem Male zu entwaffnen[*]), mußte sie um so mehr zu verdoppelten Kraftanstrengungen, zu allen ihr zu Gebote stehenden Mitteln des Rechts und der Gewalt greifen, um sich Geltung zu verschaffen, als sie erkannte, daß ihre Behauptung an der unteren Donau fortan Bedingung ihres Bestandes geworden, und die Pläne des österreichischen Hofes offen vor ihren Augen lagen.

Der Mann, dem der österreichische Hof die Lenkung der kroatischen Bewegung zum Frommen des Thrones

---

[*]) Der magyarische Regierungskommissär Egressy berichtet dem Kossuth hirlapja, am 18. (30.) Juli sei ein Parlamentär in den Römerschanzen gewesen. Die Serben haben ihm erklärt, daß sie bereit seien, augenblicklich die Waffen niederzulegen, wenn ihnen die Wahl eines Wojwoden und Patriarchen bewilligt, ihre Sprache und Religion garantirt, die Wojwodschaft als Territorium der ungarischen Krone gestattet und dem Wojwoden Sitz und Stimme am Landtag eingeräumt würde.

und zur Erzielung des unbedingten Anheimfallens Ungarns an den österreichischen Gesammtstaat, anvertraut hatte, war der Banus des dreieinigen Königreichs Kroatien, Slavonien und Dalmatien. Ein Handbillet des Kaisers und Königs billigte alle seine Schritte in diesem Sinne und bekleidete ihn mit ausgedehnter Macht. Der Mann, der es am besten über sich nehmen konnte, die Bewegung der Serben in Gleise zu leiten, die zu demselben Ziele führten, schien der Patriarch, den man bei Hofe als eine eben so einflußreiche wie gewandte und schon seines hohen Alters wegen eher zur einräumenden Mäßigung als zur überströmenden Revolution geneigte Persönlichkeit kennen gelernt hatte.

Wie ungünstig auch die Audienzen zu Innspruck am 2. (14.) Juni ausgefallen; wie wenig Hoffnung vorhanden war, daß bei dem Vergleiche, den der Erzherzog Johann zwischen Kroatien und Ungarn versuchen sollte, den Beschlüssen vom 1. und 3. Mai genügende Rücksicht werden würde; wie kleinmüthig auch der Patriarch seine Rückreise von Innspruck über Agram antrat; die Hoffnung auf eine friedliche Schlichtung der vielverwickelten Streitsachen, auf eine friedliche Anerkennung der Wahlen und Beschlüsse von Karlovitz, hatte er nie aufgegeben. Der achttägige Aufenthalt in der Residenz des Banus, zu dem er sich auf der Heimreise durch Krankheit gezwungen sah, gab ihm Gelegenheit, sich für überzeugt zu halten, daß die Gewährleistung der Wünsche der serbischen Nation eben so nur der Preis der Unterstützung

Oesterreichs gegen Ungarn sein könne, wie die Erfüllung
der Wünsche Kroatiens. Es wurde im Patriarchen zur
unumstößlichen Erkenntniß, daß der serbischen Nation,
von Ungarns Landtag und von Ungarns König abge-
gewiesen, nichts übrig bleibe, als sich dem Kaiser von
Oesterreich in die Arme zu werfen, wenn sich dieser auch
anfangs sträubte, sie dem Volke, das sich ihm als Opfer
darbot, zu öffnen. Nicht erzwingen sollte das serbische
Volk die Erfüllung längst empfangener Zusicherungen,
sondern neuerdings verdienen. Wie alle Häupter der
slavischen Parteien in Oesterreich, hielt auch der Patriarch
die Geltendmachung des Slaventhums durch die Parteinahme gegen die Widersacher Oesterreichs bedingt.

Der Charakter, den die serbische Schilderhebung durch
die Thätigkeit des Odbors und seines Präsidenten angenommen, hatte daher den Patriarchen, da er um die
Mitte des Juli zurückgekehrt war, nicht für sich zu gewinnen vermocht. Die geschlagenen Schlachten hatten
ihn zwar mit Bewunderung erfüllt und sogar seinen
Stolz nicht ungeweckt gelassen; die Kriegsrüstungen aber,
die Lager, die Heeresabtheilungen unter der Anführung
von Offizieren, die den Prinzipien des Odbor mit Begeisterung ergeben waren, hatten ihn mit einer Beunruhigung erfüllt, die er nicht zu verbergen vermochte.
Stimmen waren laut geworden, die dieser Beunruhigung
Motive zu Grunde legten, welche den Einfluß und das
Ansehen des Patriarchen zu untergraben drohten. Seine
nächste Umgebung hatte angefangen, ihn für unschlüssig,

für schwankend in der Sache der Nation, der Obbor ihn für unverläßlich, für beeinflußt durch Inspirationen aus Innspruck zu halten. Die Klugheit hatte dem Patriarchen Einfluß und Ansehen zu retten geboten, sollte nicht seine Person, sollte nicht, wie er glaubte, die Sache der Nation aufs Spiel gesetzt sein. Er hatte sich daher dem Obbor zur Verfügung gestellt und war noch ehe es durch Waffengewalt unterworfen war, nach dem unsicheren Pantschevo geeilt, um durch seine Erscheinung, durch sein Wort die Gegenbewegung niederzuhalten, er eilte in die Lager, um die versammelten Heereshaufen zu begeistern. Die Nation begrüßte ihn dafür, wo er immer erschien, mit den lautesten Ovationen und der Obbor übertrug ihm den Titel eines Upravitelj naroda, eines Verwesers der Nation.

Dieser Akt war für den weiteren Fortgang der Bewegung entscheidend.

Der erste und wichtigste Schritt, um ihr jene Richtung zu geben, welche der Banus in der Leitung der kroatischen Bewegung verfolgte, war gethan. Der Patriarch hatte die Zügel der Verwaltung ergriffen, den Einfluß des Obbors geschwächt, indem er ihn zu Sektionen für die einzelnen Regierungszweige umbildete, mit denen er sich umgab, den Uebereifer des jungen Obborpräsidenten eingeengt, indem er ihn auf den Oberbefehl über die Nationalarmee beschränkte und von jedem Verwaltungsakte fern hielt. Das Erscheinen des Banus in Slavonien und Syrmien, die Popularität dieses Generals, den die Revolution in dem Zeitraum weniger Wochen mit den höchsten bürgerli-

chen sowohl als militärischen Ehren bekleidet hatte, konnte
nur dazu dienen, diese Richtung zum Theil vorzubereiten,
zum Theil zu befestigen. Wo der Banus erschien, dort
wiederholte er die Versicherung, daß er nicht nur die Slaven in Ungarn von den Fesseln unwürdiger Abhängigkeit
von einem andern Volksstamme befreien, sondern die Slaven im ganzen Umfange des Kaiserstaates von der Bevormundung anderer Nationalitäten erlösen wolle, um
ihnen jene Geltung zu verschaffen, die sie als Nation zu
beanspruchen das Recht haben. Wo er sprach, dort bewies
er dem Volke, daß die Behauptung der nationalen Interessen, für die es unter Waffen stand, mit der Behauptung
Oesterreichs Hand in Hand gehe, daß Ungarn für den
Kaiser von Oesterreich erobern, das Slaventhum in Oesterreich zur Geltung bringen heiße.

Ein selbstständiges magyarisches Reich und Knechtschaft der Südslaven; ein einheitliches Oesterreich und
gleichrechtliche Geltung der Slaven, das war die Zauber-
formel, mit der der Mann, den das Volk den seinen
nannte, und in dem es alle seine Wünsche und Hoffnun-
gen verkörpert erblickte, alle Geister und alle Gemüther
beherrschte. Offiziere aus der Militärgränze, die es aus
militärischer Loyalität vorgezogen hatten, ihrem Range
eher zu entsagen, als in die Reihen der Schilderhebung
zu treten, nahmen nun Dienste in der serbischen Insur-
rektionsarmee. Der Banus selbst sandte Munition und
geübte Artilleristen, und das Fürstenthum Serbien, durch
diese Wendung der Dinge beruhigt, erleichterte den Ueber-

tritt neuer Freiwilligen und hatte nichts dagegen einzu-
wenden, daß Munitions- und Geldunterstützungen aus
Belgrad den Lagern der Batschka und des Banats zu-
flossen. Das Vertrauen Oesterreichs, daß ihm in der
serbischen Schilderhebung ein getreuer, weil mit ins Interesse gezogener Bundesgenosse gegen die immer gewaltiger heranwachsende Rechtslogik des Pester Parlaments
herangebildet werden würde, gestattete es nun auch dem
Geschäftsträger des österreichischen Hofes zu Belgrad,
Oberstlieutenant Mayerhofer[1]), der schon zur Zeit des
Bombardements von Karlovitz sich der serbischen Erhebung
gewogen gezeigt und sich seitdem von Wien persönlich
Verhaltungsmaßregeln geholt hatte, sich dem Patriarchen
zu nähern, in vertraulicher Weise die Interessen seines
Hofes bei der Odborsverwaltung zu Karlovitz zu vertreten, so wie den serbischen Unternehmungen die Unterstützung Oesterreichs zuzusagen. Eine Desavouirung auf
der Ministerbank des österreichischen Reichstages durfte
den Konsul von Belgrad eben so wenig von dem weiteren
Verfolge des festgesetzten Zieles abhalten, als sich der
Banus durch das Innsprucker Manifest vom 10. Juni
irre machen lassen durfte.

Die serbische Revolution war in die Fußstapfen der
kroatischen gelenkt, sie konnte fortan nicht anders als die
Interessen Oesterreichs verfechten. Die Gewährleistung
der eigenen war ihr dafür verheißen.

---

[1]) In diesem Augenblick General und mit der höchsten Würde
der Wojwodina, mit der Würde des Vicewojwoden bekleidet.

Noch aber stand die magyarische Regierung mit festem Fuße in den serbischen Landstrichen — sie hatte die Festungen. Waren diese auf die Seite des Banus gebracht, so war die Macht Oesterreichs wenigstens in der südlichen Hälfte Ungarns eine vollendete Thatsache. Der Banus schrieb an den Kommandanten von Temesvar und lud den Kommandanten von Peterwardein zu einer Zusammenkunft bei der Kapelle Maria Schnee auf dem halben Wege zwischen Karlovitz und Peterwardein. General Grabowski erschien am 7. (19.) Juli an dem bezeichneten Orte. Die Konferenz wurde in einem seitwärts gelegenen Hause abgehalten, der General aufgefordert, sich der Sache, die Kroatien verfocht, anzuschließen, die Aufforderung durch Beweise unterstützt, daß diese Sache nicht nur im Interesse des kaiserlichen Hofes, sondern auch mit dessen Bevollmächtigung und Gutheißung geführt werde. Der General berief sich seinerseits auf die soldatische Pflicht, die ihm gebiete, den Weisungen desselben Hofes, die ihm geworden, Gehorsam zu leisten. Die Sonderung des Kaisers von Oesterreich von dem König von Ungarn war dem alten Krieger, der in der Ergebenheit gegen die Eine Person, die beide Würden in sich vereinigte, eine zu strupulöse, und sollte er schon blos einem von beiden dienen, so wollte er sich an das halten, was er Schwarz auf Weiß in Händen hatte. Die Konferenz blieb ohne Erfolg und es mußte dem Fortgange des Krieges anheimgestellt werden, was durch Kompromisse nicht zu erzielen war.

In dem Kabinette sowohl als in dem Parlamente zu Pest brachten die Ereignisse von Szent Tomas und Föld-var das Mißtrauen zum vollen Ausbruche, das gegen die Männer, die mit der Wahrung der Interessen Ungarns an der unteren Donau betraut waren, längst rege geworden war. Die Kommiffäre wurden der Unentschiedenheit und Feigheit, die Generale der Unverläßlichkeit und Ungeschicklichkeit beschuldigt.

Die Abberufung aller Jener vom südlichen Kriegs-schauplatze, die von der Stimme des magyarischen Volkes als Schuldträger an den erlittenen Niederlagen, als Förderer des serbischen Aufstandes durch schonenden oder unentschiedenen Gebrauch der ihnen anvertrauten Voll-machten bezeichnet waren, wurde beschloffen. Neue Vice-gespane wurden ernannt, Moritz Szentkiralyi, einer der feurigsten Redner des Hauses, in deffen streng magyari-sche Gesinnung kein Zweifel gesetzt werden konnte, als Regierungs-Kommiffär in die Batschka gesandt. Der Patriarch, als Urheber der Maibeschlüffe und weil er die Weisung der Regierung, die Kirchenversammlung zuerst auf den 15. (27.) Mai und dann auf den 15. (27.) Juni auszuschreiben, nicht beachtet, wurde seiner Metropolitenwürde entsetzt und zur Verantwortung vorge-laden, und der griechisch-nicht-unirte Bischof von Pest, Plato Atanatzkovitsch, zu seinem Nachfolger bestimmt.

Die neuen Kommiffäre wurden durch einen Palatinal-erlaß ermächtigt, in den insurgirten Komitaten eigene Re-volutionsgerichtsstühle einzusetzen, die aus Gliedern der

Linie, der Honved und der Garde bestehen und mit aller Strenge das Kriegsstandrecht üben sollten. Die Heeresmacht sollte ferner durch Freischaaren vermehrt und durch einen Beschluß des Parlaments darauf gedrungen werden, daß die magyarischen, außerhalb des Reiches garnisonirenden Regimenter (mit Ausnahme jener, die in Italien fochten) nach Ungarn berufen, und die unverläßlichen erbländischen Truppen dafür aus dem Lande geschafft werden. Mit der Ausführung der Standgerichtsmaaßregeln wurden die Generale Hrabowski, Bechtold und Piret beauftragt, der Beschluß wegen des Truppenaustausches unverzüglich zur Sanktion an den König gesandt. Hrabowski aber, einer Stellung überdrüßig, in der ihn seine Begriffe von Pflicht nichts als eine Quelle unheilvoller Konflikte erkennen ließen, suchte um seine Entlassung, General Piret um seine Pensionirung an. Der Kriegsminister Meßaros hingegen verkündete dem Hause, daß er sich selbst nach dem Kriegsschauplatze begeben, die Rüstungen in Augenschein nehmen und den braven Vaterlandsvertheidigern bald Gelegenheit geben werde, die Scharten, die dem Schwerte Ungarns geschlagen worden, auszuwetzen.

Vierzehntes Kapitel.

Die Wendung der Dinge in Karlovitz nahm vorläufig keinen Einfluß auf den Fortgang der Ereignisse auf dem Kriegsschauplatze. Die von Pest ausgegangenen Anordnungen machten nur die Erbitterung, mit der sie vor sich gingen, steigen, und eröffneten den Furien des Racenkrieges, dem Fanatismus, der Lynchjustiz, der Blutgier und der Grausamkeit einen weiteren Spielraum. Während jeder Tag an den Römerschanzen, bei den Lagern von Alibunar, Perlas, Tomaschevaz, bei Verbas oder Weißkirchen kleine, aber um so blutigere Gefechte brachte, überfielen einander die serbischen und magyarischen Einwohner in den Ortschaften, plünderten und trieben einander aus und richteten heute da, morgen dort sizilianische Vespern an. Während die Blutgerichte zu Betsche, Betschkerek, Kikinda und an zwanzig andern Orten ihre täglichen Opfer forderten, zogen hier serbische, dort magyarische Streifpatrouillen aus eignem Hange nach Kampf und Abenteuern über die Pußten, und übten das Amt des

Folter- und Henkerhandwerks an dem ersten Besten, dem sie begegneten, an Greisen, Weibern und Kindern auf eigne Faust. Man müßte eine Chronik der Grausamkeiten schreiben, wenn man all die Unmenschlichkeiten verzeichnen wollte, welche die Geschichte dieses Krieges zweier Völker bezeichnen, von denen eines das andere vom Erdboden zu vertilgen geschworen zu haben schien. Ein magyarischer Offizier schrieb zu jener Zeit dem Kossuth hirlapja, einem Organe des Pester Kabinets: „Von den Gefangenen werden täglich zwei bis drei gehängt, an die Popen kommt die Reihe zuletzt[1]." Barbareien, vor denen die Seele zurückschaudert, werden von den magyarischen Blättern jener Zeit als von den Serben, von den serbischen Blättern als von den Magyaren begangen erzählt, ein Beweis, daß sie keinem von beiden Theilen fremd waren, und daß die Geschichte nur zu fragen haben wird, wer zu solchen Scharten des Jahrhunderts Anlaß gegeben[2]. Selbst die Kirchen wurden nicht verschont.

---

[1] S. Kossuth hirlapja, Schreiben aus dem Verbaſer Lager vom 1. August.

[2] Die Memoiren über die magyarische Revolution bringen von dergleichen Gräueln zahlreiche Beispiele nach magyarischen Angaben. Nicht leicht wurde jedoch ein Krieg mit mehr beiderseitiger Grausamkeit geführt, als dieser. Wer das Land nach dem Kriege bereist hat, mag sich hievon leicht überzeugen. Es ist ein Vergehen gegen die Geschichte, wenn magyarische Memoiristen sich in dem Hervorheben dieses eigenthümlichen Merkmales des magyarisch-serbischen Krieges der Einseitigkeit hingeben. Der langjährige Haß zweier heißblütigen, leidenschaftlichen, in ihren untersten Schichten fast halbwilden Stämme schlug in tobenden Flammen

10*

Die Kirche zu Földvar war die erste einer langen Reihe
serbischer Bethäuser, die im Verlaufe zweier Sommer
verwüstet und geschändet werden sollten. Die Magyaren

gegeneinander, und es wäre ein Leichtes, eine von unserm Stand=
punkte aufgefaßte Darstellung der Ereignisse mit Anekdoten aus=
zustatten, die jenen in nichts nachstehen, mit welchen einige Schrift=
steller die ganze Geschichte des serbischen Aufstandes zu erschöpfen
glauben, wie z. B. Schlesinger. Als Gegenstücke mögen folgende
Einzelheiten serbischen Angaben entlehnt sein, auf die wir jedoch
nicht mehr Gewicht legen, als auf ähnliche Aufzeichnungen ma=
gyarischer Erzähler. Die Auswüchse sind in der Geschichte wie
im Leben nicht das Wesentliche. Das Wesentliche allein ist die
geschichtliche Bedeutung des Ganzen.

In Alt=Verbas wurde der Landmann Simeon Jlitsch von
magyarischen Garden überfallen, mit Pikenwunden bedeckt nach
Neu=Verbas geschleppt, hier an einen Pfahl gebunden und bei
Sturm und Wetter vier Tage lang so belassen, bis seine Wunden
einen pestartigen Geruch verbreiteten. Major Cintula verließ den
Mann im Sterben. In demselben Orte wurde der Lehrer Kosmas
Stojatschkovitsch nach vielfältigen Martern hingerichtet.

Eine siebenzigjährige Greisin, Toba Kowatschew, wurde am
2. (14.) Juli von streifenden Magyaren eingefangen, mit Peitschen=
hieben in's Verbaser Lager getrieben und hier nach neuntägigen
Qualen an einen Pfahl geschlagen. Während der unsäglichsten
Qualen und des tödtenden Durstes kehrte man sie der sengenden
Sonne zu. Ein gleiches Schicksal traf die Landleute Ivan Sto=
fitsch, Waßa Kutschin, Peter Popow, Jakob und Waßa Mijalow
aus Alt=Verbas.

Andreas Sawanßki aus Sz. Tomas wurde auf dem Wege
nach Feketehegy festgenommen, nach Alt=Ker in's Lager gebracht
und, da er einäugig war, auch noch des einen sehenden Auges be=
raubt. Nach dem für die Magyaren ungünstigen Treffen von
Sz. Tomas wurde er an einen Pfahl gebunden, gepeitscht und
halb entseelt am Ende des Dorfes mit einem Nagel durch den
Hals an einen Baum geschlagen.

nahmen für ihre Verheerungen und Gräuelthaten das
Recht der Legitimität gegen die Rebellen in Anspruch,
die Serben das der Nothwehr.

So hartnäckig jedoch gekämpft wurde, so wenig kam
es zu irgend einem andern Erfolge, als daß die Kräfte
einander maßen, ohne daß die eine oder die andere sich
eines bedeutenden Sieges rühmen konnte.

In der Ebene von Neuzina schlug sich eine Truppenabtheilung von 7—800 Mann geregelten Fußvolks und
Kavallerie fast die ganze erste Woche des August gegen
einen Haufen Landsturms von Jarkovaß und Tomasche-
vaß, der nach magyarischen Berichten 200 Mann zu Fuß
und 150 Reiter zählte. Bei Weißkirchen verdrängten
Lenkey's Husaren eine Schaar von Serbianern, die in
den Ort eindringen wollten, räumten jedoch den Ort
bald selbst und zogen sich nach Werschetz zurück, um dessen
Vertheidigung der Tapferkeit der Einwohner zu überlassen. Von Perlas aus nahmen die Serben im Banate
den Ort Usdin und äscherten ihn ein; bei Palanka in
der Batschka erschien ein magyarischer Kriegsdampfer und
zündete den Ort Nestin an, um sich gleich darauf wieder
zurückzuziehen. Am 20. August (1. Sept.) fiel der junge
Ungargraf Zichy bei Verbas in einem Gefechte mit einer
Handvoll Serbianern, zehn Tage später schlug Oberst
Castiglione die Serben bei Jarek an den Römerschanzen.

Mitten unter diesen schwankenden Vorfällen erschien
der wrhowni wožd der Serben, den der plötzliche Tod
seiner jungen Gattin eine Zeitlang vom Schauplatze fern

gehalten hatte, nachdem er sie in der Kirche des Klosters Kovil begraben, in dem festverschanzten Sz. Tomas, und der magyarische Kriegsminister, seiner Anzeige im Parlamente gemäß, in Szegedin. Ein bedeutenderes Waffenereigniß war vorauszusehen und mußte bald statthaben. Beide Theile sahen sich dazu gedrängt. In Pest schrie man über frevelhafte Unthätigkeit, in Karlovitz über leichtsinnige Vergeudung der Kräfte.

Die Heeresmassen, die unablässig aus der ganzen nördlichen Hälfte Ungarns dem Süden zuströmten, standen seit Wochen zerstreut in einem weiten Bogen, der sich von Weiskirchen über Werschetz, Temesvar, Szegedin, Theresiopel, Zombor und Peterwardein ausdehnte, und einzelne Lager nach Betschkerek, Betsche, Feketehegy, Verbas, O Ker und Temerin vorgerückt hatte. Dieser vortheilhaften, wenn auch der Zerstreuung wegen schwachen Stellung gegenüber sahen sich die Serben auf den Tschaiklistendistrikt, auf die großen Römerschanzen und auf den Umkreis von Sz. Tomas beschränkt.

Diese Sachlage wurde ebensowohl im Kriegsrathe der Magyaren als in jenem der Serben erkannt, und während Meßaros die Zusammenziehung der zerstreuten magyarischen Streitkräfte auf einen engern Kreis anordnete, mußte Stratimirovitsch darauf bedacht sein, die Linie der feindlichen Lager zu durchbrechen und seine Macht längs des Kanals gegen Zombor auszudehnen, wodurch einerseits die feindlichen Massen getrennt, andererseits den serbischen Ortschaften in der obern Batschka Gelegenheit geworben wäre, sich der Schilberhebung anzuschließen. Um bieses zu bewerkstelligen, mußte vor Allem das Sumpfbefilé von Sireg, das ben wichtigsten Uebergangspunkt über den Krivajasumpf bilbete unb bie Kommunikation der magyarischen Lager biesseits unb jenseits bes Sumpfes unterhielt, genommen werben. Alle Versuche waren bisher erfolglos geblieben. War es auch Einmal gelungen, bassselbe zu besetzen, so hatte es Tags barauf wieber geräumt werben müssen. Stratimirovitsch entschloß sich baher zu einem Handstreiche. In ber Nacht vom 31. Juli auf ben 1. (13.) August verließen bie Serben, bei 2000 Mann mit 8 Kanonen versehen, bas Lager, unb flogen auf kleinen Wagen, bie ihnen bie Vortheile ber leichten Reiterei ersetzen mußten, über bie Pußten gegen Verbas. War ihnen bas Glück günstig, so konnten sie Sireg burch Ueberraschung unb vielleicht ohne Schwertstreich besetzen. Fast hatte es ben Anschein, als sollte ihre Kühnheit von einem günstigen Erfolge gekrönt sein. Von magyarischen Vorposten war weit umher keine Spur, unb bie lange Wagentruppe fuhr, von keiner Seite behinbert, an ben Ort Verbas heran. Da bonnerten ihnen Kanonensalven ein lautes Halt entgegen. Auf ben Felbern vor Verbas stand eine breimal überlegene magyarische Macht unter General Wollnhofer in Schlachtorbnung. Man hatte im Lager von Verbas von bem Vorhaben ber Serben Kunde erhalten unb erwartete sie. Gebeckt burch ben hohen Kukuruz, unb von ben Kanonenkugeln, bie aus Geschützen von zu großem Kaliber kamen, überflogen, ließ Stratimirovitsch, der selbst kommandirte, Halt machen. An das Annehmen eines Treffens war nicht zu denken; es galt nur einen Rückzug unter den möglichst besten Umständen zu gewinnen. Um diesen zu bewerkstelligen, mußte jedoch der Kampf scheinbar eingegangen, der Gegner über die Stärke der Truppe getäuscht werden. Die Serben sprangen von den Wagen, ließen diese im Kukuruz zurück, machten Front und rückten, um vor den Geschützen desto gesicherter zu sein, bis auf 600 Schritt vor. Die Kukuruzfelder und eine Reihe von Weingärten, die sich längs des Kanales bis gegen Verbas hinzogen, mußten ihre Schwäche decken. Während die beiden Flügel der Magyaren vorzurücken begannen, mußten sich bei 200 Serbianer in die Weingärten werfen und durch ein lebhaftes und wohlgezieltes Plänkelfeuer die Aufmerksamkeit des Feindes auf sich ziehen. Hiedurch gewannen die Serben einen günstigen Moment, um ihre Geschütze bis auf 400 Schritt gegen die magyarische Reiterei aufzuführen. Während diese, von den serbischen Kugeln belästigt, einen Augenblick zurückweicht, und die magyarische Infanterie sich gegen die Weingärten wendet, findet das Gros der Serben Gelegenheit, in geordneten Massen sich auf die Kukuruzfelder zurückzuziehen. Ihre Geschütze und ihre Plänkler folgen ihnen, jedoch ununterbrochen fechtend. Die kühne Annahme des Kampfes, die im Kukuruz verborgenen Wagen lassen die Magyaren die kleine Truppe, die ihnen gegenübergestanden, für den Vortrab einer größern, den Rückzug für eine Kriegslist halten, und hält sie von der Verfolgung der Serben ab, die auf solche Art Zeit gewinnen, sich nach Sz. Tomas zurückzuziehen. —

Die zerstreuten magyarischen Heeresabtheilungen setzten sich nun allenthalben in Bewegung, um sich zu einer imponirenden Schlachtlinie zu konzentriren. Der Kriegsminister aber eilte, nachdem er mit den Generälen Kriegsrath gehalten, nach Pest zurück, um am 4. (16. August) dem versammelten Hause die Kunde von den Siegen der magyarischen Waffen bei Jarek, Sz. Tomas und Neuzina persönlich zu überbringen.

Der 5. (17. August) sah eine Heeresmacht von 40000 Mann mit 80 Geschützen in einem engen Kreise um die wenigen, jedoch durch die Beschaffenheit des Terrains begünstigten Aufstellungen der Serben gelagert. Von Peterwardein wehten ihre Fahnen über Temerin, O Ker, Kis Ker, Verbas, Feketehegy, O Betsche, Török Betsche, Tavas, Betschkerek bis Etschka, mitten durch die Batschka, am nördlichen Ufer des Kanales und am linken Ufer der Theiß.

Umspannt von diesem Kreise standen die Serben, bei 10000 Mann stark mit 45 Kanonen, in einem kleinern Bogen von Titel über Turia und Földvar bis Sz. Tomas längs des rechten Ufers der Theiß und zum Theil am südlichen, zum Theil am nördlichen Ufer des Kanals. Gelang es den Magyaren, Perlas und Titel zu nehmen; der Kern der Schilderhebung, die kleine Macht der Serben in und um Sz. Tomas hätte sich, ringsum von allen Verbindungen abgeschlossen, keinen Augenblick halten können. Sz. Tomas mußte fallen und der Sieg Ungarns an der untern Donau war entschieden. Diesen Sieg zu erkämpfen war die Aufgabe des kombinirten Angriffes auf alle serbischen Positionen, der vom Kriegsminister vor seiner Rückkehr nach Pest beschlossen worden war.

Die Lage der Serben war sowohl ihrer unverhältnißmäßigen Minderheit als ihrer unzulänglichen Bewaffnung wegen eine entschieden mißliche. Der einzige Vortheil, auf den sie sich stützen konnten, war die Gunst des Terrains, die einzige Macht, auf die sie bauen konnten, die ihres Muthes, ihrer Tollkühnheit, ihrer Todesverachtung. Die Ufer der Theiß in ihrer ganzen Ausdehnung von Titel bis Földvar sind so sumpfig, daß es nur wenige Stellen giebt, an welchen dieser Strom für größere Truppenmassen praktikabel ist. Es sind dies die Punkte bei Kamen, Moschorin, Shablja, Tavas und Tschurug, die überdies nur einer schwachen Besatzung bedürfen, um einer noch so überlegenen Macht den Uebergang zu verwehren. Waren diese Punkte besetzt, so war die Theiß gesichert, der rechte Flügel gedeckt. Den Mittelpunkt der serbischen Aufstellungen bildeten die Orte Turia und Földvar, am südlichen Ufer des Franzenskanals gelegen und durch diesen, so wie durch die jenseitigen Sümpfe vor dem Feinde gedeckt. Dem linken Flügel bot sich keinerlei natürliche Deckung dar. In Sz. Tomas, dem Stützpunkte dieses Flügels und dem

Schlüsselpunkte der gesammten Aufstellung, mußte Besatzung und Befestigung den Abgang natürlicher Schutzmittel ersetzen. Hier mußte die Hauptmacht versammelt und auf einen verzweifelten Kampf gefaßt sein.

Sz. Tomas, ein Marktflecken von 8—10000 Einwohnern, liegt am nördlichen Ufer des Kanales auf einer Landspitze, die durch die Mündung des ausgedehnten Krivajasumpfes in diesen Kanal auf ähnliche Weise gebildet wird, wie die Landspitze, auf der Komorn liegt, durch die Vereinigung der Waag mit der Donau. Gegen Verbas zu ist die Landspitze offen. Eine Brücke über den Kanal führt in die südliche Batschka gegen Temerin und die Römerschanzen, ein schmaler Damm über den Sumpf gegen O Betsche, Feketehegy in die nördliche Batschka und in's weitere Ungarn. Waren diese beiden Zugänge verschanzt, so blieb nur noch die Sicherung der offenen Seite gegen Verbas übrig, und Sz. Tomas war befestigt. Zum Schutze der Brücke war ein Brückenkopf am südlichen Ufer des Kanals, zum Schutz des Dammes eine Sternschanze aufgeführt, die den Namen Srbobran führte. Die offene Seite war einige hundert Schritte außerhalb des Ortes durch eine lange Erdwalllinie geschlossen, die sich, ähnlich den Palatinalschanzen von Komorn, quer über die Fläche vom Kanale bis zum Sumpfe hinzog. Das südliche Ende dieser Linie, die den Namen Verbaser Schanze führte, war von dem Kanale durch ein Stück rohrbewachsenen Sumpfes geschieden, das nördliche mit einer gut angelegten Lünette versehen.

Am 6. (18.) August setzte sich die magyarische Heeresmacht in Bewegung. Die Generale Bechtolb, Eder, Hrabowski und Wollnhofer führten das Kommando, Kollowrat, Bakonyi, Eszterhazy und Ernst Kiß führten die Abtheilungen. Damjanitsch stand als Major an der Spitze eines Honved-Bataillons. Die magyarische Hauptmacht, bei 25000 Mann stark mit 40 Kanonen rückte gegen Sz. Tomas, eine Kolonne von 10000 Mann mit 20 Geschützen gegen Turia und Földvar, während der Rest der Macht den Uebergang über die Theiß an einem der praktikabeln Punkte zu forciren hatte, um die Einschließung der Serben zu vollenden, ihnen den Rückzug auf Titel abzuschneiden und sie im Falle des Sieges zu vernichten. Noch am Nachmittage desselben Tages wurden sämmtliche Punkte angegriffen, das Gefecht jedoch nach einer mehrstündigen Kanonade, die an mehrern Stellen zündete, ohne weiteren Erfolg abgebrochen.

Der wrhowni wožd hatte an diesem Tage sein Hauptquartier in Josefsdorf im Tschaikistenbezirke. Auf die Nachricht vom Angriffe übertrug er die Vertheidigung der Theißstrecke an Surdutschki, den Kommandanten der Römerschanzen, und eilte, von zwei Kompagnien entschlossener Gränzer und zwei Kanonen begleitet noch in der Nacht über die Sümpfe von Tschurug und Földvar, oft hart an den magyarischen Vorposten vorbei, nach Szent Tomas, früh genug, um die Vertheidigung der wichtigen Punkte von Turia und Földvar bewährten Führern zu übergeben und die Vertheidigung von Sz. Tomas selbst zu übernehmen.

Kanonenkugeln, die am folgenden Tage um drei Uhr Morgens in das Hauptquartier des wrhowni wożd einschlugen, zeigten an, daß der Angriff auf Sz. Tomas neuerdings beginne, Kanonendonner aus der Ferne, daß der Angriff auf der ganzen Linie in einer Ausdehnung von sechs Meilen begonnen habe.

Gegen Sz. Tomas, das Hauptobjekt des Angriffes, rückten drei Heeresabtheilungen heran: die eine in der Richtung auf die Verbaser Schanzen, die zweite gegen den Brückenkopf und die dritte gegen die Sternschanze und den Sumpfdamm. Alle drei Kolonnen eröffneten gleichzeitig ein heftiges Geschützfeuer gegen den Ort, der neuerdings an mehreren Punkten zu brennen begann. Weiber und Kinder griffen nach den Löschkannen und schleppten die Feuerspritzen vor die auflodernden Häuser; Greise, Männer und junge Leute schlossen sich den Vertheidigern an und eilten, ein altes Schlachtenlied anstimmend, an die Schanzen. Den Brückenkopf vertheidigte Wnorowski, ein Pole von seltener Entschlossenheit und Kaltblütigkeit, den der Obbor mit der Organisirung der serbischen Artillerie beauftragt und zum Kommandanten des gesammten Geschützwesens ernannt hatte, mit etwa 1500 Gränzern, 200 Serbianern und 4 Geschützen. Die Sternschanze hatten 500 Serbianerschützen übernommen. Den Sumpfdamm vertheidigte Rabonitsch, ein junger Mann, der nie früher Kriegsdienste geleistet

und der sich bei jeder Gelegenheit durch eben so viel
Kühnheit als strategisches Geschick hervorthat. Um mit
den geringen Mitteln das Möglichste zu erreichen, hatte
er über Nacht auf den Trümmern eines abgebrannten
Hauses seine zwei Geschütze aufgeführt und seine Kompagnie Gränzer hinter Schutt und Gesträuch mit einer
Zuversicht aufgestellt, als verfügte er über ganze Regimenter. An der Verbaser Linie standen unter Bigga
und Bosnitsch bei 4000 Peterwardeiner, Tschaikisten und
Serbianer, ein buntes Heer, das die knappe Gränzer-
montur abgeworfen hatte und sich im bequemen Bauern-
anzuge aus weißem Linnen und blauem Tuche an den
Wall hinstellte, um beim begeisternden Schalle einer
schlechten Feldmusik, oder einer Sackpfeife, oder eines
alten Heldengesanges Todeskugeln zu senden und zu
empfangen. Gegen Turia harrte eine mobile Kolonne
ihrer weitern Verwendung. Nach einem zwei Stunden
langen Austausch von Kanonengrüßen rückten die magyarischen Kolonnen, die eine gegen den Brückenkopf und
die andere gegen das Sumpfdefilé zum Sturme vor,
während sich die dritte, größte, bis auf 300 Schritte
der Verbaser Linie näherte und im Schutze des unebenen
Terrains ein hartnäckiges Infanteriegefecht anknüpfte.
Die Stürme auf den Brückenkopf und gegen das Defilé
wurden jedoch, dort von Wnorowski, hier von Rabonitsch
zurückgewiesen. Die beiden Kolonnen zogen sich zurück
und eine Pause trat ein, die nur durch die fortwährende
Beschießung der Sternschanze und des Brückenkopfes aus-

gefüllt wurde. In dem letztern wurden hieburch brei Kanonen demontirt, ein Umstand, der den Fall des Brücken-
topfes hätte herbeiführen müssen, wenn der Sturm wiederholt worden wäre. Gegen Mittag deuteten die Bewegungen der magyarischen Massen auf eine Veränderung
des Angriffsplanes hin. Es schien, als sollten sich außer
dem Schußbereiche alle Massen zusammenziehen, um den
Angriff gegen den schwächsten Punkt, gegen die Verbafer
Linie zu erneuern. In der That fuhren balb vermehrte
Geschütze bis auf 6—700 Schritte gegen biese Linie
heran und erneuten ihr Feuer, während eine jenseits des
Kanales aufgeführte Batterie die Innenseite der Linie,
die aller Traversen entbehrte, auf eine verheerende Weise
zu enfiliren begann. Gleichzeitig erschienen die Sturm-
massen auf dem Schlachtfelbe und rückten unter dem
Schutze ihrer Kanonen heran. Die Lage der Serben
war verzweifelter denn je; alles hing am Kriegsglücke
der nächsten Stunde. Am furchtbarsten wirkte die enfi-
lirende Batterie. Sie zum Schweigen zu bringen war
die erste Aufgabe. Wnorowski eilte vom Brückenkopf
herbei, ließ die Kanonen aus der Sternschanze herbei-
schaffen und setzte ihrem Enfilement ein Feuer entgegen,
das ihr keinen Schuß schulbig blieb. Den Batterien vor
der Linie konnte nichts entgegengesetzt werden, denn die
wenigen übrigen Kanonen, die sich in der Schanze befanden, mußten all ihre Kraft gegen die immer näher
rückenden Sturmkolonnen richten, um biese durch einen ununterbrochenen Kartätschenhagel wo möglich zum Schwan-

ten zu bringen. Zwei dieser Kanonen sanken in den
nächsten Augenblicken bemontirt in den Sand. Die Serbianer sprangen herbei, lösten die Rohre von den La-
fetten, schleppten sie mit den Händen auf die Brustwehr
und wiederholten unverdrossen diese Arbeit, so oft die
Feuerschlünde nach dem Abfeuern wieder herabprallten.
Den Kanonen Wnorowski's gelang es zwar, einige der
enfilirenden Geschütze zu bemontiren, wodurch sich die so
furchtbare Batterie zum Rückzuge genöthigt sah; am linken schwächern Ende der Schanze jedoch, wo der Sumpf
zum Theil ausgetrocknet war, hatten die ersten Sturmkolonnen trotz der mörderischesten Kartätschensalven den
Wall erreicht und Oberst Bakonyi mit zwei Bataillonen
des Infanterieregimentes Alexander drang unter dem Sie-
gesrufe der Seinen ein. Die Todesverachtung, mit der
in diesem Augenblicke beiderseits gekämpft wurde, war
beispiellos. Ein Offizier des genannten Regimentes
schwang sich in dem Augenblicke, als eine der serbischen
Kanonen abgefeuert werden sollte, auf den Wall, um
mit einer Handvoll Erde den feuersprühenden Schlund
zu ersticken. Ein Blitz — und der Offizier lag zerrissen
von der Kartätschenladung im Graben. Am Ende der
Schanze stand eine Handvoll Serbianer. Während Alles
den Eindringenden Schritt vor Schritt wich, waren diese
nicht zu bewegen, ihren Posten zu verlassen, wenn auch
der Tod in hundert Kolben über ihren Häuptern schwebte.
Die Albaneserin in der Hand und den blanken Handjar
im Munde stürzten sie sich in die Bajonette einer ein-

bringenden Kompagnie, und nur über ein Blutbad vermochten die Nachrückenden einzubringen. Im Momente der furchtbarsten Verzweiflung trug ein stämmiger Serbianer den vom Rumpfe getrennten Kopf eines magyarischen Soldaten an der Spitze seines Handjars mit verhöhnenden Herausforderungen den augenblicklichen Siegern entgegen und ließ nicht ab, bis er durchbohrt von zwanzig Bajonetten neben den Kopf auf einen Haufen Todter hinsank. Sz. Tomas war verloren, wenn die eingedrungenen Bataillone von den nachrückenden entschlossener unterstützt wurden. In diesem entscheidenden Augenblicke eilten Bigga und Bosnitsch an der Spitze eines Bataillons tollkühner Gränzer zur Unterstützung der schon weichenden Serbianer herbei; das Handgemenge wird erneut, das Geschützfeuer gegen die nachrückenden Sturmkolonnen verdoppelt und diese zum Schwanken, endlich zum Weichen gebracht. Die beiden eingedrungenen Bataillone sehen sich genöthigt, nach einem kurzen aber mörderischen Schlachten die eroberten Schanzen zu verlassen; — der Trommelschlag zum Rückzug erschallt an allen Punkten. Die Serbianer stürzen aus den Schanzen hervor und verfolgen die Abrückenden fechtend bis an ihre ersten Geschützpositionen. Die magyarische Heeresmacht aber zieht sich in das Verbaser Lager zurück.

Das Weichen der Magyaren bei Sz. Tomas bedingt den Rückzug der Angriffskolonnen an allen übrigen Punkten der ausgedehnten Kampflinie.

11

Das wichtige Turia hielt Jovanovitsch gegen einen vierfach überlegenen Feind sechs Stunden lang, trotzdem der kleine Ort an mehreren Stellen Feuer fing, bis der Tschaikistenoffizier Dabinow mit einigen Hundert Tschaikisten und zwei Kanonen, gedeckt durch die hohen Kukuruzfelder, plötzlich im Rücken der Angreifenden erschien und diese zum Rückzug nöthigte. Eine Floßbrücke blieb in den Händen der Tschaikisten zurück. Den Ort Földvar hielt der Nationaloffizier Pernavoraz gegen eine bei 3 — 4000 Mann starke Angriffskolonne, die ebenfalls ihre Brückenequipage zurückließ. Die Theiß entlang wüthete der Geschützkampf sieben Stunden, ohne daß es irgendwo dazu gekommen wäre, einen Uebergang zu versuchen, außer bei Tavas, wo ihn die Magyaren mittelst Schiffen zu forciren trachteten. Eines der Schiffe wurde in den Grund geschossen und die Kunde von dem Ausgange der Schlacht bei Sz. Tomas machte weitern Versuchen ein Ende.

Der Verlust an Todten mochte beiderseits an 1500 betragen.

Fünfzehntes Kapitel.

———

Die Kunde von dem Mißlingen einer Operation, von deren siegreicher Durchführung man die vollständige Niederschmetterung eines Aufstandes gehofft hatte, in dem immer noch mehr die freche Auflehnung eines räuberischen Helotenhaufens zur Durchführung eben so frecher Forderungen, als die Erhebung eines Volksstammes zur Abwehr der Suprematie eines zweiten sah, konnte im Parlamente zu Pest nicht mit Gleichgültigkeit vernommen werden. Dem ersten Eindrucke der Bestürzung über das wiederholte Unglück der magyarischen Waffen folgte bald der Ausbruch der vollsten Entrüstung. Der weniger ungünstige Stand der Dinge im Banate, die erfolgte Sanktion des Truppenaustauschgesetzes vermochten die Wirkungen der verlorenen zweiten Schlacht bei Sz. Tomas nicht zu mildern. In zornerglühter Rede suchte Moriz Perczel, der Ablegat von Ofen, darzuthun, daß nur Treulosigkeit im Spiele sein könne, wenn Generäle, deren Haar unter der Muskete grau geworden, einem

11 *

Haufen „zusammengerotteten Räubergesindels" gegenüber Schlachten verlieren, bezeichnete er Bechtolb als
ben Urheber des Verrathes. Das Erscheinen Szent-
firaly's, bes Regierungskommissärs für die Batschka,
zur Rechtfertigung des Generals, blieb ohne Erfolg.
Szentkiralyi selbst wurde seines Amtes enthoben und
durch Eugen Beöthy ersetzt, von dessen Energie man
mehr erwarten zu dürfen glaubte, als von der Versöhnlichkeit des Temescher Grafen Tschernoevitsch und der
glänzenden Rebnergabe Szentkiraly's. Die Reinigung
ber magyarischen Armee von fremben und unverläßlichen
Elementen, die unverzügliche Magyarisirung bes gesammten Heerwesens wurden als die einzigen Mittel bezeichnet, um bas Glück der Waffen der magyarischen Trikolore zuzuwenden, die Uebertragung der Befehle an entschieden magyarisch gesinnte Führer als ein dringendes
Gebot des Augenblickes gefordert. Der Kriegsminister
eilte zum zweiten Male nach dem Kriegsschauplatze, um
ben Kampf gegen die serbische Schilderhebung selbst in
Angriff zu nehmen. Er übernahm ben Oberbefehl über
bie ganze im Süden stehende Heeresmacht.

Der wrhowni wožd der serbischen Insurrektionsmas-
sen hatte sich unterbessen mit ber Abwehr bes Angriffes
auf Sz. Tomas und die Theiß nicht begnügt. Die moralische Rückwirkung des Sieges auf bas ganze Volk so
wie auf die bewaffneten Schaaren machte es ihm möglich, ben günstigen Moment ber Ermuthigung und allgemeinen Kampflust zu benützen, um den Sieg zu verfol-

gen und durch ein kühnes Ergreifen der Offensive den
engen Raum, auf den er sich um Sz. Tomas und an
den Römerschanzen beschränkt sah, nach dem Innern der
Batschka zu erweitern. Es mußte dies geschehen, ehe
sich die magyarischen Truppen von dem letzten Schlage
erholt, ehe von der magyarischen Regierung neue Maßregeln getroffen, neue Truppensendungen veranlaßt worden.

Vor Allem waren es die Punkte Sireg, Temerin
und Jarek, aus welchen die magyarischen Besatzungen
verdrängt werden mußten. In der Nähe der Römerschanzen und nahe aneinander, fast im Angesichte von
Turia und Sz. Tomas gelegen, waren sie für die Pläne
der Ungarn sowohl, als für jene der Serben von beson-
derer Wichtigkeit. Diese sahen sich in der Entwickelung
ihrer Vertheidigungskräfte behindert, so lange die magyarischen Fahnen von den genannten Orten wehten;
in den Römerschanzen mußte fortwährend eine starke
Besatzung gehalten werden, die an andern Punkten besser
zu verwenden war; Sz. Tomas und Turia sahen sich flan-
kirt und jeden Augenblick bedroht. Den Magyaren boten
diese drei Orte, vor Allem aber das schmale Sumpfdefilé bei Sireg, als der Knotenpunkt der wichtigsten
Straßen, vortheilhafte, ja fast unentbehrliche Debou-
chéen gegen die serbischen Linien. Vereinzelte Angriffe
auf diese Punkte waren ohne Erfolg geblieben. Der
Besitz des einen war durch den Besitz des andern
bedingt, und es war nur möglich, alle zugleich zu
nehmen.

Nach einem am 14. (26.) August unternommenen und wegen augenblicklicher magyarischer Zuzüge von Temerin abermals mißlungenen Einzelangriffe auf Sireg beschloß der wrhowni wožd mit seinem Kriegsrathe einen kombinirten Angriff auf alle drei Orte. Jarek und Temerin sollten von den Römerschanzen, Sireg von Sz. Tomas aus angegriffen werden. Zu diesem Zwecke konzentrirte er am 17. (29.) August beim Katsch, Gospobinze und Nadalj bei 5000 Mann mit 20 Kanonen, meist Gränzer, Tschaikisten und Serbianer. In Temerin befehligte Oberst Mathé bei 8000 Mann wohldisziplinirten Fußvolks und Husaren mit 14 Kanonen, meist Kerntruppen, die erst unlängst von dem österreichischen Kriegsministerium an das magyarische abgetreten worden waren. Neben ihm befehligte Graf Szechen, Gutsherr von Temerin, ein von ihm ausgerüstetes Honvedbataillon, und Kriegsminister Meßaros war auf seiner Rundreise eben hier angekommen. Am 18. (30.) August hatte Stratimirovitsch sein Corps in vier Kolonnen getheilt und brach an der Spitze der Hauptkolonne von Nadalj gegen Temerin auf, während die zweite unter Michael Joanovitsch gegen das von einem Bataillon und vier Kanonen besetzte Defilé von Sireg, die dritte unter Dobanovatschki von Gospobinze her zur Unterstützung des Hauptangriffes auf Temerin und die vierte unter Pera Joanovitsch gegen Jarek, einen theils von Deutschen, theils von Magyaren besetzten Ort, heranrückte. Bei der Schenke am Gab ließ Stratimirovitsch eine

Brücke schlagen und gab in der Nacht auf den 19. (31.) das Zeichen zum gleichzeitigen Angriff. Oberst Mathé hatte mittlerweile die Kombination des serbischen Manövers dadurch zu vereiteln gesucht, daß er den beiden von Gospodinße und Katsch anrückenden Kolonnen in derselben Nacht den größten Theil seiner Infanterie, Husaren und Geschütze an die Römerschanzen entgegenschickte. Das Gefecht, das sich hier am frühen Morgen entspann, drohte in der That die ganze Expedition in Frage zu stellen, als Stratimirovitsch, noch bei Zeiten von der Lage der Dinge an den Römerschanzen in Kenntniß gesetzt, einen Theil der Hauptmacht gegen die Römerschanzen entsandte und die Magyaren durch Bedrohung ihres Rückzuges noch vor Mittag zum Rückmarsche nach Temerin und Jarek zwang. In ihren Aufstellungen angelangt, konzentrirten nun die Magyaren alle ihre Streitkräfte zur Deckung von Temerin, insbesondere wirkten sie mit ihren trefflich bedienten Geschützen von allen Seiten auf die heranrückenden Kolonnen, so daß Stratimirovitsch erst Nachmittags den allgemeinen Angriff wieder aufnehmen konnte. Bald jedoch sah er sich genöthigt, von demselben abzulassen, sich mit der Hauptmacht über die Brücke beim Gab zurückzuziehen, diese abzubrechen und auch die andern Kolonnen an ihre frühern Standpunkte zurückzubeordern. Erst am 1. (13.) September nach Mitternacht rückten sämmtliche Kolonnen zum erneuten Sturme gegen die drei Punkte vor. Pera Joanovitsch hatte die Weisung, nach Mitternacht Jarek zu nehmen; gleichzeitig hatte Dobanovatschki auf der Ebene zwischen Temerin und Jarek einzurücken und dem aus letzterem Orte geworfenen Feinde den Rückzug auf Temerin abzuschneiden, nöthigenfalls auch Temerin von der entgegengesetzten Seite anzugreifen; Michael Joanovitsch hatte Sireg anzugreifen, den Kampf jedoch so lange fortzusetzen, bis Temerin und Jarek gefallen wären; er selbst wollte Temerin angreifen. Um Mitternacht auf der Höhe von Temerin angelangt, hörte Stratimirovitsch bereits die Kanonen von Jarek herüberdonnern. Oberst Mathé war der Meinung, der Hauptangriff gelte diesem Punkte, und dirigirte alle seine Streitkräfte gegen Jarek. In den Schanzen von Temerin stellte er ein Bataillon Infanterie und einige Eskabronen Husaren in der Absicht auf, um allenfalls einen Nebenangriff auf Temerin abzuwehren. Bald darauf signalisirte Dobanovatschki seine Ankunft zwischen Temerin und Jarek. Nun entsandte Stratimirovitsch eine Abtheilung Tschaikisten mit zwei Kanonen, um die linke Flanke des vor dem Orte aufgestellten Feindes zu umgehen und wo möglich in den Ort einzubringen. Er selbst knüpfte an den Schanzen ein hartnäckiges Infanteriegefecht an und versuchte zu wiederholten Malen zu stürmen. Schon begann eine der kämpfenden Abtheilungen zu schwanken, als im Rücken der linken Flanke des Feindes helle Flammen als Zeichen emporschlugen, daß die Tschaikisten eingedrungen seien. Nun wurden die Schanzen unter donnerndem Hurrahruf mit dem Bajonette erstürmt, die Feinde in den Ort zurückgedrängt und alle Zugänge zu demselben genommen. Mittlerweile hatten die Flammen um sich gegriffen, weder Husaren noch Kanonen vermochten Stand zu halten. Die magyarischen Truppen verlassen den Ort, Jarek wird erstürmt und bald ist die Straße gegen Peterwardein und O Ker von wilder Flucht bedeckt. Eine Stunde später langt auch die Nachricht von der Einnahme Siregs ein.

Die Linie des Kanals und der Theiß war frei, die Verbindung Peterwardeins mit Szegedin, Therestopel und Pest abgeschnitten. Die serbischen Truppen aber wollten ihren Führer unter den Trümmern Temerins zum Wojwoden ausrufen.

Sechszehntes Kapitel.

Während das Glück des Krieges den serbischen Waffen
in der Batschka günstig zu sein schien, vermochte die
Schilderhebung im Banate nur langsame Fortschritte zu
machen. Die Proklamation, die der wrhowni wožd nach
Unterdrückung der Gegenerhebung zu Pantschevo im Namen des Obbors erlassen, blieb, die genannte Stadt und
deren nächste Umgebung ausgenommen, im übrigen Banate ohne wesentliche Wirkung. Die magyarischen Einwohner der Städte und der größte Theil der magyarischen
oder doch magyarisch gesinnten Grundbesitzer, die deutschen
Gewerbsleute und Kolonisten, jene aus Begeisterung für
die Sache des Magyarenthums und aus unüberwindlichem
Haß gegen alle Widersacher desselben, diese aus Besorg-
niß für ihren Erwerb und ihre Aecker, hatten sich fast
überall gegen die serbische Mitbevölkerung erhoben und
diese, ehe ihr noch der Anschluß an die Schilderhebung
möglich geworden, zum Theil entwaffnet, zum Theil den
Standgerichten ausgeliefert. Wo immer die serbischen

Schaaren aus den Lagern von Alibunar, Tomaschevaz und Perlas erschienen, um den stammverwandten Bewohnern der Ortschaften den Anschluß möglich zu machen, traten ihnen die magyarischen und deutschen Garden mit bewaffneter Hand entgegen und kam es zu Gefechten, die zu Belagerungen, Brandlegungen, im besten Falle zu Brandschatzungen und oft erst nach vielfach wechselndem Waffenglück zur Uebergabe führten — wenn die Orte in wüste Brandstätten verwandelt, und Hunderte von Todten der Preis waren, mit dem sie erkauft worden. So z. B. verweigerten die Banater Bergwerke den Anschluß hartnäckig, bis es den Serben gegen Ende des Monats August gelang, die Uebergabe von Moldava mit der Brandfackel zu erzwingen, jedoch nur um es einige Tage später wieder zu räumen.

Auf den ausdauerndsten und hartnäckigsten Widerstand stieß jedoch die serbische Schilderhebung in dem, großen Theils von Deutschen bewohnten Hauptorte des illyrisch-banater Regiments, Weißkirchen, dessen Einwohner sich durch die Tapferkeit und oft löwenmüthige Kühnheit, mit der sie sich monatelang gegen die belagernden und anstürmenden Serben zu halten wußten, einen Namen in der magyarischen Kriegsgeschichte gemacht und die Anerkennung ihrer Gegner erworben haben. Die Lage Weißkirchens am Banater Gebirge, die Unterstützung durch Blombergs Uhlanen und Infanterieabtheilungen, mit denen dieser kriegskundige Oberst in dem nahen Werschetz stand, erleichterte den Weißkirchnern eben so die Behauptung,

wie ihr Muth den Serben die Einnahme dieses Ortes
erschwerte, von dessen Besitz nicht nur die Insurrektion
des ganzen illyrisch-banater, größtentheils von Serben
bewohnten Regiments, sondern auch das Verpflanzen derselben nach dem östlichen Theile des Banats abhing, wo
zahlreiche Serben des Momentes harrten, da die serbischen Fahnen von den Höhen Weißkirchens gegen Temesvar zu wehen würden, um sich der abgenommenen Waffen
zu bemächtigen und an dem Kampfe gegen die Oberherr-
schaft eines einzelnes Stammes zu betheiligen. Zudem
lag es im Hauptplan der serbischen Kriegsführung, daß
die banater Lager ihre Zelte baldmöglichst in gleicher
Höhe mit Szent Tomas und dem Franzenskanal auf-
schlagen könnten, um von da aus mit dem Korps der
Batschka durch die ganze Breite des Landes gegen die
Marosch vorzurücken. Fast kein Tag verging, an dem nicht
Knitschanin's verwegene Serbianer mit den Weißkirchner
Garben in dem Walde bei Vratschevgaj, im Thale vor
Weiskirchen, im Gebirge, in den Weingärten handgemein
wurden. So wie die Serbianer mit ihren langen Albaneserflinten, ins Dunkel der Nacht gehüllt, oft bis an
die Häuser von Weißkirchen oder bis in die Gärten dieser
Stadt heranschlichen, um mit einem Vorposten oder Wacht-
piquet einen Strauß anzuknüpfen, so erschien oft plötzlich
eine Schaar von Weißkirchnern mitten im Lager von
Vratschevgaj oder überraschte ein serbianisches Bivouak
mitten im Walde und wich nicht eher der Uebermacht,
bis Blut und Leichen den Platz bedeckten. Alle Versuche,

ben Ort zu einer friedlichen Kapitulation zu bewegen, blieben erfolglos. War auch der Magistrat geneigt, so scheiterten die Unterhandlungen an der Widerstands-entschlossenheit der Bürger, und mancher in Weißkirchen wohnende Serbe bezahlte den Verdacht, daß er den Belagerern die Stadt in die Hand spielen wolle, mit dem Leben.

An demselben Tage endlich, an welchem die magyarische Heeresmacht in der Batschka Szent Tomas angriff, vereinigte Bobalitsch im Lager von Wratschevgaj eine Schaar von 6000 Mann, theils Grenzern, theils Serbianern, theils Landsturm, um die Uebergabe von Weiß-kirchen zu erzwingen. Um ein Uhr nach Mitternacht setzte sich die in drei Abtheilungen getheilte Schaar von eben so vielen Punkten gegen die Stadt in Bewegung. Auf der Straße von Wratschevgaj führte Bobalitsch selbst das Centrum in den Kampf; der rechte Flügel rückte unter Knitschanin auf der Kuffitscher Straße, der linke unter dem Serbianerhauptmann Milenkovitsch gegen die Stadt. Mobile Kolonnen unterhielten die Verbindung zwischen den Flügeln und dem Centrum und hatten auf der einen Seite die magyarische Nationalgarde von Bosniak in Schach zu halten, auf der andern die Straße gegen Wer-schetz zu beobachten, wo Blombergs Uhlanen begegnet werden mußte. Diese, so wie berittene Massen überhaupt, waren es, denen die Serben am wenigsten Stich zu bieten vermochten, da sie selbst der Reiterei so viel als gänzlich entbehrten.

So sehr das Innere Ungarns die Schöpfung ganzer Heere leichter Kavallerie begünstigte, so wenig hatten die Serben bisher Zeit oder Gelegenheit gehabt, ihre Lager auch nur nothdürftig mit Reiterei zu versehen. Die Militärgrenze war nur auf Fußvolk berechnet und die Pferdezucht wurde vom Grenzer nur so weit betrieben, als es das unumgänglichste Bedürfniß des Feldbaues erheischte. Die Batschka war zum größten Theil in der Gewalt des magyarischen Heeres und das Banat mußte erst erworben werden. Bei den 6000 Mann, die am 7. (19.) August gegen Weißkirchen aufbrachen, befanden sich, die Offiziere mit eingerechnet, nicht mehr als 100 Reiter, meist Serbianerschützen, die ihre Pferde aus dem jenseitigen Serbien mitgebracht hatten; ihre Artillerie bestand aus 8, theils 3, theils 6 pfündigen Kanonen.

Um 4 Uhr Morgens standen sämmtliche Abtheilungen im Angesichte von Weißkirchen. Ein Kanonenschuß gab das Zeichen zum Angriff und es entwickelte sich nun ein Kampf, in welchem beiderseits mit einem Löwenmuthe gefochten wurde, den magyarische sowohl als serbische Berichte beispiellos nannten. Gleich dem ersten Anstürmen der Serben erlag ein Theil der Weißkirchner Verschanzungen. Dreißig Todte blieben auf dem Platze, drei Kanonen und zwei magyarische Fahnen fielen in die Hände der Sieger. Unter den Trümmern eines Theiles der Schanzen lag der Buljukbascha Pera Arnautin, ein Kriegsabenteurer von altem serbischen Schlage, von den Seinen nie anders als Pera der Held genannt. Den

Vorbersten beim Angriff, war es eine der ersten Kugeln,
die ihn erreichte. Eine Stunde später stand Weißkirchen
an allen Seiten in Flammen; vom Donner der Geschütze
wiederhallten die Berge und das Kleingewehrfeuer von
zehntausend Musketen prasselte in der Ebene, in den
Weingärten und zwischen den ersten Häusern der Stadt.
Die Weißkirchner vertheidigten sich mit den vier Kanonen, die ihnen noch geblieben, wie verzweifelt. Barrikade
thürmte sich hinter Barrikade den stürmenden Serben entgegen, jede Spanne Bodens wurde mit Blut verkauft
und mußte mit Blut erkauft werden. Da schlugen um
die Mittagszeit die Flammen auch in der Umgebung der
Kirche auf und den Vorbersten der Serbianer gelang es,
im Rücken der Barrikaden einzubringen. Sie fielen als
Opfer ihrer Kühnheit, aber sie hatten Anderen den Weg
gebahnt. Von Morgens fünf bis Nachmittags drei Uhr
hatte der Kampf gewüthet; Knitschanin mit den Seinen
stand auf dem Marktplatz; in den Fenstern von Weiskirchen zeigten sich die ersten weißen Fahnen — da jagten
auf der Werschetzer Seite Blombergs Uhlanen in vollem
Galopp heran, eine Abtheilung von Geschützen rasselte
ihnen nach, Infanterie folgte ihnen. Der linke Flügel
mußte weichen und Weißkirchen war entsetzt. Hätte die
ganze serbische Macht Weißkirchen schon besetzt gehabt,
sie hätte es halten können. Getheilt wie sie war, konnte
sie es nicht. Sie hätte denn einen Kampf in Weißkirchen
und unter den brennenden Giebeln der Häuser gegen die
Einwohner, einen zweiten gegen eine überlegene Reiterei

vor Weißkirchen, einen Angriff endlich auf das bedrohte
Lager von Tomaschewatz in der Nähe von Weißkirchen
gleichzeitig zu bestehen vermocht. Dies konnten die Serben aber um so weniger, als sie, seit ein Uhr Nachts im
Felde, bereits Mangel an Munition zu leiden begannen.
Es mußte somit der Rückzug angetreten werden. Sechs
Stunden lang währte im Angesicht der brennenden Stadt
das Geplänkel mit den Uhlanenpatrouillen noch fort. Um
neun Uhr erst standen die kampfermüdeten Schaaren im
Lager von Tomaschewatz. Bei hundert Todte waren verloren, Weißkirchen aber stand noch zu erobern.

Tage der Unterhandlung traten ein. Aber die Erbitterung, die Hartnäckigkeit, mit der man beiderseits auf
den gestellten Bedingungen beharrte, ließen nicht voraus-
sehen, daß sie zu einem Ziele führen würden. Gerüchte
furchtbarer Art, die zwischen beiden Theilen hin und wieder
wanderten, ließen keinem Uebereinkommen Raum. Bald
hieß es in Weißkirchen, die Serben hätten in Tomaschevatz alle gefangenen Weißkirchner am Spieße geröstet,
bald verbreitete sich im Tomaschewatzer Lager das Gerücht, die Weißkirchner hätten 160 von den unter ihnen
wohnenden Serben niedergemacht und 30 nach Temesvar
geschickt, um sie von Bukovitsch aburtheilen zu lassen. Die
Serben forderten nebst einer namhaften Kriegssteuer eben
so viele Geißeln aus den angesehensten Familien, denen
dasselbe Schicksal bevorstünde, das die 30 Serben in
Temesvar treffen würde. Die Weißkirchner aber waren
so wenig geneigt, dergleichen Bedingungen Gehör zu

geben, daß sie auf ihren ersten Parlamentär keinen zweiten mehr folgen ließen. Die Stunde, zu welcher dieser
hätte erscheinen sollen, wurde abgewartet, und da er
nicht kam, am 12. (24.) August zu einem neuen Angriff
geschritten. Sein Erfolg war kein anderer, als der aller
bisherigen Versuche. „Ich wollt', die Weißkirchner Deutschen wären Serben," pflegte Knitschanin damals zu sagen, „ich stände längst an der Marosch!"

Indessen war die Stadt nicht nur zu sehr verwüstet — nach serbischen Angaben mögen bei 300 Häuser
in Brandstätten verwandelt worden sein —, die Opfer,
welche die Weißkirchner an Leben und Besitz gebracht, die
Mühsale, die sie erlitten, zu riesig, als daß man nicht
hätte hoffen sollen, sie werde sich in kürzester Frist zur
Uebergabe genöthigt sehen. Alle Anzeichen sprachen dafür. Die Parlamentäre wurden bereitwilliger, die gestellten Bedingungen ruhiger angehört. Eine Einigung
konnte jedoch nicht erzielt werden. Vielmehr schien es,
als wäre es den Weißkirchnern nur darum zu thun,
die Unterhandlungen in die Länge zu ziehen, um Zeit zu
Zuzügen aus den umliegenden deutschen Ortschaften und
zu neuen Rüstungen zu gewinnen. Die Führer des Lagers beschlossen daher einen neuen Angriff. Wie am
7ten (19ten), so rückten die Serben, mittlerweile durch
zahlreiche Uebertritte aus dem jenseitigen Serbien ge-
stärkt, und nunmehr im Besitze von 12 Kanonen, um
Ein Uhr nach Mitternacht aus. Wie damals zogen sie
von drei Seiten gegen die Stadt, vermochten aber dies-

12

mal nicht einmal die ersten Schanzen zu nehmen. Gleich beim Beginn des Kampfes fiel Hauptmann Djuritsch, einer der muthigsten Führer, in demselben Augenblicke, als er zum Sturm kommandirte, tödtlich verwundet vom Pferde. Die Weißkirchner hatten das seiner beispiellosen Todes- verachtung wegen berühmt gewordene neunte Honvedba- taillon und eine Abtheilung magyarischer Kerninfanterie an sich gezogen und fochten im Verein mit diesen im Bewußtsein, daß es diesmal einen Kampf der Verzweif- lung gelte. Die Verwirrung, die in der serbischen Haupt- kolonne durch den Fall von Djuritsch entstand, wurde von den Honveds benutzt, um von der Vertheidigung zum An- griff überzugehen; mit gefälltem Bajonette stürzten sie aus der Verschanzung hervor, und die Krieger Knitschanins sahen sich an demselben Tage genöthigt, sich auf ihre Zelte zurückzuziehen, über welchen der Himmel von Te- merin sich von dem furchtbarsten Brande röthete, der in diesem Kriege bisher aufgelodert.

Nicht glücklicher waren in letzter Zeit die Serben in einer andern Gegend des Banates, in den Lagern von Perlas und Tomaschevaz.

Ernst Kiß, der, mittlerweile von der magyarischen Regierung zum General ernannt, sich nach der Schlacht von Szent Tomas bestimmt gefühlt hatte, sich auf Betsch- kerek zurückzuziehen, sah sich nach dem Falle von Temerin veranlaßt, neuerdings gegen Perlas vorzurücken, um die- ses zu nehmen, von da über die Theiß zu setzen, sich Ti- tels zu bemächtigen und durch sein Vorrücken im Tschai-

Aktenbezirke einerseits den serbischen Lagern in der Batschka die Verbindung mit Syrmien abzuschneiden, andererseits durch sein Erscheinen im Rücken der Römerschanzen die Aufstellungen an diesen zu bedrohen und Szent Tomas unhaltbar zu machen. Alle Vortheile, die die Serben durch die Siege bei Sz. Tomas und durch den Fall von Temerin errungen, würden durch die Ausführung dieses Planes zu nichte geworden sein. Mit dem Verluste Titels wäre die serbische Schilderhebung in Syrmien und in der Batschka in Frage gestellt, mit dem Marsche von Perlas nach Pantschevo ihr Fortgang im Banate vollends zur Unmöglichkeit geworden.

Den Moment, in welchem die beiden, nicht weit auseinander liegenden Lager von Perlas und Tomaschevatz, dieses durch Ausmärsche zur Unterstützung Knitschanins gegen Weißkirchen, jenes durch Zuzüge, die Stratimirovitsch gegen Temerin an sich gezogen, so bedeutend geschwächt waren, daß sie nur mehr noch Bivouaks, als förmlichen Heereslagern gleichgeachtet werden konnten, hielt Kiß für den günstigsten zur Durchführung des auseinandergesetzten Planes.

Am 21. September (2. November) Morgens fünf Uhr stand er vor dem Lager von Perlas. Dieses Lager, der Nähe des Wassers und holzreicher Waldstrecken wegen mehr zum Sammelplatze der aus Serbien, Syrmien und der Batschka auf der Donau herbeikommenden bewaffneten Massen, als zum festen Punkte, mehr zur Vorhut Titels, als zum selbstständigen Bollwerk bestimmt, war

12 7

das unter allen Waffenplätzen am schlechtesten verschanzte. Aller strategischen Anlage entbehrend, bestand es aus 4—500 Rohrhütten, zu denen die unabsehbaren Schilfstrecken der nahen Theißsümpfe das Material geliefert hatten. Ein einfacher Jägergraben, der es umfaßte, schützte es zur Noth vor kleinen Ueberfällen. Oft schon hatten 10—12000 kampferfahrene Leute hier gelagert. Am Morgen des 21. Septbr. (3. Novbr.) standen darin bei 4000 Mann unter dem Befehle des Nationalobersten Drakulitsch, meist neu aufgebotener Landsturm, neu ausgehobene Gränzer und frisch herübergekommene Serbianer, mit 11 Geschützen, darunter die Mehrzahl vom kleinsten Kaliber. Kiß befehligte 8000 Mann mit 24 Kanonen, meist magyarische Kerntruppen, dann die Woronyetschkische Freischaar unter des Fürsten Woronyetschki persönlicher Führung. Die Honveds kommandirte Graf Gustav Hadik, Vetter stand an der Spitze eines magyarischen Infanteriebataillons, damals noch als Oberstlieutenant[1]). Kiß selbst rückte auf der Straße von Etschka gegen das Lager, eine zweite Kolonne gegen die Waldungen, an die sich der eine, und eine dritte Kolonne gegen die Weingärten, an die sich der andere Flügel des Lagers lehnte. Drakulitsch hingegen versäumte so sehr die Anrückenden in einer zweckmäßigen Stellung zu empfangen, daß er selbst die nächstgelegenen Vortheile des Terrains unbenutzt ließ.

---

[1]) Nachmals General und Kriegsminister. † zu Arad am 6. Oktober 1849.

Nach einem anderthalbstündigen Gefechte, in welchem die Vertheidigung des Lagers lediglich der persönlichen Entschlossenheit der serbischen Krieger anheimgestellt blieb, und das, wie wenige, ein mörderisches genannt werden konnte, waren die Magyaren Meister des Lagers. Vetter war an der Spitze seines Bataillons auf der einen, Woronyecki mit seinen Freiwilligen auf der entgegengesetzten Seite eingestürmt; der Rückzug nach Orlowat war preisgegeben und abgeschnitten, die magyarischen Plänkler in die Weingärten eingedrungen. Die Rohrhütten lohten in hellen Flammen auf. An ein Behaupten war nicht mehr zu denken, nicht einmal an einen geordneten Rückzug. Trotzdem kämpften die Serben mit einer todesverhöhnenden Hartnäckigkeit, wie sie nur diesem Stamme eigen ist, bei ihren Geschützen und zwischen den brennenden Hütten fort. In den Waldungen wüthete ein heißer Kampf, und, wenn auch fast ohne alle Leitung, hofften die Krieger doch noch die Brandstätte zu behaupten. Da verließen die wallachischen Kompagnien, die in den Waldungen mitgefochten, das Gehölz, die Magyaren besetzten es, und das Lager war verloren. Selbst die Serbianer zogen sich nun zurück. Nur ein Einziger wollte sich nicht nacherzählen lassen, daß er gewichen. Mit trotziger Miene riß er einem der Weichenden die brennende Lunte aus der Hand, seine Pistole aus dem Gürtel, feuerte erst das Geschütz gegen die auf ihn eindringenden Magyaren ab und erschoß sich dann selbst. Es war der Kapetan Jantscha von den Serbianern. Nun löste sich in wilder Unordnung das ganze Lager auf. Drakulitsch zog sich in hastiger Flucht nach Perlas zurück und verließ auch dieses, da ihm Kiß auf dem Fuße nachfolgte, um sich über die Donau nach Titel zu retten. Etwa 5—600 Mann mit drei Kanonen folgten ihm. Der Rest der Geschütze, die Pulvervorräthe von Perlas waren in die Hände der Sieger gefallen; der Rest der Mannschaft bedeckte entweder den Kampfplatz — die Serben zählten 200—250 Todte — oder war nach allen Richtungen auseinandergesprengt. Das Lager konnte als aufgerieben, die Niederlage der Serben als eine vollkommene angesehen werden. Hätte sich Kiß augenblicklich gegen Titel gewandt, es hätte ihm auf den ersten Anlauf in die Hände fallen, wäre er gegen Pantschevo gerückt, es hätte ihm die weiße Fahne entgegentragen müssen, so groß war die Bestürzung, so vernichtend die Wirkung dieser Niederlage im ganzen Lande. Kiß aber zog es vor, zu zögern. Er besetzte an demselben Tage Perlas und trat noch am Abend den Rückmarsch nach Etschka und Betschkerek an, nachdem er in den Ortschaften Botosch, Orlovat und Fakaschdin schwache Besatzungen zurückgelassen hatte.

So unerklärlich es blieb, daß der Sieger, die Größe des errungenen Vortheils vielleicht nicht ermessend, denselben nicht augenblicklich weiter verfolgte, so konnte man doch überzeugt sein, daß er ihn darum noch nicht aufgegeben. Vielmehr mußte man serbischer Seits darauf gefaßt sein, daß der magyarische General seinen Plan in Bälde wieder aufnehmen und mit verstärkten Kräften

an beffen Ausführung gehen werde. So erschütternd,
so entmuthigend die Nachricht von dieser Niederlage, wie
von dem ungünstigen Stande der Dinge im Banate überhaupt in Karlovitz sowohl als unter der ganzen serbischen Bevölkerung wirkte, so mußte man dennoch darauf
bedacht sein, nicht verloren zu geben, was noch nicht verloren war, und einerseits den Muth des Volkes wieder
zu beleben, andererseits den Plänen der Magyaren vor-
zukehren. Zwei Tage nach dem Unglück von Perlas erließ
der Patriarch als oberster Verwalter der Nation eine Proklamation, in welcher er an die Siege von Földvar, Sz.
Tomas und Temerin erinnerte und die Zerstreuten aufforderte, sich wieder zu sammeln. Drakulitsch wurde gefangen nach Karlovitz geschafft, um vor ein Kriegsgericht
gestellt zu werden. Stratimirovitsch wurde von der Trauer-
kunde am Morgen nach der Niederlage erreicht, und zwar
in demselben Augenblicke, als er nach der Einnahme von
Temerin gegen O Ker im Felde stand. Alle weitern Unternehmungen in der Batschka mußten aufgegeben und
Alles aufgeboten werden, um den Dingen im Banate
eine günstigere Wendung zu geben, zunächst aber Pantschevo zu beschützen. Dies war nur zu erreichen, wenn
die Linie der Temesch so bald als möglich besetzt wurde,
welche Kiß bei seinem Zuge gegen Pantschevo überschrei-
ten mußte. Er besetzte daher die behaupteten Positionen
und eilte augenblicklich nach Titel. Bei 1000 Mann
Gränzer folgten ihm auf Wagen dahin. Ein Theil der
Mannschaft, die mit Drakulitsch herübergekommen war,

lagerte in den Feldern um Titel, indeß sich der andere eben in Haufen zusammenschaarte, um nach Hause zu ziehen. Das Erscheinen des wrhowni wožd hielt diese zurück und versammelte überdies eine nicht geringe An- zahl der Zerstreuten aus den umliegenden Ortschaften um die Fahnen. Noch in derselben Nacht konnte er an der Spitze von etwa 2000 Mann unterhalb Titel über die Theiß setzen, umging, geschützt durch die Finsterniß, Perlas, und erreichte nach einem forcirten Marsche durch die Sümpfe das linke Ufer der Temesch. Baranda und Sakula wurden besetzt, in der Nähe des letztgenannten Ortes ein neues Lager aufgeschlagen und Eilboten an die Karasch gesandt, um Knitschanin die Weisung zu brin- gen, daß er sich unverzüglich zur Verstärkung der neuen Aufstellung in Marsch setze. Am folgenden Morgen schon — am dritten Tage nach dem Verluste von Per- las — traf Knitschanin an der Spitze seiner Serblaner ein und besetzte auch noch Tomaschevatz. Pantschevo war nun gedeckt und auch Titel gegen jeden Handstreich in genügenden Vertheidigungsstand gesetzt.

Nun erst schien Kiß seinen Plan wieder aufnehmen zu wollen. Wenigstens unternahm er einen Angriff auf Tomaschevatz und seine Bewegungen ließen ver- muthen, daß er einen Angriff gegen die ganze Temesch- linie beabsichtige. Indessen waren Knitschanins Waf- fen an der Temesch glücklicher als an der Karasch. Der Angriff auf Tomaschevatz wurde zurückgewiesen und Kiß gab Perlas ohne Schwertstreich auf, um sich zum

britten Male nach Etschka und Betschkerek zurückzuziehen.

Von Pantschevo sowohl als von Titel war die Gefahr leichter abgewendet, als man gehofft. Die Lager
von Baranda und Sakula hatten sich wieder gefüllt,
die alten Stellungen konnten wieder eingenommen werden und mußten es sogleich auf dem Fuße des Feindes,
sollte es irgendwie mit Vortheil geschehen. Die Temesch-
positionen wurden somit aufgegeben, die Truppen aus
dem Lager von Sakula vereinigten sich unter Knitschanin
mit dem Lager von Tomaschevaz, die von Baranda nahmen unter Stefanovitsch wieder die Aufstellung bei Perlas ein.

Die Entsetzung Pantschevo's konnte keine Waffenthat
genannt werden. Hatte sich der Muth der Truppen auch
einigermaßen wieder gehoben, so bedurfte es doch eines
bedeutendern Erfolges, um ihn vollends aufzurichten.
Zudem durfte die Insurrektion des Kikindaer Bezirkes,
dessen Bevölkerung nur auf den Moment wartete, da die
Serben in Betschkerek einrücken würden, um sich in hellen Haufen zu erheben, nicht länger verschoben werden,
wenn nicht die nationale Sache, außer vom Mißgeschicke
der Waffen, auch noch durch die moralische Abspannung
in Frage gestellt werden sollte. Stratimirovitsch beschloß
einen Angriff auf den Hauptstützpunkt des Kiß'schen Corps,
auf Betschkerek. Daß der Patriarch von Karlovitz aus
dem Plane nicht beistimmte, der unter den Rohrzelten
von Perlas gefaßt wurde, weil er den Kräften nicht

traute, oder neue Siege, wenn sie dem jungen Heerführer erfochten wurden, nicht wünschte, konnte ihn von
der Ausführung nicht abhalten. Die Dispositionen wurden getroffen. Die Truppen aus dem Perlaser Bivouak
sollten unter Stefanovitsch auf der geraden Straße von
Perlas nach Etschka vorrücken. Sie hatten die Aufmerksamkeit des Feindes durch einen Scheinangriff auf
diesen Ort abzuziehen. Inzwischen sollten zwei andere
Kolonnen, die eine bei Schablja unter Stratimirovitsch,
die andere bei Moschorin unter Agitsch die Theiß passi-
ren und die eine Elemer, die andere Arabat, Ortschaften in der Nähe von Betschkerek, angreifen. Gegen
Betschkerek selbst sollte Knitschanin aus dem Lager von
Tomaschevat aufbrechen und sich mit den Kolonnen Stratimirovitsch und Agitsch zu vereinigen trachten. Auf das
Zeichen seiner Nähe sollte Betschkerek von allen drei Kolonnen gemeinschaftlich angegriffen werden.

Am Abend des 30. August (11. Septbr.) erschienen
die Kolonnen Stratimirovitsch und Agitsch an der Theiß,
um den Uebergang während der Nacht zu bewerkstelligen.
Knitschanin sollte am nächsten Morgen, sobald ihm der
Kanonendonner von der Theißseite anzeigen würde, daß
der Uebergang stattgefunden, aus seinem Lager aufbrechen. Indessen hatte Kiß von dem Plane Kunde erhalten und am 30. August (11. Septbr.) eine starke Truppenabtheilung unter der Anführung Vetters gegen Perlas
entsandt. Stefanovitsch hatte nach einem zweistündigen
Gefechte weichen müssen, ein Theil seines Geschützes fiel

in Vetters Hände und Perlas ging in Flammen auf.
Nichtsbestoweniger wurde der Uebergang unternommen
und die Bewegung gegen Betschkerek von der Theißseite
fortgesetzt. Nach einem hartnäckigen Kampfe besetzte
Agitsch dem Schlachtplane gemäß den Ort Arabatz.
Stratimirovitsch mußte, nachdem er ungehindert den
Strom übersetzt hatte, erst ein heftiges Gefecht bestehen,
das sich längs des Theißdammes, den die Magyaren mit
zahlreichem Geschütz besetzt hielten, entspann, den Damm
mit Sturm nehmen, ehe er gegen Elemer vorrücken und
dieses nehmen konnte. Zur Sicherung des Rückzuges
pflanzte er einen Theil seines Geschützes auf dem erstürmten Damme auf. Die Nachricht von der Einnahme
Elemers und Arabatz's brachte den ganzen Bezirk von
Kikinda in Aufregung. Bei Melentze sammelten sich
bereits bewaffnete Haufen und die magyarischen Truppen, die sich nach Betschkerek zurückgezogen, rüsteten sich
zum Abzuge. Stratimirovitsch harrte nur des Signales
Knitschanins, um gegen Betschkerek vorzurücken. Stunden
jedoch vergingen und das Signal blieb aus. Kiß hatte
auch auf der Straße gegen Tomaschevatz eine Abtheilung
seiner Truppen entsandt; Knitschanin, seit dem Morgen
im Schach gehalten, suchte vergeblich den beiden Theiß-
kolonnen die Hand zu reichen. Das Stillstehen dieser
beiden Kolonnen in Elemer und Arabatz, so wie das
Ausbleiben Knitschanins veranlaßten Kiß zu einem neuerlichen Ergreifen der Offensive. Die magyarischen Truppen
erschienen vor Elemer und Arabatz, um diese Orte zu-

rück zu erobern. Arabatz, wo die Serben, des langen
Harrens müde, sich in den Häusern bei ihren Stammes-
brüdern zerstreut und beim Kruge Wein vergessen hatten,
mußte auf das erste Anrennen geräumt werden. Die
ganze Kolonne verließ den Ort mit Zurücklassung ihres
Geschützes in wilder Flucht und vermochte, von leichter
Kavallerie verfolgt, sich erst am nächsten Morgen wieder
bei Kamen zu sammeln. Bei Elemer hingegen entspann sich das blutigste Treffen des Tages. Zu wiederholten Malen wurden die Magyaren zurückgeschlagen und
mußte man ihnen wieder weichen. Zu wiederholten Malen
wurde der Ort aufgegeben und wieder genommen. Unter
so wechselndem Glücke hielten sich die Serben bis zum
einbrechenden Abend und traten dann, nachdem das Schloß
Kiß's zu Elemer der Plünderung und Zerstörung preisgegeben worden, unter fortwährendem Kampfe ihren Rückzug über die Theiß an.

Siebzehntes Kapitel.

So unglücklich die Unternehmungen am linken Ufer der Theiß abliefen, und so sehr dadurch jeder erfolgreiche Widerstand gegen die Maßnahmen der magyarischen Regierung nicht nur unmittelbar im Banate, sondern auch mittelbar in der Batschka als auf's Spiel gesetzt erscheinen mußte; so sehr sollte all dies Mißgeschick dazu dienen, um die durch den Patriarchen vertretene Richtung in der Bewegung eher zu fördern, als zu stören.

Der Hof war nämlich mittlerweile nach Wien zurückgekehrt, die schwankende Unentschlossenheit von Innspruck war einem fest und unwandelbar vorgezeichneten Plane gewichen, und die Grundzüge dieses Planes hatten in immer deutlichern Umrissen an's Tageslicht zu treten begonnen. In einer umfassenden Denkschrift war Seitens des österreichischen Kabinettes der Standpunkt angedeutet worden, von welchem es fortan das Verhältniß Ungarns zu Oesterreich aufzufassen, und welche Stellung es hiernach den Ereignissen und Unternehmungen, als deren

Mittelpunkt und Seele die Hervorragenheiten des magyarischen Ministeriums galten, einzunehmen gesonnen sei;
es war in dieser Denkschrift, deren Bekanntwerden zunächst durch eine Interpellation im österreichischen kon-
stituirenden Reichstage, in welchem die Sache der Magyaren sowohl, als jene der Serben, ihre Vertreter gefunden hatte, veranlaßt worden, unzweideutig die Idee
eines einheitlichen österreichischen Staates, in welchem
Ungarn mit seinen Theilen keine andere Stellung einnehmen könne, als irgend eine der andern Provinzen,
ausgesprochen; es war auf die Unmöglichkeit hingewiesen worden, diesen, unter Einem Staatsoberhaupte stehenden Staat durch zwei verantwortliche Regierungen
zu verwalten; es war, mit Einem Worte, die Fehde gegen die von österreichischem Standpunkte aus unhaltbaren magyarischen Märzkonzessionen ausgesprochen und
kein geringes Gewicht darauf gelegt worden, wie diese
Konzessionen von einem bedeutenden Theile der Bevölkerung der Länder der magyarischen Krone, namentlich der
des Südens, höchst ungünstig aufgenommen worden seien,
und als der Gährstoff anhaltender und stets gefährlicher
und blutiger zu werden drohenden Bewegungen wirkten.
Der Banus von Kroatien war durch das bekannte Handbillet vom 23. Aug. (4. Septbr.) in Amt und Würden re-
stituirt und hieburch die kroatische Bewegung vom Hofe und
der österreichischen Regierung in aller Förmlichkeit und
offen adoptirt worden. Die Ansichten des Hofes sowohl
als der Regierung über die Erwartungen, denen sich die

Slaven Oesterreichs hingaben und deren Erfüllung sie
als den Preis für ihre Unterstützung beider als unausbleiblich annehmen zu dürfen glaubten, schienen denselben geneigt und fördernd, und so konnte denn auch der
Patriarch nur dahin streben, die Adoption des Hofes und
der österreichischen Regierung für die serbische Bewegung
zu erwerben, und die Geneigtheit beider, den flavischen
Elementen im Umfange des großen Staates fortan ge-
bührende Rechnung zu tragen, durch Beseitigung alles
dessen, was man in Wien für zu weit gegangen halten,
oder was auch wirklich weiter gehen konnte, als mit dem
Plane, nach welchem die neue Idee der einheitlichen Monarchie durchgeführt werden sollte, vereinbarlich gewesen
wäre. Gewiß ist, daß das Bild, das sowohl dem Banus
von Kroatien als dem Patriarchen von der Art und Weise
dieser Neugestaltung des Gesammtstaates und der Stellung, die die Ländergruppen im Allgemeinen, und jene,
deren Interessen zur Zeit in ihnen verkörpert waren, insbesondere darin einnehmen sollten, nichtsdestoweniger ein
von jenem verschiedenes war, dessen Entwurf bei Hofe
und im österreichischen Kabinette maßgebend war. Während hier die erreichbarste Centralisation angestrebt werden sollte, gaben sich die beiden Häupter der südlichen
Bewegung der Hoffnung hin, wenn auch nicht durch den
möglichsten, so doch durch einen zureichenden Grad von
föderativem Verhältnisse den nationalen Bestrebungen, die
sie vertraten, Rechnung getragen zu sehen. Wie dies
in Kroatien bereits geschehen, mußte nach alle dem die

Sorge des Patriarchen dahin gehen, dem bis jetzt einzig und allein in der serbischen Bewegung zum Ausbruck gelangten nationalen und in Bezug auf die Stellung zu Oesterreich streng föderalistischen Elemente die Herbheit einer Revolution zu benehmen, die Spitze einer auf jede Eventualität gefaßten Bewegung zu brechen. Die jüngste Niederlage an der Theiß schien hiezu ein geeigneter Anlaß.

Hatte der Patriarch schon von vornherein den Plänen, die ihm Stratimirovitsch in Bezug auf das Banat und namentlich Betschkerek vorlegte, nicht beigestimmt, so schien ihm nun, da die Unternehmung so unglücklich ausgefallen, der Zeitpunkt gekommen, den jungen Heerführer für die Eigenmächtigkeit, mit der er die einmal gefaßten Ideen ausführen zu wollen sich erlaubte, zur Verantwortung zu ziehen, ihn hiedurch von der Spitze der bewaffneten Macht zu entfernen und die Leitung dieser aus Händen, die sich nicht leicht irgend einem Einflusse fügten, in verläßlichere und den Ansichten, die er selbst über den Zweck der serbischen Bewegung hegte, verwandtere zu übertragen. Hatten sich auch die zerstreuten Truppen schon nach zwei Tagen wieder gesammelt und war selbst der Patriarch an die Theiß geeilt, um sie durch seine Gegenwart sowohl als durch sein Wort zu ermuthigen, so wurde doch Stratimirovitsch unmittelbar nachdem die Nachricht von dem unglücklichen Ausgang des Treffens in Karlovitz eingelaufen war, des Kommando's enthoben, in Anklagezustand versetzt und angewiesen, seinen Aufenthalt in Karlovitz zu nehmen, um sich allba wegen der ihm vorgelegten auch anderweitigen Anklagepunkte, als: unnöthige Verausgabung der Nationalgelder, Anstrebung der Diktatur, Demoralisation der Gränztruppen u. s. w. schriftlich zu rechtfertigen. Zur Leitung des Heerwesens, bis ein neuer Oberanführer werde bestellt worden sein, wurde Herr v. Mayerhofer, der kurz vorher aus Wien zurückgekehrt war, wohin er geeilt war, um sich mit der österreichischen Regierung über die Mittel und Wege in's Einvernehmen zu setzen, durch welche die serbische Bewegung in den Schranken der Zweckdienlichkeit erhalten werden konnte, eingeladen; eine Einladung, der dieser Offizier, nachdem er vor wenigen Tagen auch im Banate und namentlich vor Weißkirchen die Aufgabe der Vermittelung im Sinne des österreichischen Kabinettes, wiewohl erfolglos, übernommen hatte, auch allsogleich nachkam[1]).

---

[1]) Herr v. Mayerhofer sah sich bestimmt, sein Eingreifen in den Gang der Ereignisse durch folgende Erklärung zu begründen. „Der k. k. Feldmarschalllieutenant und Banus von Kroatien, Joseph Baron Jelatschitsch, als Vertreter der zwischen dem kroatischen Landtage und der serbischen Nation in Bezug auf ihre am 1. und 3. Mai a. St. d. J. ausgesprochenen loyalen, gerechten und volksthümlichen Ansprüche und Wünsche bestehenden Allianz, hat mich bei der Unwirksamkeit der beiden hierländischen Generalkommanden und in Abwesenheit des zu erwartenden Wojwoden mit der Reorganisirung der Militärgränzregimenter und Bataillone in Syrmien und dem Banate beauftragt, damit die zur nothwendigen Entwickelung der Streitkräfte heilsame innere Ordnung hergestellt und der Nation in ihrer Be-

Mittlerweile war der Banus von Kroatien über die Drau gegangen. Was man in Buda-Pest längst befürchtete, war zur Thatsache geworden, und die magyarische Regierung hatte es nunmehr nicht bloß mit einem immer noch als kaum mehr denn einen Raubzug betrachteten Aufstande an der Theiß und am Franzenskanal, sie hatte es nunmehr mit diesem und mit dem zum offenen Feldzuge gewordenen kroatischen Aufstande zu thun. Sie hatte ihre Aufmerksamkeit nach zwei Punkten zu richten, sie mußte ihre Kräfte nach zwei Richtun-

---

drängniß durch die magyarische Erekutionsarmee alle mögliche Hülfe an Mannschaft, Munition, Waffen und militärischem Rathe durch die reichen Mittel der k. k. Militärgränze geboten werde.

Ich habe diese mir auferlegte Verpflichtung bisher im Interesse des Allerhöchsten Dienstes Sr. Majestät des Kaisers sowohl als der serbischen Nation in den k. k. Staaten getreulich und mit allem Eifer erfüllt, und habe nicht nöthig, die am Tage liegenden Beweise dieser mächtigen Hülfe näher anzuführen. Gegenwärtig aber finde ich mich veranlaßt, öffentlich zu erklären, daß ich weder von Sr. Excellenz dem Banus, noch von irgend Jemand Andern bei dieser Dienstleistung einen Auftrag oder Andeutung zu einer wie immer Namen habenden Reaktion oder Schmälerung der von Sr. Majestät dem Kaiser Ihren österreichischen und ungarischen Staaten gewährten konstitutionellen Freiheiten erhalten habe, noch annehmen würde, sondern vielmehr durch meinen oben erwähnten Auftrag dahin zu wirken habe, daß der serbischen Nation die von Sr. Majestät dem Kaiser ausgesprochene Theilnahme und Gleichberechtigung an allen diesen konstitutionellen Freiheiten, eben so wie ihre früheren Privilegien gesichert werden, und sie im Sinne der pragmatischen Sanktion ihren alten Verband mit der österreichischen Gesammtmonarchie aufrecht erhalte u. s. w.

Karlowitz, am 18. (30.) Sept. 1848. Mayerhofer, Oberst.

gen vertheilen und mußte nach der so unbefriedigenden
Antwort, die den Abgeordneten des ungarischen Reichstages in Schönbrunn geworden war, auch darauf gefaßt
sein, ihr Augenmerk bald auch nach einer dritten Seite
hin richten zu müssen. Unter diesen Umständen fand sie
sich zu neuen, nach allen Richtungen hin einflußreichen
Schritten veranlaßt. Erzherzog Stefan, der Palatin, ein
Prinz des kaiserlichen Hauses, übernahm den Oberbefehl
der bereits aufgestellten und eben im Aufstellen begriffenen magyarischen Heeresmasse; Ernst Kiß, der sich an
der Theiß den Ruf einer strategischen Bedeutenheit erworben, wurde an die Drau gesandt und der Kriegsminister Meßaros mit den weiteren Operationen gegen die
Serben beauftragt.

Die Mißhelligkeiten, die zwischen den Häuptern der
serbischen Bewegung ausgebrochen waren, konnten in
Pest nicht unbekannt und sollten eben so wenig unbenutzt bleiben. Stratimirovitsch hatte sich gefügt und war
in Karlovitz geblieben; an der Spitze der serbischen bewaffneten Macht stand noch kein neuer Führer. Die
Lager oberhalb des Franzenskanals wurden somit durch
neue Truppensendungen verstärkt und ein erneuter Angriff auf das Bollwerk der Theiß und der Batschka, auf
Szent Tomas beschlossen, der in kürzester Frist und mit
Aufwand aller Kräfte ausgeführt werden sollte, um endlich wenigstens des serbischen Südens Meister zu werden und desto ungetheilter sich dem viel stärkern, weil
an der Spitze eines vollkommen organisirten und aus-

13*

gerüsteten Heeres heranrückenden kroatischen Gegner ent=
gegenstellen zu können.

In der That rückte auch der Kriegsminister schon am
9. (21.) September mit etwa 25000 Mann gegen Szent
Tomas heran, das in diesem Augenblicke von einer we=
nig disziplinirten, aber um so entschlossenern, zum Theil
aus Peterwardeiner Gränzern, zum Theil aus Tschaiki=
sten, Serbianern und Sz. Tomaser Garben bestehenden
Mannschaft in der Stärke von etwa 5000 Mann mit
14 Geschützen besetzt war. Das Kommando des Ortes
führte Kapitän Bigga. Diese Besatzung wurde schon
Tages vorher auf die Nachricht, daß ein abermaliger
Hauptschlag gegen die kleine Festung beabsichtigt sei, in
ähnlicher Weise, wie in dem letzten Treffen, an die Ber=
daser Linie, an den Serbobran, an den Peterwardeiner
Brückenkopf und an das Defilé des Krivajasumpfes ge=
gen Feketehegy vertheilt, um an allen Angriffspunkten
gegen den ersten Anstoß sicher zu sein. Die Wichtigkeit
von Szent Tomas war in diesem Augenblick eine mehr=
fache. Fiel es, so war damit nicht nur die Theiß und
die Batschka preisgegeben, sondern zugleich durch den
ohnehin in Folge der jüngsten Unfälle gedrückten mora=
lischen Einfluß der ganzen Bewegung eine Ende gesetzt;
der Ban von Kroatien aber war dadurch, daß den ma=
gyarischen Heeresmassen der Weg nach Syrmien und Sla=
vonien offen stand, im Rücken gefährdet, und mußte, mit
den Waffen außer Landes stehend, Kroatien von den Ma=
gyaren besetzen sehen. Bigga war entschlossen, den Kriegs=

minister nur über die Leichen seiner Tapfern einziehen zu
lassen. Es ist buchstäblich zu nehmen, daß sich diesmal
von den Sz. Tomaser Einwohnern Alles, was sich nur
irgendwie bewaffnen konnte, zur Vertheidigung herbei-
brängte, Weibern und Kindern die Sorge für das Lö-
schen des ohnehin bereits zu drei Viertheilen zusammen-
geschossenen und abgebrannten Ortes überlassend.

Um drei Uhr Morgens verkündeten die Vorposten das
Anrücken des Feindes. Eine halbe Stunde später eröffneten die magyarischen Batterien, im Schutze des Mor-
gennebels bis nahe an den Ort herangerückt, das Bom-
barbement gegen denselben. Der Hauptangriff galt abermals der Linie von Verbas. Nebenangriffe wurden gegen die Kanalbrücke und gegen das Feketehegyer Defilé
gerichtet. Von zwei Batterien und zwei Mörsern unterstützt, rückten gegen die genannte Linie alsbald die
Sturmkolonnen heran, um das Erdwerk an einem von
dessen beiden Enden zu erstürmen. Nach wiederholten
fruchtlosen Versuchen jedoch zog der Kriegsminister die
Kolonnen, ohne daß diese den Linien auf mehr als auf
etwa 400 Schritte nahe gekommen wären, aus dem Bereiche der Szent Tomaser Kanonen zurück, ließ außerhalb
der Schußweite eine Brücke über den Kanal schlagen und
schickte sich an, auf der Ebene von der O Kerer Seite her
mit allen seinen Massen einen forcirten Sturm gegen den
Brückenkopf zu unternehmen. In diesem entscheidenden
Augenblicke, etwa gegen 10 Uhr Morgens, erschien der
Kapitän Michael Joannovitsch, der in der Nacht von

Tschurug aufgebrochen war, um sich mit seinen 3000 Mann Gränzern noch bei Zeiten nach Szent Tomas zu werfen, auf der O Kerer Ebene. Meßaros sandte ihm seine Husaren entgegen, um, während ihn diese in Schach hielten, den Sturm auf den Brückenkopf auszuführen. Joannovitsch jedoch schlug den Angriff der Reiter zurück und nöthigte den Kriegsminister, sich auf ein erneutes Bombardement gegen die Werbaser Linie und gegen den Brückenkopf zu beschränken, während er selbst mit seinen 3000 Gränzern unter den Augen der magyarischen Kolonnen sich fechtend in den Brückenkopf warf. Nach einem zwölfstündigen Gefecht endlich zog sich der Kriegsminister abermals in seine Lager zurück, nachdem, wie die magyarischen Zeitungen berichteten, nicht weniger als 3500 Schüsse aus seinen Kanonen gegen das widerspenstige Raizennest abgefeuert worden waren. Am Tage nach der Schlacht gingen die Weiber und Kinder von Szent Tomas Kanonenkugeln und ungeborstene Bomben sammeln, und brachten derselben nicht weniger als achtzig Zentner zusammen, die dann wieder zu Patronen verwendet wurden.

Die Unzufriedenheit und Mißstimmung, die schon nach dem letzten mißglückten Versuche gegen Sz. Tomas in den magyarischen Lagern Platz gegriffen hatte, begann sich nun laut auszusprechen und fand ihren Ausdruck nicht nur in zahlreichen, von Worten der höchsten Entrüstung überströmenden Lagerberichten in den magyarischen Zeitungen, sondern auch im Sitzungssaale des ungarischen Reichstages selbst. Die bittersten Anklagen trafen nicht nur den Kriegsminister und den neuen Kommissär Beöthy, jenen seiner Unfähigkeit, diesen seines Uebermuthes wegen, sondern auch Kossuth selbst, dem man es vorwarf, daß er über seiner Lieblingsidee, eine Donauflottille zu schaffen, des im Felde stehenden Heeres vergesse. Vier Tage später kehrte das Kriegsdampfschiff „Meßaros" nach Pest zurück, um, wie es hieß, von nun an zwischen Pest und Mohatsch die Donauufer zu bewachen. —

An demselben Tage, an welchem sich die serbischen und magyarischen Kräfte zum dritten Male an den Wällen von Sz. Tomas maßen, rückten im Banate bei 2000 Serben aus dem Lager von Alibunar gegen Werschetz vor, ein theils von Serben, theils von Deutschen bewohntes Städtchen, das, ebenso wie Weißkirchen, zur Sache der magyarischen Regierung hielt. Der Versuch, diesen Ort mit bewaffneter Hand zu nehmen, schlug fehl. Das Erscheinen des Herrn v. Mayerhofer entzog ihn der magyarischen und überlieferte ihn der österreichischen Sache ohne Schwertstreich. Herr v. Mayerhofer eröffnete nämlich dem daselbst kommandirenden Uhlanenobersten von Blomberg Zweck und Absicht seiner Mission, theilte ihm die Instruktionen mit, die er von Wien mitgebracht, und Oberst v. Blomberg erklärte auf dem Rathhause von Werschetz, daß die Einwohner dieses Ortes von nun an auf seine Unterstützung nicht rechnen dürften, da er sich fortan mit den ihm untergeordneten Truppen-

abtheilungen neutral halten wolle; und Werschetz kapi-
tulirte.

Stratimirovitsch hatte sich einstweilen gefügt und in
Karlovitz der Anklageakte entgegengesehen, um sich gegen dieselbe zu vertheidigen. Da jedoch, ohne daß ihm
diese vorgelegt wurde, sein Aufenthalt in Karlovitz immer
mehr und mehr den Charakter einer förmlichen Gefan-
genhaltung annahm, erklärte er, die Anklage in dieser
Stadt, in der er sich weder frei, noch sicher glaubte,
nicht länger abwarten, sondern sich in's Lager Knitschanin's begeben zu wollen, um sich von dort aus zu rechtfertigen, und verließ in Begleitung einiger ihm ergebe-
nen Bewaffneten, trotz der wiederholten Aufforderung von
Seiten des Patriarchen, sich von Karlovitz unter strengster
Verantwortlichkeit nicht zu entfernen, die Stadt in der
Nacht des 9. (21.) September, ohne daß ihn die zur
Verhinderung seiner Flucht aufgestellten Wachtposten
irgendwie daran zu hindern versucht hätten. Die Be-
sorgniß, die hieraus für den Patriarchen erwachsen mußte,
war eine nicht geringe. Verhaftbefehle eilten dem Flüchtigen allenthalben voraus, wo er seinen Weg nehmen
konnte, und so kam es denn, daß ihm schon am folgenden Morgen, in demselben Augenblicke, als er an das
linke Donauufer übersetzen wollte, ein Offizier entgegen-
trat, ihm den Säbel abforderte und ihn im Namen des
Patriarchen als „Verräther" gefangen erklärte. Stratimirovitsch wandte sich an die Soldaten, die den Offizier begleiteten, und fragte sie, ob sie wirklich entschlossen

feien, ihren Anführer, unter dem fie bei Sz. Tomas und Temerin fo tapfer gefochten, als Gefangenen zu eskortiren. Die Soldaten verweigerten ihrem Offizier den Gehorfam und Stratimirovitsch setzte über die Donau, um ohne weitern Aufenthalt Abends das Lager Knitschanin's zu erreichen. Auch hieher jedoch war ihm bereits die Depesche des Patriarchen vorangeeilt. Knitschanin nahm ihn gastlich auf, forderte ihm jedoch das Versprechen ab, Tomaschevaz nicht verlaffen und fein Gefolge nach Karlovitz zurückfenden zu wollen. Die Regierung des Fürstenthums Serbien, an die fich Knitschanin um Verhaltungsmaßregeln in dem Zerwürfniffe zwischen dem Patriarchen und dem fuspendirten wrhowni wožd wandte, empfahl ihm zwar schonende Behandlung, jedoch strenge Beauffichtigung, da es auch ihr wünschenswerther schien, den allzu weit ausgreifenden Heerführer vom Schauplatze der Begebenheiten entfernt zu fehen.

Bald jedoch fühlte fich Stratimirovitsch zwischen den Zelten Knitschanin's nicht minder beengt, als in Karlovitz. Dazu kam der Sieg von Sz. Tomas, die Kapitulation von Werschetz, das Gerücht unter den Truppen, der ehemalige Heerführer fei zu den Magyaren übergegangen oder habe doch zu denfelben übergehen wollen, vor Allem aber die täglich mehr zunehmende Strenge, mit der ihn Knitschanin behandelte, und Stratimirovitsch faßte den Entschluß, auch das Lager von Tomaschevaz zu verlaffen und fich in den Tschaikiftendiftrikt zu begeben, um fich nun, da fein Prozeß noch nicht einmal begonnen, viel weniger noch die Gerüchte, die über ihn in Umlauf gerathen waren, widerlegt hatte, durch sein persönliches Erscheinen selbst zu restituiren.

Der Ausmarsch einer namhaften Truppenabtheilung, die auf Befehl des Patriarchen das Lager verlassen und über Titel in die Stellungen am Franzenskanal einrücken sollte, gab ihm zur Ausführung seines Entschlusses baldigen Anlaß. Die Schwächung des Lagers schien ihm nämlich in einem Augenblicke, wo die Sachen wohl am Franzenskanal günstig, dagegen im Banate immer noch sehr mißlich standen, so bedenklich, daß er den Abzug der betachirten Bataillons durch Vorstellungen, die er deßhalb Knitschanin machte, noch im Lager zu verhindern suchte. Zwei Tage nach ihrem Ausmarsche verließ er in der Nacht das Lager und ereilte am folgenden Tage die Bataillons bei Titel, eben als diese im Begriff standen, ihren Marsch fortzusetzen. Stratimirovitsch forderte den Kommandanten der Bataillone auf, ihn sofort wieder als Oberkommandanten anzuerkennen. Der Kommandant erwiederte diese Aufforderung damit, daß er um Stratimirovitsch ein Quarré bilden ließ und den Soldaten befahl, ihn zu entwaffnen. Stratimirovitsch haranguirte die Soldaten und keiner von ihnen mochte Hand an ihn legen. Der Kommandant befahl auf ihn zu feuern. Einige aus der Truppe legten ihre Gewehre an. Die Andern rissen diesen die Gewehre aus der Hand und die Bataillone waren im Begriff, unter einander handgemein zu werden, als der Kommandant den Kanonieren befahl, die Geſchütze aufzuführen und dieſe auf Stratimirovitſch und die Soldaten abbrennen zu laſſen drohte, wenn ſeinen Befehlen nicht augenblicklich Gehorſam geleiſtet würde. Die Kanoniere jedoch warfen die brennenden Lunten weg und die Bataillone, nun von Stratimirovitſch zur Ruhe aufgefordert, erklärten, fortan nur ſeinen Befehlen Gehorſam leiſten zu wollen. Stratimirovitſch, der Ergebenheit der Bataillone verſichert, ernannte allſogleich einen andern Kommandanten und ertheilte ihnen den Befehl, nach einem Raſttage in's Lager Knitſchanin's zurückzumarſchiren.

Dieſer Vorfall war zu bedeutungsvoll, als daß der Patriarch, noch an demſelben Tage davon in Kenntniß geſetzt, ſich nicht allſogleich nach Titel hätte begeben ſollen, um da die Autorität ſeiner Anordnung durch ſeine perſönliche Erſcheinung wieder herzuſtellen. Ein Dampfer brachte ihn ſpät Abends nach Titel. Die Bataillone rückten aus, um ihn zu begrüßen. Die Rede jedoch, in der der Patriarch ſie aufforderte, den Verräther Stratimirovitſch dem Arme der Gerechtigkeit zu überliefern, erwiederten ſie dadurch, daß ſie ihre Gewehre in die Luft abfeuerten und Stratimirovitſch ein »Živio!« ausbrachten.

Der Patriarch, der nun einſah, daß unter ſolchen Bewandtniſſen kaum etwas Anderes zu thun ſei, als der Gewalt des Augenblickes nachzugeben, fuhr nach Karlovitz zurück, um die Beilegung des immer tiefer einreißenden, in ſeinen Folgen unabſehbaren Zerwürfniſſes einer

Volksversammlung zu übertragen, die er auch alsbald auf den 25. September (7. Oktober) ausschrieb.

Stratimirovitsch seinerseits, fest entschlossen, die Widerrufung der Proskription, die gegen ihn ergangen, nunmehr durch Waffengewalt zu erzwingen, trachtete eben so schnell sich auch der übrigen Truppen zu versichern, indem er unverzüglich an die Römerschanzen eilte, die einzelnen Aufstellungen seinen Befehlen unterordnete und überall Kommandanten ernannte, auf deren Anhänglichkeit er sich verlassen konnte.

Unter solchen Umständen konnte jede Stunde den Ausbruch innerer Kämpfe herbeiführen, und die Kraft, auf die sich die Sache der Maibeschlüsse stützte, wo nicht völlig brechen, so doch theilen. Einer Kalamität wie dieser vorzubeugen, und, falls sie bereits unvermeidlich wäre, die Schuld davon von sich abzulehnen, erließ der Patriarch noch vor Zusammentritt der Volksversammlung an Stratimirovitsch die Einladung nach Karlovitz, um daselbst eine Verständigung herbeizuführen. Stratimirovitsch nahm diese Einladung als vollständige Genugthuung hin, ging nach Karlovitz und zeigte von da aus in einer vom 22. September (4. Oktober) datirten Proklamation der Nation seine Versöhnung mit dem Patriarchen an, wogegen ihn dieser bis zur Ankunft des erwählten Wojwoden, in dessen, als des eigentlichen Oberhauptes der bewaffneten Macht, Hände Stratimirovitsch den Oberbefehl niederlegen sollte, als wrhowni wožd anerkannte.

Drei Tage später langte Oberst Stefan Schuplikaz, auf den Schlachtfeldern Italiens zum General ernannt, unter dem Jubel von Tausenden von Bewohnern der Batschka, des Banates und Syrmiens in Karlovitz an. Sein Einzug glich dem eines Siegers. Triumphpforten, von denen eine mit der Inschrift: »Soskresenje Srbske Narodne Slobode« (Auferstehung der Freiheit der serbischen Nation), waren erbaut, Deputationen begrüßten ihn, Reden und Gesänge hießen ihn auf dem Platze vor der Residenz des Patriarchen willkommen. Stratimirovitsch legte den kaum wieder übernommenen Befehl über die Truppen in seine Hände nieder, und trat in seiner ursprünglichen Eigenschaft als Vicepräsident in den Obbor zurück.

Achtzehntes Kapitel.

Während auf diese Weise die Dinge im Süden und namentlich an der untern Theiß und untern Donau einer Umgestaltung entgegen gingen, in der sie bald auch die letzten Besorgnisse über ihr Endziel und über die Möglichkeit einer den Zwecken des Gesammtstaates entgegen strebenden Wendung, wie diese in Wien gehegt worden waren, zu zerstreuen geeignet sein konnten, waren im Norden, in den beiden Brennpunkten der Revolution, Pest und Wien, Ereignisse eingetreten, die nicht verfehlen sollten, auf den Gang der gesammten österreichischen und magyarischen Bewegung aufs Entschiedenste zurückzuwirken.

Der österreichische Reichstag hatte die Vermittelung zwischen dem Hofe und dem ungarischen Reichstage abgelehnt. Graf Ludwig Batthyanyi hatte erklärt, nicht länger an der Spitze der ungarischen Regierung stehen zu können, und konnte nur durch das Bitten seiner Freunde und durch wiederholte Vertrauensbezeigungen des magyarischen Repräsentantenhauses dazu bewogen werden, die Geschäfte noch eine Zeitlang fortzuführen. Der Palatin, in eine Stellung gerathen, die mit dem Interesse des Hauses, dem er angehörte, nicht zu vereinbaren war, hatte das Oberkommando über die bewaffnete Macht Ungarns wieder niedergelegt, und der Kaiser, beziehungsweise König, nachdem die Vermittelungsversuche, denen Erzherzog Johann den Namen lieh, sowie auch die gleichen Versuche von anderen Seiten aus bisher noch nicht genugsam gelüfteten Gründen erfolglos geblieben waren, hatte den kaiserlichen General Grafen Lamberg an die Stelle Hrabowski's zum Kommandanten aller wie immer Namen habenden magyarischen Truppen ernannt und mit ausgedehnten Vollmachten behufs der Wiederherstellung der königlichen Autorität im Bereich der ungarischen Krone ausgerüstet, und als solchen nach Pest abgesandt. Der magyarische Landesvertheidigungsausschuß hatte dagegen seine Rüstungen und Werbungen mit doppeltem Eifer fortgesetzt und den Feldzug gegen den Ban eröffnet. Der Stand der Dinge war dahin gediehen, daß es nur eines geringfügigen Anlasses bedurfte, um den magyarischen Reichstag, als den Vertreter der magyarischen Selbstständigkeit und des ungarischen Königthums, die Waffen, die er bisher blos gegen die im Aufstande begriffenen Theile Ungarns selbst gewandt hatte, gegen Oesterreich und dessen Regierung, als die Gegner der erstern und Interpretatoren des letzteren im Sinne der einheitlichen Monarchie, kehren zu lassen; nur eines Zufalls, um die

Regierung von Oesterreich mit ihren, in der bereits erwähnten Denkschrift angedeuteten Plänen offen hervortreten, und die Waffen, die sie bis nun ihrem Verfechter
an der Drau auf Umwegen durch Steiermark gesandt
hatte, auf geradem Wege gegen den magyarischen Landesvertheidigungsausschuß tragen zu machen.

Der Anlaß blieb nicht aus. Es war dies der Tod
des Grafen Lamberg auf der Pest-Ofener Schiffsbrücke
am 16. (28.) September. Fünf Tage darauf erfolgte
das bekannte Manifest vom 3. Oktober, die Auflösung
des ungarischen Reichstages und die Uebertragung sämmtlicher Militär- und Civilgewalten an den Banus, somit
die offene Kriegserklärung des Königs an sein Parlament, des Kaisers von Oesterreich gegen Ungarn. Dem
magyarischen Reichstage blieb nur übrig, auseinander zu
gehen, den Banus von den Gewalten Besitz nehmen und
somit willig jene Ideen zur Durchführung gelangen zu
lassen, die dieser vertrat, und gegen die sich Regierung
und Ablegaten seit einem halben Jahr zu dem erbittertsten Kampfe rüsteten — oder sich dem Reskript vom 3. Okt.
entgegenzustellen, es zu ignoriren, der Auflösung nicht
Folge zu leisten, den Kampf einzugehen.

Es war vorauszusehen, daß er das letztere wählen
würde, weil er, wenn er die Legitimität, die er vertrat,
nicht dementiren wollte, es mußte und auch nicht anders
konnte.

In diesen Zeitpunkt erhöhter Kraftanstrengungen fallen auch die ernstgemeinteren Versuche, den Aufstand im

Südosten, das heißt unter den Serben und Romanen, die sich mittlerweile ebenfalls gegen die Suprematie des Magyarenthums erhoben hatten, durch Konzessionen und Pazifikationsvorschläge zu beschwichtigen, die früher abgestoßenen Kräfte wieder an sich zu ziehen. Oesterreich war jedoch, wie sehr auch zögernd, schneller gewesen. Es hatte dem ganzen slavischen und rumänischen Südungarn den Preis zugestanden, für dessen Wahrung es sich erhoben und dessen Garanten es einzig und allein als seine Freunde betrachten zu wollen erklärt hatte — den Preis der Anerkennung seiner nationalen Freiheit sowohl, als der Gewährleistung der politischen Errungenschaften. Konzessionen sowohl als Pazifikationsvorschläge blieben daher ohne Erfolg¹) und es blieb dem Parlament zu Pest nichts Anderes übrig als den Krieg gegen die Serben und Kroaten fortzusetzen, gegen die Rumänen zu rüsten und gegen Oesterreich zu werben.

. ¹) Es hat diese Erfolglosigkeit nachmals zu vielen Vorwürfen Anlaß gegeben, die von Seiten der magyarischen Diplomatie und Presse gegen die betreffenden Nationalitäten erhoben wurden, und zum Beweise dienen sollen, daß diese ihre Waffen lediglich zum Schutze der Reaktion und zur Abwehr der politischen Freiheit, somit aus Liebe zur Knechtschaft erhoben haben. Es ist überflüssig, sich hierüber in Diskussionen einzulassen. Nicht übergangen kann es aber werden, wenn Männer von schärferem politischen Blicke wie z. B. Teleki in Paris, in seinem bekannten Briefe an den Fürsten Czartoriski sich darüber beklagt, „die ungarische Regierung wäre bereit gewesen, den Serben alle möglichen Konzessionen zu machen, wenn es ihr gelungen wäre, sich Gehör zu verschaffen." Es gehört der Geschichte an, daß die ungarische Regierung zu

14

Der Tod des Grafen Latour hatte endlich vollends die
letzten Schranken sinken machen, die bisher noch die offe=
nen und direkten Feindseligkeiten zwischen Oesterreich und
Ungarn hintangehalten hatten und den Krieg an der
oberen Donau zum Ausbruche gereift.

Die momentane Rückwirkung dieser Wendung der
Dinge auf den Stand der serbischen Erhebung war eine
für diese letztere nicht unvortheilhafte. Konnte auch das
Vorbringen des Banus von der Drau gegen Buda=Pest
kein siegreiches genannt werden und ließen die Verluste,
die er dabei erlitt, es mehr als ein Vorgedrängtwerden
erscheinen, so war doch die ungarische Regierung genö=
thigt, ihre Streitkräfte zu theilen, und dies um so mehr,
als sie bald ihr Augenmerk nicht nur auf den Banus
von Kroatien, sondern auch gegen die Heeressäulen zu
richten hatte, die mit der Bestimmung, das Reskript vom
3. Oktbr. zur Geltung zu bringen, sich aus Niederöster=
reich, Mähren und Galizien über die Leitha und die Kar-

---

einer Zeit, da die Serben für Konzessionen selbst geringeren Um=
fanges empfänglich waren, ja um dieselben baten, sich hierzu nichts
weniger als geneigt bewies, und Graf Teleki würde jedenfalls
richtiger bedauert haben, daß die ungarische Regierung erst dann
an Konzessionen dachte, da die Ebenen um Szent Tomas bereits
durch monatelanges Blutvergießen getränkt, die Protokolle der
Blutgerichte durch die Namen von Hunderten lediglich ihrer ser=
bischen Abkunft halber Hingerichteter gefüllt waren. Wenn endlich
Graf Teleki den Grund der Erhebung und Unzugänglichkeit der
Serben und Rumänen, im Fürstenthum Serbien und in der Wal=
lachei sucht, so ist dies wirkliches oder absichtliches Mißverstehen
aller Zustände.

pathen in Bewegung setzten. Der Schwerpunkt des Krieges wurde hierdurch von den Ufern der Theiß und untern
Donau auf die Pußten des nordwestlichen Ungarn übertragen, die Aufmerksamkeit des Vertheidigungsausschusses
und mit ihr die Hitze der Gemüther vom Franzenskanal
auf die Schwechat und Leitha gelenkt. Der Odbor zu
Karlovitz konnte Zeit gewinnen, neue Kräfte zu sammeln,
konnte, einen entschlossenen Führer an der Spitze, die
nationalen Schaaren mit geringen Opfern bis Theresiopel,
Segedin und an die Marosch vorrücken lassen, und die
Frage, ob Serben existiren oder nicht, zur Entscheidung
bringen, ehe sich das ungarische Ministerium entschloß,
sie bedingungsweise bejahen zu wollen, ehe das österreichische Kabinet sie in Form wohlwollender Belohnung
bejahte.

Am 9. (21.) September war indeß die neu berufene
Volksversammlung zusammengetreten. Der Patriarch eröffnete die Sitzungen; die Versammlung sprach ihm, nachdem er über sein und des Odbors bisheriges Wirken
Bericht erstattet hatte, die Anerkennung der Nation aus
und begrüßte den Wojwoden, um ihm in feierlicher Weise
die oberste Leitung der Angelegenheiten, die entscheidende
Benutzung des günstigen Momentes auf dem Kriegsschauplatze zu übertragen. General Schuplikatz aber, sei es nun,
weil er an der Spitze seines wohldisziplinirten Bataillons zu fechten gewohnt, zu den bunten Heereshaufen
kein rechtes Vertrauen hegte, oder weil er, kaiserlicher

14*

Offizier vom Wirbel bis zur Zehe, ohne höhere Weisung überhaupt die Verantwortung keines Schrittes von
irgend größerer Bedeutung über sich nehmen wollte, General Schuplikat vermochte seine streng militärische An-
schauungsweise der Liebe zur Sache, an deren Spitze
er berufen worden, nicht unterzuordnen, und lehnte vorläufig jede Bekleidung mit Macht und Einfluß, jede
Theilnahme an der Leitung der Angelegenheiten in der
Eigenschaft eines Wojwoden ab, bis ihm vom Hofe die
Bestätigung in dieser Würde und die Weisung für die
einzunehmende Stellung zugekommen sein würde. Bis
dahin, erklärte er, nur als kaiserlicher General in seiner
Heimath verweilen zu können, der den zweimonatlichen
Urlaub, der ihm im Hauptquartiere Radetzky's ertheilt
worden, benutzen wolle, um, insoweit sich dies mit der
militärischen Pflicht vereinbaren lasse, der Sache seiner
Nation, der er übrigens aus voller Seele beistimmte,
dienlich zu sein.

Die nächste Folge dieser Erklärung war eine nicht
geringe Meinungsverschiedenheit der Mitglieder der Versammlung in Bezug auf die Zulässigkeit des Generals
zu irgend einer Dienstleistung überhaupt. Es erhoben
sich Stimmen, die die Ansicht geltend machten, daß sich
die Nation, die, wenn sie auf die Erlaubniß des Hofes
hätte warten wollen, ehe sie für ihre Existenz in die
Schranken trat, lange hätte warten müssen, vor der Hand
bestimmt fühlen müsse, den Beistand des Generals ab-

zulehnen, ebenso wie dieser die Annahme einer Wahl, die als freier Willensausfluß der Nation auf ihn gefallen. Diese Ansicht jedoch, so kräftig sie auftrat, vermochte sich nicht der andern gegenüber zu behaupten, die den Patriarchen in Gemeinschaft mit dem General mit all jener ausgedehnten Vollmacht bekleidet haben wollte, die der Erstere anstrebte, um die Bewegung fortan unwillkommenen Einflüssen entzogen und seinen eigenen Gedanken willfährig gemacht zu wissen.

Nach kurzem Beisammensein und nachdem sie die Vollmacht, die sich nicht nur auf völlig unumschränkte Verwaltung der inneren Angelegenheiten, Verausgabung der nationalen Gelder ꝛc., sondern auch auf vollkommen freie Hand in allenfallsigen Pazifikationsangelegenheiten mit der ungarischen Regierung und in der Regelung des Verhältnisses der verlangten Wojwodina zur österreichischen Regierung und zum Gesammtstaate ausdehnte, löste sich die Versammlung wieder auf.

Der Patriarch ergriff nun die Zügel der Verwaltung, um theils die Beschlüsse der aufgelösten Volksversammlung, theils die eigenen, kraft der aufhabenden Plenipotenz erlassenen Anordnungen zur Ausführung zu bringen.

Vor allem Anderen schien es ihm unerläßlich, sich der Gewalt, die er nun als „zeitweiliger Regent der serbischen Wojwodina," welchen Titel er sich an der Spitze seiner Erlasse beilegte, in seinen Händen vereinigte, zu versichern. Zu diesem Behufe ersetzte er denn vorerst die mit seinen Ansichten nicht völlig übereinstimmenden Elemente des Beiraths, mit dem er sich schon nach seiner Rückkehr von Innspruck umgeben, durch neue, weniger oppositionelle Persönlichkeiten und reorganisirte die gesammte Verwaltung der Art, daß er einer Reihe von Mitgliedern die Administration und Stellung von Anträgen in den Angelegenheiten der Politik, Diplomatie, Finanzen, Justiz, Kirche, Unterricht, Polizei und Oekonomie übertrug, sich selbst jedoch die Exekutive vorbehielt. An der Spitze seiner Erlasse führte er den Namen: „Josef, rechtgläubiger serbischer Patriarch, zeitweiliger Regent der Nation der serbischen Woiwodschaft (Privremeni Naroda Vojvodovine Srbske Upravitelj)."

Die Unterstützung des Hofes im Kriege gegen die ungarische Regierung und gleichzeitig die Erwirkung der Anerkennung der Beschlüsse vom 1. (13.) und 3. (15.) Mai auf dem Wege der Unterhandlung mit der österreichischen Regierung bildeten die Grundzüge seiner Verwaltung und hierdurch auch fortan das Programm der Bewegung. In Beziehung auf das Eine mußten die Rüstungen fortgesetzt, in Bezug auf das Andere, die am 10. Juni abgebrochenen Verhandlungen mit dem Hofe wieder eingeleitet werden.

Zur Vervollständigung der Rüstungen wurden alle waffenfähigen Männer von 16—60 Jahren unter die Waffen zu treten verpflichtet. Keinem Hause, keiner Familie wurde gestattet, mehr als einen Mann zurückzubehalten. Zur Bestreitung der Kosten wurde eine Kriegssteuer ausgeschrieben und zwar in der Art, daß diejenigen

Familien, die nicht wenigstens Einen Mann unter die Waffen gestellt oder jene Personen, die, aus welchem Grunde immer, die Waffen zu ergreifen nicht im Stande sein würden, den Grund körperlicher Unfähigkeit ausgenommen, nach Maßgabe ihres Besitzthums eine monatliche Abgabe von 1, 2, 4, 8, 17, 33 bis 50 fl. C.-M. zu leisten hatten. Ebenso sollte Jedermann gehalten sein, alle Pferde, deren er nicht nachweislich und unerläßlich zum Betriebe seiner Wirthschaft bedurfte, für festgesetzte Preise zum Kriegsdienste abzugeben u. s. w.

Zur Wahrung der serbischen Angelegenheiten bei Hofe und der österreichischen Regierung waren zwar schon früher die Odborsmitglieder Johann Schuplikatz und Konstantin Bagbanovitsch nach Wien gesandt worden. Zur förmlichen Wiederaufnahme der Unterhandlungen jedoch wurde am 23. Oktbr. (4. Novbr.) der Vicepräsident des Odbors und ehemalige Heerführer Stratimirovitsch an den Hof gesandt, den nebenbei aus der Nähe des Heeres, auf das er noch immer einen bedeutenden Einfluß ausübte, zu entfernen, wünschenswerth erschien. Gemessene Instruktionen und Kreditive, die ihm mitgegeben wurden, bezeichneten genau die Gränzen, innerhalb derer er sich dem österreichischen Kabinette gegenüber zu bewegen, setzten genau die Punkte und Modalitäten fest, auf deren Erfüllung er hinzuwirken hatte. ——

Während auf diese Weise der Patriarch an das Ruder der Bewegung getreten war, unternahm der erwählte Wojwode eine Rundreise durch die Städte und Lager der

Batſchka und des Banates. Der Enthuſiasmus, mit
dem er allenthalben begrüßt wurde, war unbeſchreiblich.
Seitdem Georg Brankovitſch in den Kaſematten von Eger
ſeine Heldenſeele ausgehaucht, hatte das Volk nur mehr
der Sage nach gewußt, daß es einmal einen Wojwoden
gehabt, und nur noch aus Pergamenten erfahren, daß
das Recht, ſich einen Wojwoden zu wählen, durch den
Kerkertod ſeines erſten Wojwoden nicht erloſchen ſei, und
nun ſah es ſeinen Wojwoden wieder, ſah ſich ſelbſt in
ihm von den Banden theils magyariſcher, theils deutſcher Bevormundung erlöſt, ſah ſich wiedergeboren, zu
neuem Leben erweckt. Der Wojwode erwiederte den Jubel, der ihm aus den Städten, die Salven, die ihm aus
den Lagern entgegenſchollen, mit begeiſterten, von un-
erſchütterlicher Anhänglichkeit für das Kaiſerhaus durch-
glühten Worten, und ⌈erklärte zu wiederholten Malen,
Alles, was das ſerbiſche Volk erwarten möge, könne nur
der Ausfluß der Huld und des Wohlwollens des Kaiſers
ſein, und wenn das ſerbiſche Volk eine Aufgabe habe,
ſo ſei es die, durch thatkräftige Anhänglichkeit und Be-
weiſe von uneigennütziger Treue dieſe Huld zu verdienen,
keineswegs aber durch die revolutionäre Haltung, zu der
es ſich bisher habe fortreißen laſſen, zu erzwingen.⌉ Die
Verehrung, die dem Gränzer gegen jeden Offizier überhaupt und gegen einen General insbeſondere angeboren
iſt, verbunden mit dem Alles überſtrahlenden Nimbus,
der den Namen „Wojwode“ umſchwebte; endlich die
felſenfeſte Ueberzeugung, die Opfer, die die Militärgrenze

auf den Schlachtfeldern Italiens eben brachte und auf den Schlachtfeldern Ungarns eben zu bringen bereit war, werden nicht verfehlen, jenen unglücklichen Heloten, die, aus keinem aufbringbaren Vernunftgrunde auf Gottes Erdboden zu dem ewig pflichtvollen und ewig rechtlosen Zustande verdammt waren, den man „Gränzverband" nannte, das Joch des gebornen Sklaven vom Nacken zu nehmen; die Hoffnung auf endliche Verbesserung seiner in moralischer sowohl als materieller Beziehung mit dem Geiste der fortgeschrittenen Humanität in zu grellem Widerspruche stehenden Lage: ließen den Wojwoden bei den Gränzern bald geneigte Gemüther finden, und sie fügten sich willig, als er als erstes Unterpfand ihrer Rückkehr vom Boden der Revolution die Rückkehr zur gesetzlichen Gränzeinrichtung verlangte, mit deren Restituirung sich Oberst Mayerhofer seit längerer Zeit ohne namhaften Erfolg abmühte.

Auf den Kampfplätzen verstrich darüber die Zeit, wenn auch nicht ohne Kleingewehrfeuer und Kanonendonner, doch ziemlich ereignißlos. Was von Seiten der Magyaren den südlichen Krieg minder nachdrücklich geführt werden ließ, war, wie bereits erwähnt, die im Norden nothwendig gewordene Konzentrirung ihrer Streitkräfte. Was die Serben den günstigen Augenblick zum Vorrücken ungenutzt verstreichen lassen machte, war der Mangel eines einheitlichen leitenden Gedankens auf dem Kriegsschauplatze, der Abgang eines Oberanführers, der die Gunst des Momentes zur erfolgreichen Offensive zu benutzen verstanden oder doch gewollt hätte. So kam es denn, daß magyarischerseits nichts Umfassendes versucht, serbischerseits von den Kommandanten der einzelnen Lager nach eigener Einsicht und Kampflust ohne Zusammenhang und ohne obersten Zweck, bald unbedeutende Siege erfochten, bald nicht mehr bedeutende Niederlagen erlitten wurden. Der Verlust der Festungen Temesvar und Arad für die Sache der ungarischen Regierung war, so sehr dies auch die Macht der magyarischen Waffen im Süden schwächte, ja für den Augenblick brach, und so sehr es dadurch den Serben wohl zu Statten kam, ein durchaus im kaiserlichen, streng österreichischen Sinne auftretendes Ereigniß, das in seinen Motiven mit der serbischen Erhebung nichts gemein hatte. Als Antwort auf das Manifest vom 3. Oktbr. hatte nämlich die ungarische Regierung unter dem 8. Oktbr. (26. Sept. alt. Styles) ein Rundschreiben an alle Festungen in Ungarn erlassen, in welchem sie die Kommandanten aufforderte, binnen drei Tagen die ungarische Trikolore aufzupflanzen und schriftliche Ergebenheitserklärungen einzusenden, oder das Kommando niederzulegen, widrigenfalls sie vogelfrei erklärt werden würden. Feldmarschalllieutenant Rukavina in Temesvar ließ als Erwiederung hierauf und mit Anerkennung des Manifestes vom 3. Oktober die Stadt in Belagerungszustand erklären und kündigte der ungarischen Regierung den Gehorsam, um fortan nur die kaiserliche anzuerkennen. Zwei Wochen später manifestirte Feldmarschalllieutenant Berger in Arad ein Gleiches, indem er die magyarisch

gesinnte Stadt bombardirte. Eine direkte Verbindung mit
dem revolutionären serbischen Obbor einzugehen, war jedoch weder dieser noch jener General geneigt, und es entspann sich sogar zwischen dem Kommandanten von Temesvar und dem Patriarchen deshalb ein hartnäckiger Streit,
der zu einem erbitterten, sechs Monate lang währenden
Notenwechsel der Anlaß wurde, den zu beendigen der magyarischen Invasion unter Perczel (April 1849) vorbehalten war. Der einzige direkte Vortheil, den die serbische
Bewegung aus dieser Wendung zog, war der, daß der
serbische Bischof von Temesvar daselbst einen Unterobbor
begründen und dieser mit dem Hauptobbor in Karlovitz in
Verbindung treten konnte, eine Verbindung, deren Wirksamkeit in der Cernirung dieser Stadt durch den magyarischen General Vecsey bald ein unüberwindliches Hinder-
niß fand.

Die einzige Festung, von deren Besitznahme der serbischen Bewegung wirklich unberechenbare Vortheile erwachsen konnten, war Peterwardein. Sich der Festung mit
bewaffneter Hand zu bemächtigen, würde zu den Riesen-
aufgaben für eine wohlorganisirte, mit allen Behelfen der
Kriegskunst ausgerüstete Belagerungsarmee gehört haben.
An ein solches Unternehmen konnte serbischerseits gar nicht
gedacht werden. Der Patriarch benutzte daher das Manifest vom 3. Okt., um den Kommandanten dieser Festung,
Feldmarschalllieutenant Blagoevitsch, zum Anschluß an die
serbische Sache zu vermögen. Blagoevitsch jedoch erkannte
im Gegensatze zu den Kommandanten von Temesvar und

Arab das Manifest nicht an, sandte der ungarischen Regierung die verlangte Erklärung ein, und die Festung blieb nach wie vor der Stützpunkt der magyarischen Macht im Süden.

So geringfügig nun die Kämpfe, deren Schauplatz um diese Zeit die Batschka und das Banat waren, sein mochten, so spiegelte sich doch auch in ihnen das Schicksal ab, das von Anbeginn über dem Glücke der serbischen Waffen schwebte. Sie fielen in der Batschka zu Gunsten der Letztern aus, im Banate vorwiegend zu ihrem Nachtheile.

Wie seit der ersten Schlacht, die an den Ufern des Franzenskanals geschlagen worden, war es noch immer Sz. Tomas mit den benachbarten Positionen von Földvar, Turia und Schablja einerseits, und Sireg andererseits, letzteres namentlich wegen des wichtigen Defilé's über den Krivajasumpf, um das sich alle Angriffspläne der Magyaren konzentrirten. Ununterbrochene Gefechte zwischen den serbischen Besatzungen dieser Punkte, meist Tschaikisten und Serbianer, dann zwischen den magyarischen Lagern von O Ker, Kis Ker, Verbas u. s. w. führten zu keinem Resultate. Nicht mehr Erfolg hatten die Friedensunterhandlungen, die der magyarische Regierungskommissär mit dem Kommandanten von Sz. Tomas, dem Kapitän Bigga, anzuknüpfen versuchte. Der von magyarischen Schriftstellern seiner Energie und Beredtsamkeit wegen gepriesene Kommissär hatte nicht die Energie der Mäßigung und Beredtsamkeit der Ruhe. Er schrieb mit einem Federzuge Pacifikationsvorschläge und Todesurtheile, und klagte mit dem nächsten in seinen Berichten an die magyarische Regierung über die Unempfänglichkeit der Serben für seine wohlmeinendsten Anträge. Es blieb nichts übrig, als das Glück des Schwertes noch einmal zu versuchen, wo sich die Diplomatie in so unglücklichen Manoeuvres bewegte. Ein kombinirter Angriff auf alle serbischen Stellungen am östlichen Ende des Franzenskanals und auf die nördlichen Punkte der Römerschanzen sollte den Ausschlag geben.

Am 18. (30.) November Morgens rückten die magyarischen Bataillone im Schuße des Herbstnebels gleichzeitig gegen die sämmtlichen oben angegebenen Punkte heran, wo möglich in noch unzweckmäßigern Dispositionen, als je früher die magyarischen Fahnen gegen den Kanal getragen wurden. Földvar, Turia, Szent Tomas wurden mit Scheinangriffen bedroht, indeß der eigentliche Angriff gegen die Schanze von Sireg gerichtet ward, um durch den Fall dieses Defilé's den Fall von Sz. Tomas, Földvars, des Kanals, der Römerschanzen, der Batschka einzuleiten. Bei fünfthalbtausend Mann Fußvolk und Reiterei mit schwerem Geschütz eröffneten den Kampf gegen diese, den Sumpfübergang beherrschende Ringschanze, deren Kraft in einer Handvoll Tschaikisten, Serbianer und Peterwardeiner mit fünf oder sechs Kanonen bestand, da man an diesem Punkte keinen Hauptangriff erwartet, ihn somit nur nothbürftig besetzt hatte. Balb jedoch eilten von Sz. Tomas einige Hundert Serbianer mit ihren weitreichenden Flintenröhren und einigen Kanonen herbei, und es entspann sich ein eben so heißer, als für die Angreifenden verlustreicher Kampf, der nach wenigen Stunden mit ihrem Rückzuge endete.

Nicht günstiger endigten die täglichen Gefechte, die zwischen der Besatzung von Peterwardein und dem Lager von Kamenitz vorfielen. So todesmuthig die kernungarische Infanterie dieser Festung focht, so vermochte sie doch nicht den serbischen Lagern eine Hand breit Land abzugewinnen, am wenigsten aber des Brennpunktes der Bewegung Herr zu werden, trotzdem die Dächer von Karlowitz sich so zu sagen unter den Wällen dieser Festung erheben.

Anders ging es im Banate.

Zwar war es hier am 1. (13.) Oktober den Serben gelungen, sich des am linken Ufer der Theiß gelegenen Ortes Török Betsche nach einem von drei Uhr Morgens bis vier Uhr Abends dauernden Kampfe zu bemächtigen, dadurch den Umkreis ihrer Waffenmacht am Franzenskanal und an der Theiß zu erweitern, und durch die Einnahme von Kikinda am 2. (14.) Oktober im Norden des Banates einen festen Stützpunkt zu gewinnen. Doch konnte beides bei dem völligen Mangel eines einheitlichen Operationsplanes nur von momentanem Erfolge sein. Namentlich mußte Kikinda nach drei Tagen wieder verlassen werden, und es konnte den magyarischen Generalen Vetter und Damjanitsch nichts in den Weg gelegt werden, als diese den von ihrem Vorgänger gefaßten

Plan, von Betschkerek aus gegen Pantschevo zu operiren, wieder aufnahmen. Zwei Hauptkolonnen, die eine auf der Betschkereker Straße über Tomaschevaz, die andere auf der Weißkirchner Straße über Alibunar, sollten sich gegen diese Stadt, mit deren Besitz zugleich die Herrschaft über die Donau von Orsova bis Semlin erworben, Titel für die Serben unhaltbar geworden, Karlovitz, Syrmien, die Batschka im Rücken bedroht, endlich Knitschanin mit seinen Serbianern nach dem Fürstenthume Serbien zurückgedrängt wurde, in Bewegung setzen. Anfangs November wurde auch wirklich zur Ausführung dieses Planes geschritten, und den serbischen Aufstellungen an der Temesch (bei Tomaschevaz unter Knitschanin) und an der Karasch (bei Lagersdorf unter Bobalitsch) ein blutiges Treffen geliefert. Bald darauf wurde gleichzeitig gegen Karlsdorf, Alibunar und Tomaschevaz vorgeschritten, um wo möglich an einem Tage sämmtliche Positionen der Serben zu forciren und auf den freigemachten Straßen unverweilt den Marsch nach Pantschevo anzutreten. Wirklich fiel Karlsdorf, wo syrmischer und banater Landsturm unter Agitsch und Baraitsch stand, auf den ersten Stoß, wie es hieß, weil die Banater den Kampfplatz verließen. Gegen Alibunar hatte unterdessen Damjanitsch drei Mal vergebens gestürmt, als der Fall von Karlsdorf ihm den Zuzug der dort beschäftigt gewesenen Kolonne ermöglichte. Joannovitsch, hiedurch in die Gefahr gesetzt, sich den Rückzug abgeschnitten zu sehen, mußte mit seinen Syrmiern Alibunar räumen. Der Preis, um den Damjanitſch dieß Lager errang, war jedoch kein geringerer, als 300 Menſchenleben. Von hier aus wandten ſich nun die vereinten magyariſchen Maſſen gegen Tomaſche= vaß, um die Grundzüge des obigen Planes zur voll= endeten Ausführung zu bringen. Mittlerweile jedoch hatte Knitſchanin ſämmtliche aus ihren Stellungen ver= drängte Streitkräfte an ſich gezogen und ſich ſtark genug gefühlt, um mit ihnen gegen die heranrückenden Ma= gyaren bei Jarkovaß die Offenſive zu ergreifen. Der Er= folg dieſer Offenſive konnte die Scharte der letzten Nieder= lage auswetzen. Der Feind wurde mit allem Umgeſtüm angegriffen, gegen den Ableitungskanal zwiſchen der Te= meſch und Maroſch und bald auch über dieſen zurück= gedrängt. Neun Kanonen blieben in den Händen der Serbianer; die Munition von ſieben Wagen fiel in die Tiefe des Kanals, um nicht in die Hände der Verfol= ger zu fallen. Tomaſchevaß war erhalten, Alibunar blieb jedoch verloren.

Hinderte dies auch die magyariſchen Generale in dem augenblicklichen Verfolgen ihres Planes gegen Pantſchevo, da ein Vorrücken gegen dieſe Stadt von Alibunar aus nicht möglich war, ſo lange nicht auch die Tomaſchevaßer Straße frei gemacht war, ſo war doch der Eindruck, den dieſe raſch auf einander folgenden Unfälle, namentlich die Niederlage an der Karaſch, auf die Gemüther hervor= brachte, ein äußerſt niederdrückender. Stimmen gegen den Patriarchen und gegen den Wojwoden erhoben ſich, und gegen den Erſtern namentlich bildete ſich eine Oppo=

sition heran, die ihren Sammelpunkt bald in einem Vereine fand, und der das Journal Napredak (der Fortschritt) zum Organe diente. Man warf dem Patriarchen
vor, daß er mit den Interessen der Nation, an deren
Spitze er getreten, ein unverantwortliches Spiel treibe;
man legte ihm die Schuld an dem Stillstand der Kriegs-
operationen, so wie an den Niederlagen bei; man sah
in dem Eifer, mit dem er alle und jede Gewalt in
seiner Person zu vereinigen strebte, mit der er Regent,
Diplomat und Feldherr in einer Person sein wollte, den
Grund aller Zerwürfnisse, aller unglücklichen Ereignisse.

In der That auch standen die Dinge den magyarischen, wie sehr auch durch Ausmärsche gegen den Norden
geschwächten Erekutionstruppen gegenüber im Banate sehr
mißlich. Alles hing nur noch von der Ausdauer ab,
mit der sich Knitschanin in Tomaschevatz, dem Schlüssel
von Pantschevo, behaupten würde.

Am 23. November (5. Dezember) wurde gegen dieses
magyarischerseits der Angriff erneuert. 13 Bataillone
Infanterie und 3000 Husaren, zusammen 15000 Mann
mit 22 Kanonen rückten von vier Seiten gegen das Ser-
bianerlager heran. Der erste Angriff geschah um sechs Uhr
Morgens auf Botosch. Eine kleine Abtheilung Schützen
hatte die Aufgabe, den Ort gegen die, 3000 Mann starke
magyarische Kolonne bis auf den letzten Mann zu behaupten. Eine zweite magyarische Kolonne hatte mittlerweile ein Gefecht mit der serbischen Besatzung von Orlovat angeknüpft, und unter dem Geknatter der Gewehre

15

eine Brücke über die Temesch geschlagen. Die dritte und
vierte Kolonne rückte von Etschka und Sigmondfalva gegen Tomaschevaz heran, so daß sich bald sämmtliche vier
Redouten von Orlovat bis zu den Botoscher Weingärten
von magyarischen Waffen umdrängt sahen. Knitschanin
hatte diesen Bewegungen nichts als die kleine, todesmu-
thige Besatzung von Botosch und eine schwache Tirailleur-
kette entgegengesetzt, die sich fechtend auf die Redouten
zurückzuziehen hatte. Erst als die magyarischen Kolonnen
nahe genug herangekommen waren, empfing er sie mit
seinen Kanonensalven und zwar in so lebhafter Weise,
daß sie nach einem bedeutenden Verlust von Geschützen,
Pferden und Menschenleben, darunter vier Offiziere, den
Versuch eines allgemeinen Sturmes aufgeben und sich
vorerst auf den Versuch, die Redoute von Orlovat allein
zu erstürmen, beschränken mußten. Auch hier jedoch zurückgeschlagen, versuchten sie zum zweiten und dritten
Male einen allgemeinen Sturm auf sämmtliche vier Redouten, nach dessen Erfolglosigkeit sie sich endlich auf
Etschka und Sigmondfalva zurückzogen. Mittlerweile war
eine magyarische Abtheilung von 3000 Mann über die
Temesch gegangen und hatte sich im Rücken des Lagers,
ohne bedeutenden Widerstand zu finden, dem Orte Tomaschevaz genähert und denselben in Brand gesetzt. Auf
die Kunde hievon entsandte Knitschanin augenblicklich
bei 1500 Mann Gränzer und Serbianer mit dem ent-
behrlichen Geschütz gegen den Ort, von welchem den Feind
zu verdrängen erst nach einem blutigen Gemetzel und bei-

berſeitigen großen Berluſten gelingen konnte. Mit bem
Rückzuge ber Magyaren über Orlovat war benn das
Waffenglück bes Tages entſchieben, Tomaſchevatz aber=
mals erhalten, unb bie Gefahr, in ben nächſten vierunb=
zwanzig Stunben bie Magyaren in Pantſchevo einrücken
zu ſehen, abgewenbet. Das Berbienſt aber, ber Sach=
lage im Banate burch ben günſtigen Erfolg bes Tages
eine zeitweilig beſſere Wenbung gegeben zu haben, blieb
Knitſchanin's.

———————

Neunzehntes Kapitel.

In Olmütz war mittlerweile unter dem Vorsitze des Fürsten Felix Schwarzenberg ein neues Ministerium an die Spitze der österreichischen Staatsangelegenheiten getreten, und hatte die von dem früheren Kabinette angebahnte Politik in Bezug auf Ungarn mit der Idee des einheitlichen Gesammtstaates zur Grundveste seines Programms gemacht. Dem entsprechend hatte Marschall Windischgrätz den Feldzug gegen Ungarn eröffnet und der Banus von Kroatien sich ihm mit seinen kroatischen Heeresabtheilungen angeschlossen.

Unter diesen Umständen gab Stratimirovitsch in Olmütz sein Beglaubigungsschreiben ab.

Der Moment schien ein günstiger. Die Regierung hatte bei dem Feldzugsplane die serbische Bewegung mit in Rechnung gebracht. Der Hof schien den Ansprüchen der Slaven in Oesterreich geneigter als je. Der Banus und die Kroaten galten ihm für die Retter des Thrones, die czechischen Reichstagsmitglieder für die Verfechter

dessen im Reichstage, was der Banus auf dem Schlachtfelbe verfocht, und die Slaven insgesammt für die Er-
halter der Monarchie. Die Ansicht, ein Oesterreich könne
fortan nur bestehen, wenn es die Slaven wollen, schien
auch bei Hofe sich Eingang verschafft zu haben. Zudem
schien Graf Stadion, neben dem Fürsten Schwarzenberg
die Seele des Kabinets, dem Systeme der Gleichberechtigung, wenn auch nicht in jenem föderativen Sinne, in
welchem es die österreichischen Slaven hinstellten, wirklich aus inniger Ueberzeugung von dessen Erprießlichkeit
für Oesterreich, abgesehen von der naturgemäßen Gerechtigkeit desselben, zugethan. Stratimirovitsch säumte daher
keinen Augenblick, die Erwartungen, denen sich die serbische Nation hingab, als sie dem Einflusse des Banus,
des Patriarchen und des Konsuls von Belgrad ihr Schicksal überantwortete, auszusprechen.

Die Grundlagen dieser Erwartungen bildeten, wie
bei der Innsprucker Petition, die Verträge von 1690
und 1691, so wie die aus diesen hervorgegangenen Beschlüsse vom 1. (13.) und 3. (15.) Mai. Die österreichische Regierung sollte die in den erwähnten Verträgen
ausgesprochene »Patriarchae et Voivodae libere eligendi
potestatem« garantiren, sollte die in den Maibeschlüssen
beanspruchten Ländergebiete als einen selbstständigen Theil
der Monarchie, mit Inbegriff der Festungen Temesvar,
Peterwardein, Ratscha und Arad anerkennen, und die
Verpflichtung übernehmen, die von dem österreichischen
Hause vor anderthalb Jahrhunderten gegebene Verheißung

einer den Bedürfnissen und Eigenthümlichkeiten der Serben entsprechenden Verfassung zu verwirklichen. Die Gelder der serbischen Nation, die diese unter dem Titel von Kirchenfonds bei dem Karlovitzer Erzbisthume bewahrte, waren erschöpft. Die Regierung des Fürstenthums Serbien hatte allerdings eine Unterstützung von 20000 Dukaten zugesagt, die Veranstaltung von Sammlungen zu Handen des Odbors im Umfange des ganzen Fürstenthums gestattet und der Fürst hatte selbst die namhafte Summe von 36000 Zwanzigern gezeichnet. Der Patriarch endlich hatte bereits eigene serbische Assignaten auszugeben angefangen. Dies alles jedoch konnte nicht hinreichen, um den Aufwand einer bewaffneten Bewegung zu decken. Die österreichische Regierung sollte sich daher auch verpflichten, von nun an die zur Fortführung des Vertheidigungskampfes gegen Ungarn nothwendigen Summen zu verabfolgen, 30000 Stück Gewehre nach Karlovitz zu senden und außerdem die Ausrüstung von zwei leichten Kavallerieregimentern, deren Aufstellung der Odbor beschloffen hatte, aus ärarischen Mitteln zu bestreiten. Was das Verhältniß der neu zu errichtenden Wojwodina zum Gesammtstaate anbelangte, so sollte dies nach dem Grundsatze unbedingter nationaler Gleichberechtigung und im Geiste jener konstitutionellen Prinzipien geregelt werden, die der zu Kremsier versammelte Reichstag beschließen würde.

Die österreichische Regierung jedoch, vielleicht weil von der einen Seite durch den eben begonnenen Krieg gegen Ungarn, von der andern durch die Wiederaufnahme der in Folge der Oktoberereignisse aus dem Gange gebrachten Verwaltungsgeschäfte, und endlich durch den Kremsierer Reichstag zu sehr in Anspruch genommen; vielleicht auch weil sie im Stillen einen Schritt vorbereitete, durch den sie vor vollem Beginne des Krieges die österreichische Krone von den im März den Ungarn gemachten Zugeständnissen entbinden zu können glaubte; schien trotz allebem wenig geneigt, diese Ansprüche bald in Betracht zu ziehen; und es beburfte der ausbrücklichen Erklärung von Seite der serbischen Beauftragten, daß sie jedes Hinausschieben für einen Anlaß zu ihrer unverweilten Rückreise ansehen müßten, um die Unterhandlungen auch nur zum Anfang zu bringen.

In Karlovitz sah man unterdessen mit Ungeduld den Nachrichten entgegen, die von Tag zu Tag über den Fortgang der Angelegenheiten in Olmütz einliefen. Die Unentschiedenheit der österreichischen Regierung den bestimmt formulirten Ansprüchen der Serben gegenüber, die Hindernisse und Schwierigkeiten, die sie bald dem einen, bald dem andern Punkte in den Weg legte, die Bedenken, die sie bald wegen des Wirkungskreises des Wojwoden, bald wegen der Einsprache Rußlands gegen ein serbisches Patriarchat, dann einmal gegen die geforderte Unterstützung durch Geld, ein andermal gegen die durch Waffen und Rüstungen erhob, bereiteten dem Patriarchen um so mehr Verlegenheiten, als die Partei, die sich gegen ihn gebildet hatte, von Tag zu Tag an Bedeutung zunahm, und sich neben dieser bereits eine zweite Partei gebildet hatte, die, wenig befriedigt durch das mißtrauenvolle Zögern des österreichischen Kabinettes, zu einem Bruche mit diesem und zur Aufnahme der mittlerweile von Pest ausgegangenen Einladung zu einer Pacifikation auf breitester Basis hinzudrängen begann. So umsichtig auch der Patriarch bisher jede derartige Regung niederzuhalten gewußt hatte, an dem Zögerungssysteme der österreichischen Regierung schienen alle seine bisherigen Bemühungen scheitern zu wollen; die Bewegung stand auf dem Punkte eines Umschwungs, dem er fortan nicht Einhalt zu thun vermochte, und von dem er sich nur mitreißen oder verschlingen lassen konnte. Die Magyaren waren zur Einsicht gelangt, daß es klüger sei, im Vereine mit Nationen, die man als gleichberechtigt anerkennt, stark, als im Unterjochungskriege gegen sie schwach zu sein; die Serben begannen einen versöhnungsbereiten, gewährenden Feind einem mißtrauischen, zögernden Freunde vorzuziehen, und der Patriarch, wenn er sich für den Fall des wirklich eintretenden Umschwunges seine Möglichkeit bewahren wollte, konnte nicht säumen, der österreichischen Regierung gegenüber nunmehr in einer Weise aufzutreten, die zu einer Entscheidung führen mußte.

Er richtete an sie folgende Note:

„Der politische Umschwung in dem Königreiche Ungarn und der Gesammtmonarchie hat allen Völkern dieser Reiche mehr oder weniger Leben und Freiheit gegeben, und sie zum Selbstbewußtsein geweckt. Die serbische Nation wurbe in allen bezüglichen Gesetzgebungen von diesen Wohlthaten ausgeschlossen, und jener Theil berselben, welcher bie Militärgränze bewohnt, burch bas Allerh. Kabinetsschreiben vom Monat Mai 1848 ben Magyaren auf Gnabe und Ungnabe anheimgestellt. Hieburch warb biese Nation inne, baß sie nach beliebiger Weise nur als Mittel zum Zweck behanbelt, und auf bie ihr burch öffentliche Verträge gesicherten Rechte gar keine Rücksicht genommen wirb. Die serbische Nation, eingebenk bieser unverjährbaren Rechte, und burch bie freiheitverkünbenbe Stimme ihres allergnäbigsten Monarchen aufgemuntert, hat am 1. (13.) unb 3. (15.) Mai 1848 ihren Privilegien, welche burch bie frühern Regierungen von Sr. Majestät weilanb Kaiser Leopolb I. bis auf bie glorreiche Kaiserin Maria Theresia bestätigt unb aufrecht erhalten worben sinb, bie wahre Bebeutung gegeben unb bas gesetzliche Leben eingehaucht, inbem sie mich zu ihrem Patriarchen, ben gegenwärtigen Generalmajor Stefan Schuplikatz zu ihrem Wojwoben erwählt, unb ihre Wojwobschaft in ben, burch bie gebachten Privilegien genannten unb mit ihrem Blute von ben Türken eroberten Provinzen als ihr väterliches unb gesetzliches Erbe reklamirt, zugleich sich zur heiligsten Pflicht gemacht hat, allen Feinben bes höchsten Thrones unseres allergnäbigsten Kaisers unb Königs bis auf ben letzten Mann nach ber angeerbten Liebe unb Treue entgegenzutreten unb bie Integrität ber Gesammtmonarchie zu vertheibigen. Die serbische Nation, gewohnt, auf bem

geſetzlichen Wege ihre Rechte zu vertreten und zu genießen, hat eine anſehnliche Deputation unter meiner
Anführung an den allerhöchſten Hof zu Innſpruck geſchickt,
um Se. Majeſtät, unſern allergnädigſten Kaiſer und König, um Beſtätigung der obigen gerechten Beſchlüſſe zu
bitten. Das magyariſche Miniſterium, ermuthigt durch
die unerhörten ſeparatiſtiſchen Errungenſchaften, hat das
milde Herz des gütigen Monarchen von der ſerbiſchen
Nation abwendig gemacht, dieſe wurde mit jenem merk-
würdigen kaiſerlichen Ausſpruche auf die Bahn ihrer
eigenen Selbſthülfe geſtoßen und ihr die Pforte der
ausgeſprochenen Freiheit und Gleichberechtigung ver-
ſchloſſen.

„Während die Deputation dieſer unglücklichen Nation
dieſe ungünſtige Entſchließung aus dem Munde ihres
allerhöchſten Gebieters und Herrn erfuhr, hat der Feld-
marſchalllieutenant und kommandirende General Hrabowski gegen ſein gegebenes Ehrenwort Karlovitz am
zweiten Pfingſttage 1848 bombardirt, und ſomit zu dem
unglücklichen Bürgerkriege in den Gegenden an der untern Donau Veranlaſſung gegeben. Seit dieſem Augenblicke ſteht die ſerbiſche Nation unter den Waffen nicht
nur für ihre heiligen und gerechten Intereſſen, ſondern
auch für die Erhaltung der Geſammtmonarchie.

„Dieſe Anſtrengungen der ſerbiſchen Nation gegen den
magyariſchen Uebermuth ſind von Seite des Staates durch
nichts unterſtützt worden; und es ſcheint, als dürfte ſie
nach den eben vorherrſchenden Prinzipien auch gegen-

wärtig auf keine Hülfe rechnen. Es ist sonderbar, daß die hohe Regierung Sr. Majeſtät des Kaiſers die auf Ausrottung der Serben abzweckenden Maßregeln der Magyaren gar keiner Beherzigung würdigt, ſondern zuläßt, daß die Ortſchaften der Serben eingeäſchert, die heiligſten Dinge entweiht, unerhörte Grauſamkeiten verübt werden, und mittelalterlicher Vandalismus die geſegneten Fluren verheert.

„Dieſe, nur Entmenſchlichung beurkundenden Vorgänge der Magyaren wären gänzlich, und gewiß wenigſtens in ſo gräßlichem Maße nie erfolgt, wenn Se. Majeſtät der Kaiſer die Bitte der ſerbiſchen Deputation allergnädigſt entgegengenommen und die Rechte der ſerbiſchen Nation, wenn nicht auf dem konſtitutionellen, doch a u f j e n e m W e g e anerkannt und die getroffenen Wahlen beſtätigt hätten, a u f w e l c h e m Allerhöchſtdieſelben die ganze Militärgränze den Händen der Magyaren überliefert haben. Die hohe Regierung Sr. Majeſtät dürfte vollkommen überzeugt ſein, daß ich ein treuer Anhänger derſelben und ein treu ergebener Unterthan Sr. Majeſtät bin, und daß die Schmälerung meines Anſehens in dieſer kritiſchen Epoche auch der Geſammtmonarchie nachtheilig ſein kann. Schon aus dieſer Rückſicht hätte die Nichtigkeitserklärung meiner von der magyariſchen Regierung am 2. Auguſt 1848 ausgeſprochenen Kaſſation erfolgen, und ein öffentliches Zeichen gegeben werden ſollen, daß die ſerbiſche Nation und ihr kirchlich-politiſches Oberhaupt nicht von

ben Launen eines, auf die Vernichtung der Gesammtmonarchie verschworenen Ministeriums abhängig seien.

„Die tapfere Beharrlichkeit der Serben hat den Uebermuth der Magyaren gebrochen und sie zur Besinnung
gebracht, daß es besser sei, mit der serbischen Nation auf
der breitesten Basis in Friedensunterhandlungen zu treten,
als den wackern, an alle Gefahren des Krieges gewöhn-
ten Feind unnütz zu bekriegen. Der Erlaß des Feldmarschalllieutenant Blagoevitsch wird Ew. Excell. von diesem Umschwunge der magyarischen Regierung überzeugen.

„Da ich seit dem Beginn der gegenwärtigen politischen
Bewegung immer die Interessen der Gesammtmonarchie
und der serbischen Nation vor Augen gehabt, so habe ich
diese Interessen ungetrennt zu befördern gesucht. Diesem
Grundsatze getreu ersuche ich die hohe Regierung Sr.
Majestät, darauf aufmerksam zu sein, daß es an der Zeit
wäre, die Beschlüsse der serbischen Nation am 1. (13.)
und 3. (15.) Mai 1848 Allerhöchsten Orts zu sanktio-
niren und derselben ihr politisches Leben wiederzugeben.

„Sollte die Diplomatie auch diesmal den Weg der
Zögerung einschlagen, so würde ich der serbischen Nation
gegenüber, vielleicht wider meinen Willen, mit der ungarischen Regierung in Unterhandlungen treten müssen, um
einem verheerenden Kriege ein Ende zu machen. Hierdurch würde die letztere Regierung doppelt gewinnen,
nämlich eine alliirte Nation und stärkende Konzentrirung
ihrer Streitkräfte. Das Heer des Banus besteht zur
Hälfte aus Bekennern der griechischen Kirche. Auch diese

würden in der Pazifikation der Serben mit den Magyaren die Beendigung des internationalen Krieges sehen.
„Welche Folgen daraus entstehen könnten und würden,
überlasse ich der tiefen Einsicht Einer k. k. Regierung.

„Auf jeden Fall erbitte ich mir bestimmte schleunige
Antwort, damit ich hiernach handeln könne und mich
durch ausweichende Antwort nicht in die Lage versetzt
sehe, dem Drange der serbischen Nation nachgebend, den
Vortheilen der Gesammtmonarchie in dem von mir ge-
wünschten Maße nicht entsprechen zu können."

Der erste Eindruck, den eine solche Sprache im Kabinet
hervorbrachte, war der des Unwillens. Nichtsdestoweniger
schien der Inhalt zu unumwunden gehalten, als daß sich die
österreichische Regierung nicht zu einem willigen Eingehen
auf die serbischen Forderungen hätte bereit erklären sollen.

Graf Stadion schrieb an den Patriarchen: „Die hohen Verdienste Ew. Excellenz um Thron und Reich, die
ausgezeichneten Leistungen des Herrn Wojwoden und die
musterhafte Treue und Anhänglichkeit der serbischen Bevölkerung sprechen laut für sich selbst und liegen dem
Herzen Sr. Majestät so nahe, daß zur Erwirkung der wohl-
verdienten Anerkennung es in diesem wie in künftigen Fällen
weder der Vermittelung von Deputationen noch der Vor-
bringung bringender Bitten von Seiten derselben bedarf."

Am 2. Dezember erfolgte die Abdankung des Kaisers
und Königs Ferdinand, die Thronbesteigung Franz Josefs unter Zuziehung des Repräsentanten des Südslaven-
thums, des Banus von Kroatien. Die österreichische Re-

gierung betrachtete nun erst alle Verbindlichkeiten, die zwischen der Krone Oesterreichs und der Krone Ungarns obwalteten, als gelöst und sich selbst in der Lage, im Umfange der letztern thätig aufzutreten.

Wenige Tage später konnten die Beauftragten der serbischen Nation dem Obbor nach Karlovitz die Meldung vom günstigen Fortgange der Unterhandlungen einsenden, und noch um die Mitte desselben Monats waren diese zu Ende geführt. Die Wahlen hatten ohne allen Vorbehalt ihre Anerkennung gefunden. Die österreichische Regierung hatte keinen Grund, in die Ergebenheit der Personen, auf die sie gefallen, fortan einen Zweifel zu setzen. Auch die nationale Verwaltung fand ihre Zusage, wenn auch unter Hinweisung auf die Nothwendigkeit der vorläufigen Beendigung des Krieges. Die territoriale Frage hingegen konnte nicht zur Lösung gebracht werden. Auch sie war von dem Ausgange des Krieges abhängig. Zudem bildete sie unstreitig denjenigen Punkt, der nach den Ansichten der Regierung und bei den zweifelhaften Zeitverhältnissen nie zu spät, jedoch immer zu früh willfahrt werden konnte. Sie wurde im Prinzipe anerkannt, in der Ausführung in suspenso gelassen.

Das bezügliche Dokument lautete:

„Wir Franz Joseph der Erste rc. rc. Unsere tapfere und treue serbische Nation hat sich zu allen Zeiten durch Anhänglichkeit an Unser kaiserliches Haus und durch heldenmüthige Gegenwehr gegen alle Feinde Unseres Thrones und Unserer Reiche rühmlichst hervorgethan.

„In Anerkennung dieser Verdienste und als besonderen Beweis Unserer kaiserlichen Gnade und Fürsorge für den Bestand und die Wohlfahrt der serbischen Nation haben Wir beschlossen, die oberste kirchliche Würde des Patriarchats wieder herzustellen, wie sie in früheren Zeiten bestand und mit dem erzbischöflichen Stuhle von Karlovitz verbunden war, und verleihen den Titel und die Würde eines Patriarchen Unserem lieben und getreuen Erzbischof von Karlovitz, Josef Rajatschitsch.

„Wir finden Uns ferner bestimmt, die auf Unseren General-Feldwachtmeister Stephan Schuplikatz be Vitez gefallene Wahl zum Wojwoden der serbischen Nation, unter Wiederherstellung dieser altgeschichtlichen Würde, zu bestätigen.

„Es ist Unser kaiserlicher Wille und Absicht, durch die Wiederherstellung dieser obersten geistlichen und weltlichen Würden Unserer treuen und tapfern serbischen Nation eine Bürgschaft für eine nationale, ihren Bedürfnissen entsprechende innere Organisation zu gewähren.

„Gleich nach hergestelltem Frieden wird es eine der ersten und angelegentlichsten Sorgen Unseres väterlichen Herzens sein, eine solche nationale innere Verwaltung nach dem Grundsatze der Gleichberechtigung aller Unserer Völker zu regeln und festzustellen.“

Gegeben in Unserer königlichen Hauptstadt Olmütz am 15. Dezember 1849.

Franz Joseph.

Franz Graf Stadion.

An demselben Tage, an welchem dies Patent in Olmütz ausgestellt wurde, schloß zu Pantschevo ein Mann die Augen, mit dessen Tode die eine Hälfte des Patents gleich wieder erlöschen sollte. Am 15. (27.) Dezember Nachmittags um 4 Uhr starb General Schuplikatz vom Schlage gerührt.

Der Patriarch zeigte noch an demselben Tage den plötzlichen Todesfall der Nation in einer eigenen Proklamation an und übertrug dem Obersten Mayerhofer provisorisch das Truppenkommando. Gleichzeitig entsandte er einen Eilboten an den General Toborovitsch, um diesen als definitiven Kommandanten und wohl auch als präsumtiven Wojwoden nach Semlin zu berufen.

Stephan Schuplikatz wurde unter außerordentlichen Trauerfestlichkeiten im Kloster Kruschedol in Syrmien neben Georg Brankovitsch — der letzte Wojwode neben dem ersten — beigesetzt.

General Toborovitsch übernahm am 21. Dezember (3. Januar) seinen Wirkungskreis.

Zwanzigstes Kapitel.

Hatte sich die serbische Nation am 1. (13.) und 3. (15.) Mai auf den Standpunkt der völligen Unabhängigkeit gestellt, und war sie damals von dem Grundsatze aus-gegangen, daß es ihr freistehe, nachdem Oesterreich durch nahe an anderthalb Jahrhunderte die eingegangenen Ver-träge zu erfüllen versäumt, — mit welcher Macht immer auf Grundlage der nationalen Anerkennung neue Verträge einzugehen; so wurde der Standpunkt, auf dem sie fortan zu stehen hatte, durch den Erlaß vom 15. Dezember ein nunmehr bestimmterer. Sie hatte mit Oesterreich durch ihr bevollmächtigtes Organ neuerdings paktirt, Oesterreich war in ihre Forderungen eingegangen, und wenn sie noch unter den Waffen blieb, so geschah dies nicht mehr blos um sich die nationale Anerkennung zu erkämpfen, sondern um sie auch zu behaupten. Von dem Bestande Oester-reichs war ihre eigene Existenz bedingt. Sie hatte daher nunmehr für dieses gegen Ungarn im Felde zu stehen, eben so wie sie es für ihre Pflicht hätte halten müssen,

16

für Ungarn gegen Oesterreich das Schwert zu ziehen, wenn es der Preßburger Landtag und nach ihm das ungarische Ministerium nicht versäumt hätten, durch einen Akt der Gerechtigkeit und Staatsklugheit zugleich, sich Feinde zu Freunden, Gegner zu Bundesgenossen umzuschaffen.

Die serbische Bewegung konnte somit füglich mit dem erwähnten Patent für abgeschlossen betrachtet werden, wenn nicht ebensowohl in diesem, als in den Zerwürfnissen, die in Mitte der Nation selbst Platz gegriffen, als endlich in den Ereignissen, zu deren Schauplatz nun das übrige Oesterreich und Ungarn wurde, Grund genug vorhanden gewesen wäre, um die aufgeregten Elemente in fortdauernder Gährung zu erhalten.

Zwar fehlte dieser Gährung von der Stunde an, da Oberst Mayerhofer und nach ihm General Toborovitsch die Führung der Truppen übernommen hatten, jener Nachdruck, durch den allein sie neuerdings zur Höhe einer Bewegung erhoben werden, durch den allein sie sich hätte geltend machen können.

Die in den verschiedenen Lagern stehenden nationalen Truppen waren größtentheils nach dem Gränzfuße reorganisirt; zahlreiche kaiserliche Offiziere und Soldaten — unter Anderen vom italienischen Regimente Zanini — aus den ungarischen in die serbischen Lager übergegangen, und es konnte nicht mehr von einem nationalen Heere, sondern fortan nur noch von einem südlichen Armeekorps der österreichischen Armee die Rede sein, das seinen Sold aus den Kaffen des österreichischen Kriegsministeriums, und seine Befehle nicht mehr vom Karlovitzer Obbor, sondern vom Generalstabe des kaiserlichen Marschalls und Bevollmächtigten empfing. Nichtsbestoweniger gab sich die unzufriedene Stimmung in den Versammlungen der verschiedenen Kreis- und Ortsobbors, in der Presse und in tausend Stimmen des Banates sowohl als der Batschka kund, und wurde der Keim von Parteiungen, die den Rückgang in den Zuständen, wenn nicht herbeiführten, so doch fördern mußten.

Die Stellung, die der Patriarch seit einiger Zeit einzunehmen versuchte, muß, so wie sie die nächste Veranlassung zu neueren Unzufriedenheiten war, auch als die Achse betrachtet werden, um die sich die Parteien bewegten. In dem Augenblicke, in welchem er die Wahl zum Patriarchen annahm, hatte er sich zur Bewegung bekannt; in dem Augenblicke, in welchem er sich von dem Obbor mit ausgedehnter Vollmacht bekleiden ließ, hatte er sich für die Erfolge der Bewegung verbürgt. Die Art und Weise nun, wie er die Erlangung dieser Erfolge betrieb; die Art und Weise, wie er die Vollmacht verstand und ausübte, war es, was entweder gebilligt oder angefeindet wurde.

Der Patriarch für seine Person zweifelte keinen Augenblick, daß ihm, als Bevollmächtigten, das Recht zustehe, die Sache der Nation mit seiner Person zu identifiziren. Er stand für sie ein; er wollte in der Wahl der Mittel und Wege zu ihrer Durchführung durch Niemand beirrt sein. Er zeigte sich entschlossen, Alles niederzuhalten und aus dem Wege zu räumen, was sich ihm hinderlich entgegenstellen würde. Ob der Vorwurf, den man ihm machte, daß er sich nämlich dabei nicht immer frei von Gelüsten nach unumschränkter Ausübung seiner Gewalt zu halten gewußt habe, und bei dem man unter Anderem auf den „Ukas" vom 11. (23.) Dezember hinwies, in welchem der Patriarch selbst Jeden für einen Verräther erklärte, der ihm, als der höchsten Person der Nation, die schuldige Unterwürfigkeit versagen, oder ihn durch Wort oder That beleidigen, schmähen oder erniedrigen würde, begründet sei oder nicht, mag dahingestellt bleiben. Thatsache ist, daß der Patriarch, bald nachdem er die Vollmacht übernommen und die Verwaltung reorganisirt hatte, sich nach Semlin zurückzog, und von dort aus, umgeben von einem Kreise seiner treuesten Anhänger die auswärtigen sowohl als inneren Angelegenheiten leitete, Ukase erließ, Offizierspatente ausstellte, Noten von der österreichischen Regierung empfing, Noten an sie richtete, den Streit über den Einschluß des Banates in das Bereich seiner Autorität mit dem Kommandanten von Temesvar fortführte, ohne den Odbor dabei mehr zu berücksichtigen, als eben die Aufrechthaltung der Förmlichkeit erforderte.

Differenzen zwischen dem Odbor und dem Patriarchen waren bei solchem Thatbestande um so weniger vermeidlich, als der Patriarch, ohne bei so wichtigen Schritten den Odbor mehr als blos in Kenntniß zu setzen, auch noch eine Kommission berufen hatte, um sich mit

ihr über das Verhältniß der Wojwodschaft zum Gesammtstaate zu berathen und sie mit dem Entwurfe einer Verfassung für die letztere zu beauftragen, der dann dem
Monarchen behufs Erfüllung der Zusage einer, den Bedürfnissen der Serben entsprechenden nationalen Verwaltung zur Sanktion vorgelegt werden sollte. Umstände,
wie die, daß der Patriarch nach dem Tobe des Wojwoden
vollends alle Gewalt in seine Hände zu vereinigen suchte;
daß er, ohne vorerst den Obbor ober eine Volksversammlung angehört zu haben, aus eigner Machtvollkommenheit
ben General Toborovitsch an die Spitze der nationalen
Truppen, und somit gewissermaßen zum präsumtiven Wojwoden berief; endlich die Rückkehr des Vizepräsidenten
Stratimirovitsch, der als ehemaliger whrowni wožd Ansprüche auf das erledigte Kommando erhob und geltend
zu machen entschlossen war, führten die Differenzen zum
offenen Bruch.

Der Patriarch weigerte sich nicht nur, Stratimirovitsch
in seiner früheren Eigenschaft an die Spitze des Heeres
treten zu lassen, sondern versagte ihm selbst das Kommando über eine untergeordnete Truppenabtheilung. Im
Gegensatze hierzu votirte der Obbor dem zurückgekehrten
Vizepräsidenten den Dank der Nation für die Förderung
der nationalen Interessen zu Olmütz, erließ an den Patriarchen die Aufforderung zur unverweilten Rückkehr nach
Karlovitz und Wiederaufnahme seiner Pflichten als Präsident, und verlangte die unverzügliche Einberufung einer
Volksversammlung. Stratimirovitsch aber, auf den Einfluß

hinweisend, den er bei den Truppen noch immer besaß, erklärte, seine Ansprüche mit Gewalt durchsetzen zu wollen.
Der Patriarch erwiderte die Aufforderung damit, daß er
erst dann nach Karlowitz zurückkommen wolle, wenn der
Feldzug im Banate zu günstigeren Erfolgen geführt, eine
Volksversammlung jedoch nicht eher einberufen zu können erklärte, als bis die Kommission das Verfassungs-
projekt zu Stande gebracht haben würde, und ertheilte
Stratimirovitsch seinerseits den Auftrag, sich ohne Verzug
behufs einer Verständigung zu ihm nach Semlin zu verfügen. Der Obbor hatte diesen indeß aufgefordert, die
Leitung der Geschäfte als Vizepräsident zu übernehmen,
und stellte dem Patriarchen die Alternative, zu abdiziren,
oder den Einfluß seiner Umgebung zu restringiren, und
dem seit einiger Zeit befolgten, fast diktatorischen Verwaltungssysteme zu entsagen. Der Patriarch erklärte,
weder zu dem Einen noch zu dem Andern sich veranlaßt
fühlen zu können. Gegen Stratimirovitsch jedoch erließ
er am 9. (21.) Januar einen Verhaftsbefehl, in welchem
er ihn (wohl mit Bezug auf den Ukas vom 11. (23.) Dezember) als des Verraths schuldig bezeichnete, einen Befehl, den wiederum der Obbor in seiner Sitzung vom
11. (23.) Januar mit der Bedeutung für null und nichtig
erklärte, daß Jeder für einen Verräther gehalten und als
solcher behandelt werden sollte, der es versuchen würde,
dem Befehle Folge zu leisten.

Der Ausbruch eines ernsten Kampfes zwischen beiden Theilen, deren einem sich bald die gesammte Geist-

lichkeit und die Magistrate, als Kontingent der klerikalnationalen Partei, verstärkt durch die streng kaiserlich
gesinnten Elemente, anschloß, während sich zu dem anderen die jüngere Intelligenz, die Gemeinden und die
Volkstruppen, als Kontingent der liberalnationalen Partei, schaarten, schien unvermeidlich. Die Organe beider, der Vjestnik, als Moniteur des Patriarchen, und
der Napredak (Vorwärts, Fortschritt), das Blatt der
Liberalnationalen, das von dem über das ganze Land
verbreiteten Vereine gleichen Namens gegründet worden war und sich die politische Aufklärung des Volkes zur Aufgabe gestellt hatte, deuteten bereits darauf
hin. Einerseits hatte der Patriarch mehrere Anhänger
von Stratimirovitsch verhaften lassen, unter Anderen
einen Vetter des Letzteren in Betsche, der nur mit ge-
nauer Noth der standrechtlichen Behandlung entgangen
war. Andrerseits hatten sich bereits einzelne Truppenabtheilungen für den Odbor und Stratimirovitsch erklärt,
und namentlich das Lager bei Karlovitz hierin den Anfang gemacht. Die Vermittelungsversuche des Protopopen
Nenadovitsch, der mit den, um diese Zeit sehr zahlreichen
Zuzügen von Freiwilligen aus dem Fürstenthum Serbien
herübergekommen war, so wie jene-Knitschanins, waren
ohne Erfolg geblieben, und so sah sich denn der Patriarch bestimmt, Semlin zu verlassen und einen, den Hauptquartieren von Knitschanin und Todorovitsch näher gelegenen Aufenthalt zu wählen. Er siedelte daher mit der
Verwaltung nach Betschkerel über, wo eben Knitschanin

stand. Von hier aus, im Schutze befreundeter, siegreich vorrückender Heerführer, richtete er am 17. (29.) Januar an den Obbor die Aufforderung, behufs der Schlichtung der obschwebenden Differenzen nach Betschkerek zu kommen, eine Aufforderung, welcher der Obbor, um dem Zwiste ein Ende zu machen, jedoch nur unter der Form einer Deputation und unter der Bedingung Folge zu leisten versprach, daß der Patriarch nach erfolgter Verständigung seinen Aufenthalt wieder in Karlovitz nehme. Der Patriarch sagte dies auch zu, und die Deputation reiste sofort ab. Ihrer Abreise jedoch auf dem Fuße folgte die Verhängung des Belagerungszustandes über Karlovitz im Namen des Patriarchen und des Generals Toborovitsch, die Suspension des Vjestnik sowohl wie des Napredak, die Auflösung des gleichnamigen Vereins im Belagerungsrayon, und durch einen kaiserlichen Offizier die Weisung an die zurückgebliebenen Obborsmitglieder, Karlovitz zu verlassen und dem Patriarchen zu folgen, Maßregeln, die die Gemüther um so mehr aufreizten, als man in ihnen nur unzeitige Nachahmungen der, durch den Bezwinger von Wien in Aufnahme gebrachten Pazifikationsmittel sah. Ein Schrei des Schreckens, ein Ruf der Entrüstung erscholl von der Donau bis an die Theiß, und wenn irgend einer, so war es dieser Schritt, der den moralischen Einfluß des Patriarchen mehr brach, als ihn zwanzig volksfreundliche Thaten kräftigen konnten. Nur wenige Personen vermochten sich zu überreden, daß mit diesem Belagerungszustande nicht der Anfang gemacht sei, um nun, da der Bewegung durch das Patent vom 15. Dezember ihre Spitze gebrochen worden, mit den Serben auf gleiche Weise zu verfahren, wie man mit Wien, mit Gallizien, mit den rückeroberten Theilen Ungarns verfahren sei.

Als der Obbor in Betschkerek ankam, hatte der Patriarch diesen Ort bereits wieder verlassen und sich, nachdem er für den Obbor die Aufforderung zurückgelassen, ihm dahin nachzukommen, nach Hatzfeld ins Hauptquartier des Generals Todorovitsch begeben. Der Obbor beschloß, ihm zu folgen. Auch hier jedoch konnte er den Patriarchen nicht mehr treffen, da dieser mittlerweile nach Temesvar abgereist war. Der einzige Bescheid, den General Todorovitsch dem Obbor geben konnte, war der, dem Patriarchen auch dahin nachzureisen. Nicht alle Mitglieder jedoch waren gesonnen, die Irrfahrt nach ihrem Präsidenten fortzusetzen. Ein Theil, darunter Stratimirovitsch, der sich am wenigsten bestimmt fühlte, dem Patriarchen in das Bereich der genannten Festung zu folgen, blieb zurück und zerstreute sich, während der andere den Entschluß faßte, das zeitweilige Oberhaupt der Wojwodina auch in Temesvar aufzusuchen.

An den beiden Tagen des 28. und 29. Januar (9. und 10. Februar) 1849 sah sich endlich der Obbor in der bischöflichen Residenz zu Temesvar wieder zu einer Sitzung versammelt. Der Patriarch führte den Vorsitz, der Bischof von Temesvar und von Seiten der fürstlich serbischen Regierung der Sovetnik Stojan Simitsch waren zugegen. Der Patriarch legte vor allem Anderen Aktenstücke vor,

aus denen er zu beweisen suchte, „daß der Vizepräsident
des Obbors, Herr Georg Stratimirovitsch, mit revolutionären Plänen umgehe," so wie auch Aktenstücke, „in
welchen verschiedene Kreis- und Ortsobbors der Woj-
wodowina das Benehmen des Hauptobbors gegen den
Patriarchen nicht nur mißbilligen, sondern auch dessen
Bereitschuldigkeit und Verpflichtung hervorheben, in Ver-
folg der Beschlüsse der Volksversammlung vom Monate
September vorigen Jahres ausschließlich den Befehlen
des Herrn Patriarchen-Gouverneurs, keinesweges aber
den Befehlen irgend einer, dem Gouverneur sich entgegen
stellenden Gewalt zu gehorsamen"; ferner das Aktenstück
bezüglich der „Verhaftung des Herrn Georg Stratimirovitsch" und jenes des Hauptobbors bezüglich „der Vertheidigung des selben Herrn Stratimirovitsch," und der
Obbor beschloß: „Aus Anlaß dessen, daß die Mitglieder
des glavni odbor der Meinung lebten, der Verhaftungs-
akt gegen Herrn Stratimirovitsch habe nur aus der allgemeinen Versammlung dieses Obbors hervorgehen können, nachdem die Mitglieder desselben sich von der oben
erwähnten Schuld des genannten Vizepräsidenten überzeugt haben würden; ferner, daß alle wichtigeren Maßregeln nur aus der kollegialen Berathung des glavni
odbor hervorzugehen haben: erklärt sich der Obbor in
gegenwärtiger Sitzung für überzeugt, daß dem Patriarchen-
Gouverneur im Sinne der Septemberbeschlüsse um so mehr
das Recht zustehe, nach eigenem Ermessen Alles zu veranlassen, was ihm im Interesse der Nation förderlich

erscheint, als er, fast immerwährend auf Reisen behufs
der Einsetzung der nationalen Behörden begriffen, „den
gesammten Odbor sich nicht nachfolgen lassen kann," und
der Sache der Nation drohende Gefahren oft augen-
blickliches thatkräftiges Einschreiten erfordern. Deshalb
findet es auch der Odbor für zweckmäßig, daß sich der
Patriarch-Gouverneur mit einer nöthigen Anzahl von
Referenten für die verschiedenen Verwaltungsfächer um-
gebe, welche fortan in Gemeinschaft mit ihren Räthen,
wie auch mit den Mitgliedern des Nationalgerichtshofes,
der finanziellen und ökonomischen Sektion, dem General-
kommissär und dem Sekretär des Wojwoden den glavni
odbor ersetzen sollen. Was Herrn Georg Stratimirovitsch
anbelangt, so empfiehlt der Odbor dessen Zukunft der
Gnade des Patriarchen und giebt sich der Erwartung hin,
daß er ihn mit väterlicher Nachsicht behandeln werde,
wogegen es die Pflicht des gesammten neuen Odbors,
so wie der ganzen Nation sein soll, daß weder Stratimirovitsch noch sonst Jemand in Zukunft die bestehende
Ordnung störe oder irgend eine feindselige Politik verfolge."

Mit diesem Protokolle legte der Odbor das ihm am
1. (13.) und 3. (15.) Mai aus den Händen der Nation
geworbene Mandat in die Hände des Patriarchen nieder,
und adoptirte, indem er sich jedes ferneren Einflusses begab, Alles, was der Patriarch beschließen, anordnen, fest-
setzen, Alles, worüber er mit der österreichischen Regierung
übereinkommen würde, im Namen der und für die Nation.

Seine Wirksamkeit war geschlossen, der Bewegung ihr innerster Kern genommen, aber auch den nationalen Interessen ihre festeste Stütze.

Am 14. (26.) Februar veröffentlichte der Vjestnik die Liste der vom Patriarchen neu ernannten Verwaltungsmitglieder. An die Stelle des von der Nation erwählten, trat der vom Patriarchen ernannte Obbor; an die Stelle des Mandates der Nation das Mandat des Patriarchen, um nach wenigen Tagen einem dritten Mandate, dem der österreichischen Regierung den Platz zu räumen. Stratimirovitsch war seines Amtes entsetzt und erhielt den Befehl, sich stets mit dem Patriarchen an einem und demselben Orte aufzuhalten. Der Patriarch behielt den Titel Upravitelj Vojvodine und Präsident des glavni odbor bei; Rubitsch, Fogaraffy und Michailovitsch wurden zu Vizepräsidenten, der Abt Katschanski für Kirche, Giurkovitsch für Schule, Schivanovitsch für Aeußeres, Popovitsch für Inneres, Schuplikaz für Finanzen und der kaiserliche Auditor Radosavljevitsch[1]) für Justiz ernannt. Die meiste Einsprache unter allen diesen Persönlichkeiten erfuhr Schivanovitsch, ein Verwandter des Patriarchen, den dieser ganz besonders bevorzugte, und dem man es nicht vergessen konnte, daß er in Betschkerek die nationale Erhebung eine Rebellion, die Gegner des Patriarchen Verschwörer genannt habe, denen Stockstreiche und Galgen

---

[1]) Gegenwärtig Mayerhofers Nachfolger im österreichischen Konsulate zu Belgrad.

gebührten. Er war es, auf besten Entfernung aus der Umgebung des Patriarchen der Obbor früher so sehr gedrungen, seinem Rathe schrieb man jene Maßregeln zu, die jenen so oft bloßstellten. —

Während der Patriarch auf diese Weise aus dem Kampfe gegen den Obbor und jenen Theil der Nation, der diesem anhing, als Sieger hervorging, hatten sich auch die Dinge auf den Kriegsschauplätzen geändert.

Marschall Windischgrätz war am 24. Dez. (5. Jan.) in Buda-Pest eingerückt; die ungarische Regierung hatte sich nach Debretschin zurückgezogen und im Kriegsrathe daselbst war die Konzentrirung der magyarischen Streitkräfte nach dem Innern des Landes beschlossen worden, wo man auf kernmagyarischem Boden dem österreichischen Heere mit mehr Erfolg die Spitze zu bieten hoffte.

Waren schon früher kleinere Truppenabtheilungen des in den südlichen Gegenden unter dem Oberbefehle Becsey's stehenden dritten Armeekorps beordert worden, sich auf die nördlichen Korps zurückzuziehen, so wurde nun der Abzug der magyarischen Truppen aus der Batschka und dem Banate fast allgemein. Stadt für Stadt, Stellung für Stellung wurde aufgegeben oder kleineren Besatzungen überlassen, die sie im Verein mit Garden und in der Hast errichteten Honvedsbataillonen behaupten sollten. Unter solchen Verhältnissen und durch zahlreiche Zuzüge aus Serbien verstärkt — man zählte damals 25000 Mann serbischer Nationaltruppen mit 60 Kanonen, darunter allein 10000 Serbianer zu Fuß und 2000 zu Pferde —

glaubten Toborovitsch und Knitschanin nicht säumen zu dürfen, den ursprünglichen Kriegsplan wieder aufzunehmen und im Banate gegen die Maros, in der Batschka gegen Segedin und Thereslopel vorzurücken. Verstärkt durch einige Abtheilungen kaiserlicher Truppen, die theils im südöstlichen Banate standen, theils von Bem aus Siebenbürgen dahingedrängt worden waren, schritten sie unmittelbar nach dem siegreichen Treffen bei Pantschevo (21. Dezbr. 2. Jan.), in welchem sich Knitschanin ganz besonders hervorgethan, an die Offensive. Toborovitsch übernahm das Kommando im Osten, Knitschanin im Westen. Am 7. (19.) Januar wurde Werschetz nach kurzer Vertheidigung genommen, gleich darauf Betschkerel und Weißkirchen, letztere Stadt nach dreivierteljähriger heldenmüthiger Vertheidigung, aber auch nach unzähligen an der serbischen Einwohnerschaft verübten Grausamkeiten. Am 9. (21.) fiel O Betsche, am 13. (25.) Verbas, am 16. (28.) Kula. Am 1. (13.) Februar erfocht Knitschanin bei Sireg einen Sieg gegen die von Segedin zur Forcirung dieses Defilees heranziehenden magyarischen Truppen, am 6. (18.) Februar ergab sich auch Sombor nach kurzem Widerstande, so daß nun, nachdem im Osten auch Bogschan und Lugos genommen waren und Toborovitsch sein Hauptquartier bis Hatzfeld vorgeschoben hatte, das ganze Banat von den Bergstädten bis an die Theiß, die ganze Batschka von der Theiß bis an die Donau, als von den Magyaren geräumt betrachtet werden konnte. Nur von Peterwardein wehte noch die magyarische Trikolore, und dann in Neuſatz und Futak, beides von den Wällen dieſer Feſtung zu beherrſchende Orte, und es war nicht unwahrſcheinlich, daß die weißrothgrünen Far- ben auch hier bald verſchwinden würden, da Peterwardein ringsum von ſerbiſchen und öſterreichiſchen Truppen cer- nirt, von aller Verbindung mit dem Sitze der ungariſchen Regierung und den magyariſchen Hauptquartieren ab- geſchloſſen, ſich kaum lange halten konnte.

Die Freude des Sieges bedeckte für einen Augen- blick die inneren Spaltungen mit dem Scheine der Ein- müthigkeit.

Einundzwanzigstes Kapitel.

Zwei Ereignisse, die einander auf dem Fuße folgten, drängten den Kampf der Parteien wieder in den Vordergrund, führten aber auch, wenn auch weder die Bestrebungen der klerikalnationalen noch der liberalnationalen Partei ihrer Erfüllung, so doch die Bewegung ihrem Ende entgegen. Auf den Pußten von Kapolna war es am 14. 15. 16. (26. 27. 28.) Februar zwischen dem österreichischen Marschall und den magyarischen Streitkräften zur blutigen Schlacht gekommen. Vier Tage später unterschrieb der Kaiser die dem einheitlichen Gesammtstaate zu oktropirende Charte.

Mit dem Protokolle von Temesvar und den Siegen Knitschanins und Toborovitschs hatte der Patriarch die liberalnationale Partei zwar momentan niederzuhalten, jedoch nicht zum Schweigen zu bringen vermocht, als in demselben Augenblicke, in welchem er seine Versicherungen, nur mit den Errungenschaften der Nation zu stehen und zu fallen, nur für diefe zu ftreben und zu wirfen, erneute, in feiner unmittelbaren Nähe von Seiten ftreng faiferlicher Offiziere die nationalen Tendenzen zur Rebellion geftempelt, und gegen Alles, was irgend ein Merfmal des Kampfes für den nationalen Beftand an fich trug, im Auftrage des Fürften Marfchalls fchonungslos vorgegangen werden durfte. Kaiferliche Offiziere hatten auf Befehl des Letzteren fchon im Februar die nationalen Truppenabtheilungen ausrücen laffen und ihnen befohlen, die ferbifchen Farben abzulegen und die faiferlichen zu tragen. „Mit den Farben fängt man an, und wer will es uns voraus fagen, womit man enden wird?" riefen damals die Journale. Während der Patriarch, geftützt auf die Zuftimmung, die feinen Einrichtungen von Seiten der öfterreichifchen Regierung geworden, hier eine nationale Behörde einfetzte, löften faiferliche Offiziere, fich auf Weifungen aus dem Hauptquartiere des öfterreichifchen Feldherrn berufend, an anderen Orten die bereits beftehenden Obbors durch Soldaten auf, ließen heute durch Uhlanen ein ferbifches Dorf entwaffnen, morgen von den Kirchthürmen die ferbifchen Fahnen abnehmen, und führten in der Militärgränze neben andern alten Ueblichfeiten auch die deutfche Sprache wieder als Dienftfprache ein. Daß der Patriarch, da diefe Art von Vorgängen täglich mehr um fich griff, und man ihn von allen Seiten mit Klagen und Befchwerden hierüber beftürmte, endlich felbft feine Stimme dagegen erhob, konnte den Vorwurf, daß er den Rückgang der Dinge durch feine Verhandlungen und Unterhandlungen selbst herbeiführen geholfen, von ihm nicht fern halten, eben so wenig als es die Gemüther zu beruhigen vermochte, daß er dem Fürsten Windischgrätz, da dieser bei seinem Vorrücken in der Eigenschaft des kaiserlichen Alter ego für ganz Ungarn, auch für die Wojwodina den Befehl ertheilte, in allen, den Ungarn abgenommenen serbischen Gebieten die nationalen Gewalten aufzulösen und die Leitung der Geschäfte den provisorischen Kriegsbehörden einzuräumen, zurückschrieb, „daß er, wenn es bei dieser Verordnung sein Bewenden haben sollte, auf Alles resigniren müßte, und nicht dafür stehen könne, was die serbische Nation beschließen würde." Man hielt ihn mit daran schuld, daß der Marschall trotz des Patents vom 15. Dezember seine Vollmachten dahin ausdehnen durfte, die serbischen Ländergebiete als ungarischen Grund und Boden zu betrachten, und sie denselben Martialgesetzen, die er für die magyarischen Komitate diktirte, zu unterwerfen. Man dehnte die Vorwürfe, die man gegen ihn, die Protestationen, die man gegen den Fürsten erhob, auf die österreichische Regierung und den Hof aus; man rief laut zur neuerlichen Selbsthülfe auf; man fürchtete, die Hand des Marschalls sei gekommen, um zu nehmen, was die Hand des Hofes gegeben, und wollte sich dagegen wehren. „Haben wir für Oesterreich gekämpft und kämpfen wir noch jetzt dafür, so wollen wir doch nicht für jenes System gekämpft haben, von dem es nicht lassen zu können scheint. Bei dem Vorgange aber, den es jetzt beobachtet, werden wir mit ihm nun und nimmer in's

Keine kommen! Kämpfen wir für es, so kämpfen wir dreimal mehr für uns selbst und dürfen um seiner Selbstsucht willen uns selbst und unsere Zukunft nicht opfern!" rief damals der Napredak (Nr. 7. vom 7. (19.) Februar 1849) aus. „So verfährt man schon jetzt mit uns, während noch unsere Männer unter den Waffen stehen; so jetzt, während noch der wackere Knitschanin mit seinen heldenmüthigen Brüdern in unserer Mitte weilt: was kann uns erwarten, wenn erst auch diese Stütze, wie es scheint, daß es auf höhere Befehle nahe bevorsteht, uns wird verlassen haben?" rief eine Stimme aus der Gränze (27. Februar (11. März) im Napredak Nr. 14.) in dem Augenblick, in welchem Knitschanin dem Befehle seiner Regierung, man weiß nicht ob in Folge englischen, französischen, ottomanischen oder sonst welchen Einflusses, folgend, mit seinen 12000 Serbianern bereits in seine Heimath zurückgekehrt war.

Mitten unter diese Stimmung fielen die Paragraphe der oktropirten Charte wie brennende Lunten; die Paragraphen, welche die Sache erledigen sollten, für die die Serben seit einem Jahre unter Waffen standen, lauteten:

§. 72. „Der Wojwodschaft Serbien werden solche Einrichtungen zugesichert, welche sich zur Wahrung ihrer Kirchengemeinschaft und Nationalität auf ältere Freiheitsbriefe und kaiserliche Erklärungen der neuesten Zeit stützen."

„Die Vereinigung der Wojwodschaft mit einem andern Kronlande wird nach Einvernehmen von Abgeord-

17*

neten derselben durch eine besondere Verfügung festgestellt werden."

§. 75. „Das zum Schutze der Integrität des Reichs bestehende Institut der Militärgränze wird in seiner militärischen Organisation aufrecht erhalten und bleibt als ein integrirender Bestandtheil des Reichsheeres der vollziehenden Reichsgewalt unterstellt. Ein eigenes Statut wird den Bewohnern der Militärgränze in Bezug auf ihre Besitzverhältnisse dieselben Erleichterungen gewähren, welche den Angehörigen der übrigen Kronländer ertheilt wurden."

Weder der Patriarch noch seine Gegner vermochten sich mit diesen Paragraphen zufrieden zu geben. Jener sah sich übergangen, seine Institutionen desavouirt, die Verfassungskommission, mit der er ein den Bedürfnissen der Serben entsprechendes Statut zu entwerfen begonnen, ja fast vollendet hatte, bei Seite geschoben. Die Liberalnationalen sahen die Bestrebungen eines kampfreichen Jahres, die Blutopfer von hundert Schlachten und Gefechten nichts weniger als durch das heimgezahlt, wofür man zu den Waffen gegriffen. Sie waren für nationale Selbstständigkeit aufgestanden, sie hatten für nationale Selbstverwaltung gefochten, und sahen anstatt wirklicher Selbstständigkeit sich den leeren Schall eines Namens gegeben, anstatt der Autonomie in den inneren Angelegenheiten die Aussicht auf Verlust selbst derjenigen, die von jeher bestanden. Der Patriarch jedoch sowohl als die Liberalnationalen sahen die föderativen Prinzipien, auf deren Grundlage sie, wie die Slaven Oesterreichs überhaupt, die eigene Zukunft an die Zukunft dieses Staates knüpften, über Bord geworfen, sahen an die Stelle der magyarischen Suprematie die österreichische Centralisation treten, und hatten sie sich kaum der Magyarisirung erwehrt, so fürchteten sie nun die Germanisirung. Beide sahen sich gleich im ersten Paragraphen der Charte aufs Empfindlichste enttäuscht. In der Aufzählung der Kronländer, aus denen von nun an die untheilbare, einheitliche, konstitutionelle Monarchie bestehen sollte, erschienen das Herzogthum Bukowina, das Herzogthum Salzburg, das Großherzogthum Krakau, als neue Faktoren; von der Wojwodschaft Serbien fand sich keine Erwähnung. Dagegen war ihr die Unterordnung unter das Ländergebiet irgend eines andern Kronlandes in Aussicht gestellt.

„Uns erwartet das Loos der französischen Departements!" rief der Vjestnik vom 10. (22.) März, das Organ des Patriarchen, aus. „Unser Leben wird fortan nicht mehr in unserer Heimath, es wird in Wien sein! Wie wir uns bis jetzt gegen die Magyarisirung zu wehren hatten, werden wir uns von nun an gegen die Verdeutschung zu wehren haben! Und diese auf die Vernichtung unserer Autonomie, unserer nationalen Einheit, unseres selbstständigen Daseins abzielende Charte, hat ein Kroate, den die Nation erwählte, daß er ihre Rechte dem Kaiser gegenüber vertrete, mit unterschrieben!" Es galt dies dem Minister für die südslavischen Angelegenheiten, Baron Kulmer.

„Die österreichische Regierung," fuhr das Organ in seiner nächsten Nummer (12. (24.) März) fort, „so lange ihre Lage eine mißliche und sie unserer Hülfe bedürftig war, bot uns goldene Berge; nun — bietet sie uns mehr als die Wiederherstellung eines bloßen historischen Namens — den der Wojwodschaft? — — Wenn sie uns damit blenden zu können glaubt, glaubt, daß wir uns damit befriedigt, wohl auch beglückt fühlen — so verrechnet sie sich sehr! Sie weiß es recht wohl, daß wir, als wir die Wojwodschaft beanspruchten, keinen leeren Namen, sondern die Selbstständigkeit jener Landstriche erwarteten, die schon von Alters dem Wojwodenthum unterstanden, und die uns nur allmälig durch die trügerische Politik Oesterreichs wieder entrissen worden."

Schärfere Sprache noch führte der Napredak. „Hin ist die goldene Zeit," rief ihm eine Stimme aus der Fruschka Gora zu (in der Nr. 18. vom 11. (23.) März), „hin, da wir bei dem Beginne unserer Bewegung noch wohl überlegen konnten, wofür und für wen wir unser Blut vergießen sollten! Wir waren leichtgläubig genug, um nicht vor Allem Andern uns die Freiheit zu sichern und schlossen uns an Oesterreich an! Wußten wir es damals und wollten es doch nicht wissen, oder wußten wir es noch nicht, daß Oesterreich und Freiheit zwei durchaus einander entgegengesetzte Elemente sind? In Oesterreich gab es keine Freiheit, in Oesterreich wird es nie eine geben, beide bleiben einander ewige Feinde!"

Mehr jedoch als Alles regte der die Militärgränze

betreffende Paragraph die Gemüther auf. „Der §. 57. ist ein scharfer Stahl," konnte man in der Nr. 15. vom 4. (16.) März des letztgenannten Organs der liberal-nationalen Partei lesen, „den uns das österreichische Ministerium ins Herz bohrt. Es finden sich in dieser Verfassung des Kaiserreichs Dinge genug, worüber die Menschheit und die Nationen Wehe rufen werden; ein größeres Unrecht aber, als unseren Brüdern, den Gränzern widerfahren, giebt es darin nicht mehr! Allen Menschen und allen Nationen ist darin wenigstens etwas Menschenrecht, etwas Freiheit zugemessen worden. Unsere Gränzer nur, dieses Volk von Helden, sind nach dieser Verfassung verdammt, zu bleiben, was sie waren, Sklaven, Söldlinge, ein Haufen Unglückseliger! Ihnen allein soll nicht gestattet sein, zu leben wie andere Menschen, sie sind neuerdings der ausschließlichen Willkür, den Geboten, den Weisungen des Soldatenkommandos unterworfen."

Ein Volk, das Waffen in Händen hat, pflegt es bei Ausrufen dieser Art nicht bewenden zu lassen, am wenigsten dort, wo jeder Tag das Oel neuer Thatsachen ins Feuer der gährenden Gemüther gießt. Indeß den Westen der Monarchie tiefer Belagerungszustand in unbetheiligter Zuschauerschaft erhielt, indeß in der einen Hälfte des Osten sich das Kriegsglück gegen die Waffen Oesterreichs verschworen zu haben schien, fehlte wenig, daß in der südlichen Hälfte, in denselben Staaten, in welchen eben vor einem Jahre der Aufstand gegen das

Magyarenthum ausgebrochen, die Brandfackel eines neuen Aufstandes emporloderte, der gegen die Urheber der jüngsten Ereignisse gerichtet gewesen wäre.

Marschall Windischgrätz hatte ganz Ungarn behufs der bequemeren Handhabung der Belagerungsanordnungen in sieben Distrikte getheilt. Als den siebenten Distrikt hatte er die Wojwodina bezeichnet und die obersten Gewalten in die Hände des mittlerweile zum General avancirten Herrn von Mayerhofer gelegt. Ihm hatten die gesammte bewaffnete Macht, ihm der Patriarch, ihm alle Civilgewalten und Behörden unterzustehen.

Dem Patriarchen war durch ein Allerhöchstes Handschreiben vom 21. März (2. April) die Berufung geworden, dem neuen Gouverneur als Kommissär für die Civilangelegenheiten zur Seite zu stehen, und er hatte sie angenommen.

Hatte schon die Einreihung der Wojwodina unter die Belagerungsrayons Ungarns überrascht, so überraschte diese letztere Thatsache noch mehr. Ein Ruf ging durchs ganze Land, so weit dasselbe von den Truppen Perczels nicht niedergehalten war, der Ruf nach Selbsthülfe, nach einer Volksversammlung, nach Aufrechterhaltung der kaiserlichen Garantien, nach Erfüllung der kaiserlichen Verheißungen, nach allgemeiner Erhebung gegen Vorgänge, durch welche ein Volk, das gegen Zusage nationaler Anerkennung und politischer Freiheit die Sache der Existenz Oesterreichs zu der seinigen gemacht, den Martialgesetzen unterworfen wurde,

während noch seine waffenfähigen Männer im Kampfe
für Oesterreich bluteten.

Am 13. (25.) März schon hatte die Stadt Karlowitz
dem Patriarchen eine Adresse überreicht, in der sie die
Nothwendigkeit einer Nationalversammlung unter der
damaligen ungünstigen Wendung des Waffenglücks aus=
einandersetzte. Der Patriarch, noch nicht Regierungs=
commissär, hatte damals erklärt, eine solche auf den 8.
(20.) Mai ausschreiben zu wollen. Mehrere andere Ge=
meinden waren seither ihrem Beispiele gefolgt. Am
17. (29.) April verfügte sich nun auch der Ortsobbor
von Semlin zu ihm und erneute die Forderung. Zahl=
reiche Deputationen aus allen Gegenden Syrmiens wieder=
holten sie im Vereine mit dem Semliner Obbor am
20. April (2. Mai). Sie vergaßen aber, daß nunmehr
andere Rücksichten als die Wünsche syrmischer Gemein=
den maßgebend sein mußten. Der Patriarch erklärte,
daß er nicht mehr von der Nation bevollmächtigter
Gouverneur, sondern kaiserlicher Kommissär sei, und
daß er als solcher in keinen Schritt willigen könne,
der möglicher Weise die kaum niedergedrückte Bewe=
gung auf ihre ursprünglichen Motive zurückführen möchte,
jedenfalls aber gegen die Normen des Belagerungs=
zustandes arg verstoßen würde. Auf die mündliche
Aufforderung folgte eine schriftliche. Der Patriarch
wurde darin dringend angegangen, in Betracht der
immer dringender werdenden Zeitverhältnisse, die auf
den 8. (20.) Mai bereits anberaumte Versammlung am

1ften (13ten) einzuberufen, oder doch endlich die auf den
8. (20.) Mai festgesetzte auszuschreiben. Die mittlerweile
aus fast allen Orten Syrmiens herbeigeströmten Abgeordneten der Ortschaften, namentlich von Ruma, Irig, Pantschevo, Mitrovitz, schlossen sich der Adresse an und über-
reichten sie am 23. April (5. Mai) in corpore. Der
Patriarch jedoch konnte nur erklären, daß die Berufung
einer Volksversammlung nicht mehr von ihm· allein ab-
hänge, und daß er, da er das Vertrauen des Volks nicht
mehr besitze, zu resigniren bereit sei.

Tags darauf fand im Rathhause zu Semlin eine
Versammlung statt, in welcher unabhängig vom Patriarchen folgende Beschlüsse gefaßt wurden: Eine Volksversammlung ist unverzüglich zu berufen. Eine Konferenz ist niederzusetzen, welche das Nöthige hierzu einzuleiten und der Versammlung Vorschläge zu machen
haben wird. Von dieser Konferenz wird der Patriarch
und die Verwaltung in Allem und Jedem abhängig gemacht, so daß von Vornherein jeder Schritt, der ohne
Zustimmung derselben geschieht, für ungesetzlich und will-
kürlich, und die Nation für nicht verpflichtet erklärt wird,
darauf zu achten. Ferner soll der Kaiser in einer Adresse
angegangen werden, der Anwendung der feindseligen
Maßregeln des Fürsten Windischgrätz im Bereiche der
Wojwodina Einhalt zu thun, und General Mayerhofer
aufgefordert werden, die Belagerungsanordnungen bis
zur Entscheidung des Kaisers zu sistiren. —

Während sich auf diese Weise in Syrmien Vorgänge

ntwickelten, mit denen der Patriarch Anarchie, Republik
und Jakobinerthum hereinbrechen sah, hatten sich auch
auf dem Kriegsschauplatze die Dinge bedeutend geändert.

Die Schlacht bei Kapolna war nämlich nichts als
der Ausgangspunkt des neuen zu Debreczin beschlossenen
Kriegsplanes gewesen. Mit ihr hatte sich die magyarische Heeresmacht aus dem Centrum des Landes nach
den Gränzen hin zu entfalten, mit ihr die österreichische
Armee sich zuerst nach Pest-Ofen, dann noch weiter zurück-
uziehen begonnen.

Auch nach dem Süden rückten denn die magyarischen
Kolonnen wieder vor. Knittschanin hatte auf die Weisung
einer Regierung den österreichischen Boden verlassen
(16. (28.) Februar) und die geringen Streitkräfte, über
die Todorovitsch nach diesem Abbruche und nach den Ver-
usten, die er im Januar bei dem Versuche, Arad zu ent-
ehen, erlitten hatte, verfügte, war über eine zu weite
Bertheidigungslinie ausgedehnt, als daß er an einen
ernstlichen Widerstand hätte denken können. Zerstreut
auf eine Entfernung von Sz. Miklos im Banate bis
Zombor in der Batschka vermochte er die Maroschlinie
nicht zu behaupten, die Batschka nicht zu decken. Ob die
fehlerhaften Dispositionen, (die Nichtbenutzung der Vortheile des Terrains, das Unbesetztlassen wichtiger Punkte,
unter anderen der ganzen Linie von Sz. Tomas bis Zombor) in der strategischen Unzulänglichkeit dieses Generals,
ob in der Absichtlichkeit des Chefs seines Generalstabes,
der ihm aus dem Hauptquartiere des Fürsten Windisch-

grä§ zugewiesen worden, ihren Grund hatten, und für
die man damals tausend Beweise vorbrachte, mag un=
entschieden bleiben, wenn sich auch die Zeitungen unver=
holen darüber aussprachen, wenn auch jedesmal auf
Weisung dieses Chefs die Truppen dort abzogen, wo
man ihrer bedurft hätte, dorthin gingen, wo es nichts
zu thun gab, und wo sie Ausschlag geben sollten jedes
Mal durch Zufall zu spät erschienen, wenn man sich auch
erzählte, ein General, in dessen Händen damals das Ge=
schick von Menschen, Städten und Ländern lag, habe sich
geäußert, man müsse die Serben von den Magyaren
ein wenig kirre machen lassen, damit sie gefügiger wür=
den, und man müsse die sogenannte Wojwodina erst den
Magyaren preisgeben, um sie dann mit kaiserlichen Waf=
fen zurückzuerobern, damit die Serben nicht einst sagen
könnten, sie hätten sie sich erobert. Thatsache ist, daß
Toborovitsch von Perczel bei Tzörögh, Gyata und Ka=
nischa geschlagen, und in der rechten Flanke von Arad
aus bedroht, seine Aufstellung im Winkel zwischen der Ma=
ros und Theiß aufzugeben genöthigt wurde; Thatsache,
daß er, anstatt über die Theiß zu gehen, in der nörd=
lichen Batschka die zerstreuten Serben, namentlich die
Besatzung von Zombor an sich zu ziehen, und sich in
die bewährten festen Positionen hinter den Franzenskanal
und die Römerschanzen zurückzuziehen, gerade die ent=
gegengesetzte Richtung einschlug, sich nach Kikinda zog,
und unter dem Scheine der Deckung des Banates, den
bei Segedin und Theresiopel stehenden Kolonnen Perczels

die Batschka überantwortete; Thatsache ferner, daß auch die Besatzung von Zombor (5000 Mann mit 20 Kanonen) über Bezdan an das rechte Ufer der Donau geschickt wurde, um Perczel den Weg zum Entsatze von Peterwardein völlig frei zu lassen.

In der That versäumte Perczel nicht, die absichtlichen oder unabsichtlichen Fehler seiner Gegner zu benutzen, und nahm im Sturmschritt und ohne andern Widerstand als den eines Haufens schlechtbewaffneten Landsturms, Kanischa, Zenta, Abba, O Betsche, und eilte über die erst unlängst von den Magyaren verlassenen Lager von Verbas und O Ker auf dem kürzesten Wege nach Peterwardein, um aus dieser Festung drei Bataillone Kerntruppen an sich zu ziehen, seinen Artilleriepark bis auf 48 Kanonen, meistens Zwölfpfünder, zu ergänzen, sich baldmöglichst der Werke von Sz. Tomas zu versichern, und dann dem General Toborovitsch durch den Uebergang über die Theiß bei Titel den Rückzug abzuschneiden, indeß Bem aus Siebenbürgen aufbrach, um ihm mitten im Banate die Hand zu reichen und die Einschließung des serbischen Hauptkorps zu vollenden.

Am 19. (31.) März erließ er von Kula aus an Sz. Tomas die Aufforderung zur Uebergabe auf Gnade und Ungnade. Die Besatzung dieses Bollwerkes bestand in diesem Augenblick, nachdem kurz vorher der Kern derselben herausgezogen worden war, aus einem Bataillon Landsturm, 2 Kompagnien Tschaikisten, 4 Kompagnien Peterwardeiner Gränzern und 200 Serbianern, die sich nicht mit Knitschanin zurückgezogen hatten, dann 8 kleinen dreipfündigen Tschaikistenbootkanonen. Bosnitsch und Stefanovitsch kommandirten, da Bigga im Lager von Kamenitz stand. Die Macht Perczels betrug 10000 Mann. Nichtsdestoweniger wurde serbischer Seits jede Kapitulation zurückgewiesen. Sz. Tomas sollte fallen, aber nicht übergeben werden.

Am 22. März (3. April) rückte denn auch wirklich Perczel in zwei Kolonnen gegen dasselbe heran, von denen die schwächere ihre Richtung gegen die Verbaser Linie, die stärkere gegen den Kanalbrückenkopf nahm. Jener galt eine bloße Demonstration, diesem der Hauptangriff. Die serbischen Kommandanten, gewohnt die Hauptangriffe an der Verbaser Linie zurückzuschlagen, hatten den größeren Theil ihrer geringen Vertheidigungsmittel dahin dirigirt und den Brückenkopf dem Bataillon Landsturm mit 3 Kanonen überlassen. Diesen gegenüber führte Perczel vier Batterien auf, und ließ unter dem Schuße der Kugeln derselben seine Sturmkolonnen vorrücken. Von einem erfolgreichen Vertheidigen konnte wohl unter solchen Umständen füglich keine Rede sein. Dennoch hielt das Bataillon den ersten Andrang aus und brachte die Sturmkolonne einen Augenblick zum Stillstand. In diesem Augenblicke aber schlug eine der feindlichen Granaten in einen Pulverkarren; eine der drei Kanonen, die ganze Munition und zahlreiche Menschenleben wurden das Opfer der Explosion; ein Moment der allgemeinen Verwirrung trat ein, und drei Bataillone stürmen an die

Erdwälle heran; ein furchtbares Gemetzel entspinnt sich und nach einer halben Stunde decken die Vertheidiger als Leichen den Kampfplatz oder sind in den Kanal gesprengt, und der Brückenkopf ist genommen. Die vollen Massen der Sieger bringen in den Ort, um ein Beispiel der Niedermetzelung, Verheerung, Plünderung und Grausamkeit zu statuiren, wie die moderne Kriegsgeschichte kein zweites kennt.

Die Vertheidiger der Verbaser Linie erkannten erst, als die Flammensäulen von Sz. Tomas in ihrem Rücken aufstiegen, daß sie Zeit und Muth einem Scheinangriff gegenüber verschwendet. Keinen Pardon erwartend und keinen begehrend, schlugen sie sich durch die brennende Stadt und die siegestrunkenen Bataillone Perczels nach Betsche durch. Die Hälfte von ihnen war auf dem Platze geblieben.

Der Fall von Sz. Tomas nöthigte Toborovitsch, auch Kikinda aufzugeben und sich auf Betschkerek zurückzuziehen. Um das Eindringen Perczels in den Tschaikistendistrikt einigermaßen zu hindern und dadurch Zeit zu diesem Rückzuge zu gewinnen, beorderte er ein Bataillon Tschaikisten mit einigen Kompagnien Peterwardeiner und 3 Kanonen an die Römerschanzen. Bosnitsch sammelte den Rest der Sz. Tomaser Besatzung bei Betsche und vereinigte sich mit ihm am linken Theißufer, ein zweites Tschaikistenbataillon aus Karlovitz und etwas banater Landsturm stießen hinzu, und die Punkte bei Katsch, Gospodintze und Tschurug konnten zur Nothburft besetzt werden.

Eine Woche später — nach einem Zeitraum, während dessen nichts geschah, um die Römerschanzen und die an ihnen aufgestellten Serben in einen irgendwie haltbaren Vertheidigungszustand zu setzen, nahm Perczel ohne namhaften Widerstand auch diese Positionen und die Batschka und die Römerschanzen waren in seiner Gewalt.

Mittlerweile war auch Bem im Banate vorgerückt. Karansebes und Lugos waren ihm geräumt worden; die Fahnen der polnischen Legion wehten vor Werschetz; Orsova und Temesvar waren bedroht. Es unterlag keinem Zweifel, daß er im Vereine mit Perczel in wenigen Tagen Herr des Landes bis an die Ufer der Donau sein werde. Und wollte sich Perczel nicht mit dem Verwüsten der verlassenen Ortschaften, nicht mit dem Entheiligen der Kirchen, nicht mit dem Aufwühlen der Gräber aufhalten, nichts stand ihm im Wege, Toborovich im Banate zu vernichten, nichts hielt ihn auf, sich Titels zu bemächtigen, der Weg nach Syrmien, der Weg nach Slavonien stand ihm offen.

Hatte schon der Fall von Sz. Tomas allenthalben die größte Bestürzung hervorgebracht, hatte der Patriarch gleich den Tag darauf mit seiner Verwaltung Betschkerek verlassen, um Semlin zu erreichen, ehe er von Perczels Truppen eingeschlossen wurde, war ihm Alles, was nur irgend wie Bedeutung für ihn hatte, unter andern auch die Typographie aus Karlovitz, dahin nachgeeilt, so war nach dem Falle der Römerschanzen die Flucht aus der Batschka und dem Banate vollends allgemein. Der einzige noch freie Punkt im Lande waren die von Sümpfen durchschnittenen Gegenden um Wilovo und Moschorin und das Titeler Plateau im Tschaikistenbistrikt. Hierher strömten die Flüchtlinge aus dem Banate und der Batschka von allen Seiten zusammen, hierher die zersprengten nationalen Truppen, nachdem sie die Waffen in den Sümpfen, die Kanonen im Schilfrohr und die Munition unter Gestrüpp, Steinhaufen und an den Brandstätten ihrer Häuser verborgen hatten. Nach einem Zeitraum von drei Tagen waren hier zu Wagen und zu Fuß, zum größten Theile selbst des Nothdürftigsten bar, wie sie eben ihren brennenden Wohnorten entronnen, 30—40000 Männer, Weiber, Kinder und Greise zusammengedrängt und was von Schiffen, Booten und Flössen aufzutreiben war, war Tag und Nacht bemüht, die Flüchtigen nach Syrmien überzusetzen. Von einem Standhalten in der schreckenvollen Verwirrung war keine Rede. Weder der Donaukordon, den der Patriarch in aller Eile errichtete, noch die Aufrufe des General Mayerhofer, der um diese Zeit das Kommando des 7. Armeekorps mit der Stellung als oberste Militär- und Civilautorität im siebenten Belagerungsrayon Ungarns (Banat und Batschka) übernommen, vermochten der allgemeinen Deroute Einhalt zu thun.

In diesem verhängnißvollen Augenblicke blieb dem Patriarchen nichts übrig, als sich neuerdings an Knitschanin zu wenden, und diesen zur Uebernahme des Kommandos, zur Rettung der Wojwodschaft aufs Dringendste einzuladen. Knitschanin leistete dem Nothrufe

18

augenblicklich Folge. Der 26. März (7. April) sah ihn schon in Karlovitz. Die Schaar jedoch, die ihm diesmal folgte, war so gering, daß der vorsichtige General — Knitschanin war am Abend des Sieges bei Sireg zum General ernannt worden — sich nicht entschließen konnte, an der Spitze derselben die Lorbeern seines Ruhmes an eine verlorene Sache zu setzen. Zwar eilte er nach Titel hinüber, um sich von der Lage der Dinge zu überzeugen, kehrte jedoch bald wieder zurück und erklärte dem Patriarchen, unter den augenblicklichen Verhältnissen sei nichts zu unternehmen.

Der Patriarch, von einer Seite um die augenblickliche Berufung einer Skupschtina und von einer täglich zunehmenden, fast zum offenen Aufruhr herangewachsenen Opposition bedrängt, von der andern um schleunige Abhülfe, um die Vorladung Toborovitschs vor ein Nationalgericht, um die Wiedereinsetzung Stratimirovitschs bestürmt, hatte keinen anderen Ausweg, als seine Zuflucht zu dem Letzteren zu nehmen, und dies um so mehr, als diesen selbst Knitschanin als den Einzigen bezeichnete, der noch das Aergste abzuwenden vermöchte.

Stratimirovitsch übernahm zum dritten Male das Kommando, übernahm es aus den Händen, die vor Kurzem den Verhaftsbefehl gegen ihn unterzeichnet hatten. In einer stürmischen Nacht setzte er auf einem leichten Kahne nach Titel über. Eben als er landete waren einige Kompagnien Tschaikisten mit 8 Kanonen im Begriff Titel zu verlaffen, auch diesen letzten Punkt preiszugeben. Sein Erscheinen hielt die Schiffe zurück, und die Tschaikisten traten wieder ans Land und folgten ihm unter lauten Freudenrufen nach Moschorin. Die Kunde davon verbreitete sich mit Blitzesschnelle über den wenige Quadratmeilen umfassenden Landstrich. Aus den eingeäscherten Ortschaften, aus den Schlupfwinkeln in den Sümpfen, aus den Verstecken im Schilfe wurden Waffen, Munition und Kanonen wieder herbeigeschafft; der Serbianermajor Milivoj Petrovitsch stieß mit etwa 1200 Serbianern hinzu, aus dem Banate und aus der Batschka kamen auf Umwegen einige hundert Freiwillige herbei, und nach wenigen Tagen hatte Stratimirovitsch auf dem Plateau bei Titel und hinter den Dämmen von Moschorin und Bilova 4000 entschlossene Kämpfer versammelt, denen er den Schwur abnahm, mit ihm zu siegen oder bis auf den letzten Mann zu Grunde zu gehen. In der That auch war nur Eines von Beiden möglich. Im Osten drängte Bem, im Westen und Norden Perczel, im Süden schieb die breite Donau den sumpfigen Distrikt von Syrmien und sperrte bei dem Abgang selbst der nothbürftigsten Brückenequipage den Rückzug in dies Gebiet auswegslos ab.

Die wahrhaft heldenmüthigen Kämpfe dieser kleinen Schaar unter Stratimirovitsch, Stefanovitsch und Milivoj Petrovitsch sind das letzte Emporlodern nationaler Begeisterung; die Tage von Moschorin, Bilovo und Katsch die letzten, die die Geschichte als der serbischen Bewegung angehörig verzeichnen kann. Sie hinderten es, daß die serbischen Gebiete nicht ganz in die Hände der Magyaren fielen, sie ersparten den österreichischen Feldherren die Mühe, diese Gebiete für die Gesammtmonarchie zurückzuerobern, sie bewahrten der serbischen Nation das Recht, den Boden der Wojwodina mit eigenen Waffen behauptet zu haben.

Mit ihnen auch mögen diese Blätter geschlossen sein. Was noch folgt: die Ankunft des Banus mit der Südarmee nachdem Fürst Windischgrätz das Kommando über die österreichische Armee niedergelegt und Baron Welden, der es übernommen, am 10. (22.) April Pest aufgegeben und den Rückzug gegen Westen und gegen Süden angeordnet hatte; die Eintheilung der serbischen Truppen in dieses Korps; die Abdankung Stratimirovitschs; die Kämpfe des Banus gegen Perczel und Guyon bei Szent Tomas, Hegyes, Neusatz u. s. w.; die Auflösung der nationalen Verwaltung; die Entwaffnung des Banats, der Batschka und Syrmiens; die Suspension der freien Presse; die Unterdrückung der serbischen Journale; die Landesverweisung von Mitgliedern des ehemaligen Odbors; das Verbot der serbischen Farben u. s. w. gehört nicht mehr in die Geschichte der serbischen Bewegung. Der Ort zur Verfolgung dieser Thatsachen ist die Geschichte des österreichischen Feldzuges in Ungarn, die Geschichte der Ausnahmezustände in Oesterreich, und es erübrigt nur noch die Erwähnung des Novemberpatents von 1849, durch welches nach Einvernehmen des Patriarchen und der berufenen serbischen Vertrauensmänner die

Ansprüche vom 1. (13.) und 3. (15.) Mai einer neuerlichen Erwägung unterzogen und dahin erledigt wurden,
daß die Wojwodina zwar kein eigenes, selbstständiges
Kronland, jedoch in Anbetracht der wohlbegründeten Ansprüche auf Wahrung der serbischen Nationalität, einen
der drei Kreise eines im Süden Ungarns zu bildenden
Verwaltungsgebietes bilden solle, dessen Verwaltung einem
provisorischen Landeschef mit einem Ministerialkommissär
für die Civilangelegenheiten an der Seite, zu übertragen
sei, und daß sich der Monarch, um der serbischen Nation
eine ihre nationalen und historischen Erinnerungen ehrende
Anerkennung zu gewähren, bewogen gefunden habe, seinem kaiserlichen Titel den eines „Großwojwoden" der
Wojwodschaft Serbien beizufügen und dem jeweiligen von
ihm ernannten Verwaltungsvorstande dieses Gebiets den
Titel eines „Vizewojwoden" zu verleihen.

Zum ersten Vizewojwoden der Wojwodschaft Serbien
wurde General Mayerhofer ernannt, der jedoch in diesem
Augenblicke (Juli 1851), wie man sagt, müde des Kampfes gegen die ihm widerstrebenden Gemüther in Serbien,
auf diesen Posten resignirte.

Druck von Gustav Schabe in Berlin,
Dranienburgerstr. 27.

n

n

C

sio

H
olya

Ta

o

ame

sat

In

n

Zettl